Dessin technique
et lecture de plan

Jean-Pierre Gousset

Dessin technique
et lecture de plan

Principes | Exercices

2e édition enrichie

EYROLLES

Du même auteur aux Éditions Eyrolles

– Avec le concours de Jean-Claude Capdebielle et de René Pralat, *Le Métré. CAO & DAO avec Autocad. Etude de prix*, 2ᵉ éd., 312 p., 2011

Série « Technique des dessins du bâtiment »

– *Dessin technique et lecture de plan. Principes; exercices*, 2ᵉ éd., 288 p., 2013

– *Plans topographiques, plans d'architecte, permis de construire et RT 2012. Détails de construction*, 280 p., 2014

– *Plans de bureau d'études : béton armé, charpente, électricité, fluides* (en préparation)

Technique du métré et étude de prix : lot terrassement et gros œuvre (en préparation)

Lire et réaliser les plans des maisons de plain-pied avec Autocad et Revit, 2007, 352 p.

Du projet 3D au DPE avec Allplan, 2010, 224 p.

ÉDITIONS EYROLLES
61, boulevard Saint-Germain
75240 Paris cedex 05
www.editions-eyrolles.com

Table des matières

Remerciements

Architecture, ingénierie et bureau d'études bâtiment, Berti, http://www.berti-ingenierie.com/, HSC Photovoltaïque, http://www.hsc-photovoltaique.fr/, IAD (Informatique Architecture Développement), http://www.iad-bat.com/, ID Bâtiment, idbatiment24@wanadoo.fr, Intech, intech@ingebat.org, Jacques Laumond Architecte DPLG, jacqueslaumon@free.fr, Christian Bavard, Jorge Diamantino, Damien Lalot, Bertrand Mignon, Laurent Poussou et Gaëlle Sacristan

PARTIE 1

Principes

1. CONVENTIONS DU DESSIN TECHNIQUE

1.1 Introduction

C'est un outil de communication, qualifié même de langage international, entre différents intervenants, qui permet à un projet de passer du stade de besoin au stade de réalisation, d'exploitation, voire d'élimination de l'ouvrage.

Toutes ces phases, présentées de manière synthétique dans ce tableau, nécessitent des représentations graphiques associées à des pièces écrites.[1][2][3][4]

PHASES	INTERVENANTS	ACTIVITÉS
BESOIN	Maître d'ouvrage (le client) assisté ou non à un maître d'œuvre	Définit un programme, cahier des charges
	Géomètre, topographe	Établit un relevé de terrain (plan topographique, plan de bornage, de masse...)
ÉTUDE DE FAISABILITÉ	Mandataire du maître d'ouvrage, bureaux d'études spécialisés	Faisabilité technique en accord avec le PLU[1], VRD[2]... Faisabilité financière pour un programme et des prestations en accord avec l'enveloppe budgétaire
CONCEPTION	Maître d'œuvre, architecte, urbaniste	Esquisse, APS (avant-projet sommaire) APD (avant-projet définitif), projet, ACT (assistance au maître d'ouvrage pour la passation du contrat de travaux)
	Économiste de la construction	Estimation de l'ouvrage
	Bureaux d'études techniques	Pré-étude structure, thermique, acoustique, fluides...
RÉALISATION	Entreprises	Soumissionne pour tout ou partie de l'ouvrage, l'étudie (bureau des méthodes...) et le réalise selon un calendrier des travaux
	Maître d'œuvre	Contrôle les travaux, les délais. Rendez-vous de chantier
	Bureaux d'études techniques	Réalise les plans d'exécution des structures, fluides...
	Bureau de contrôle	Contrôle de certains aspects des plans d'exécution, de la réalisation sur le chantier
	OPC (organisation pilotage et coordination)	Définit l'ordonnancement de l'opération et coordonne les différentes interventions afin de garantir les délais d'exécution et la parfaite organisation du chantier, missions régies par la loi MOP[3]
	Coordinateur SPS (santé, prévention, sécurité)	Contrôle hygiène et sécurité sur le chantier lorsque interviennent plusieurs travailleurs indépendants, entreprises ou entreprises sous-traitantes incluses
RÉCEPTION[4]	Tous les intervenants Maître d'ouvrage, maître d'œuvre, entreprises, bureaux d'études techniques, bureau de contrôle	Livraison de l'ouvrage au maître d'ouvrage, remise des clés DOE (dossier des ouvrages exécutés), DIUO (documents d'intervention ultérieure sur les ouvrages), Plan de recollement
EXPLOITATION DE LA CONSTRUCTION	Maître d'ouvrage, concessionnaire, services techniques	Assure le bon fonctionnement des installations, la mise aux normes liées aux nouvelles réglementations au-delà du délai de parfait achèvement et des garanties

> REMARQUE : l'existence d'un bâtiment se poursuit après sa réception par son exploitation (dépenses de fonctionnement, d'entretien...) jusqu'à sa démolition dans une approche de coût global[5] dont les objectifs, méthodologie et principes d'application sont décrits dans la norme ISO/DIS 15686-5. Un fichier téléchargeable et une simulation en 4 étapes sont proposés à l'adresse : http://www-coutglobal-developpement-durable-gouv-fr.aw.atosorigin.com/

1. Plan local d'urbanisme.
2. Voieries et réseaux divers (routes, assainissement...).
3. Différents textes de loi qui encadrent les rapports entre maîtrise d'ouvrage publique et maîtrise d'œuvre privée.
4. Avec ou non, selon le cas, une opération préalable de réception.
5. Il correspond à l'ensemble des coûts engendrés par un bâtiment sur tout son cycle de vie : coût de réalisation + coût d'exploitation (utilisation et maintenance) + coût de démantèlement (de telle sorte que le site retrouve son état naturel). Cet aspect est très inégalement pris en compte dans les projets, avec parfois des postes dont le coût ne peut être véritablement évalué, comme le traitement complet de certains déchets, nucléaires par exemple.

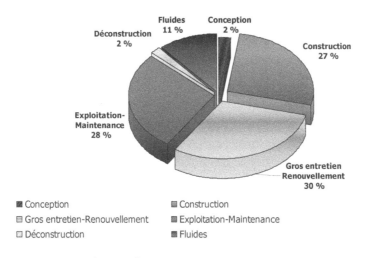

Source : ministère de l'Écologie, de l'Énergie, du Développement Durable et de l'Aménagement du territoire

Figure 1.1 - Répartition du coût global d'un bâtiment sur 50 ans, exemple d'un lycée

Le dessin technique ou de construction permet la représentation d'une solution technologique à un problème posé (objets, ouvrages…) sur une surface plane. Un des plus anciens connus nous vient d'Égypte : 2 vues d'un tombeau, sans cotes, sur papyrus.

Ce langage technique, composé :

▶ de lignes en traits fins, forts, renforcés, continus, interrompus ;

▶ de cotations ;

▶ d'écritures : nomenclature, cartouche… ;

▶ de symboles : réseaux, appareillage électrique…

inclut 3 champs complémentaires :

▶ le champ de la mesure (respect du réel, échelle…) et de la géométrie (parallèle, perpendiculaire, tangente…) ;

▶ le champ du codage (type de trait, des hachures…) ;

▶ le champ technique (la circulation dans un bâtiment : horizontale et verticale ; le système porteur : poteaux, poutres, porte-à-faux…).

La représentation des dessins d'architecture, de bâtiment et de génie civil fait l'objet d'une norme NF P 02-001. Elle est complétée par d'autres normes : NF P 02-005 pour les cotations, NF P 02-006 pour les formats.

1.2 Les traits

TRAITS	DÉSIGNATION	UTILISATIONS
────────	Continu fort	Contours et arêtes vues
────────	Continu renforcé	Contours des sections, des zones coupées
────────	Continu fin	Arêtes fictives vues Lignes de cote, d'attache, de rappel Lignes de repères Hachures Constructions géométriques Contours de sections rabattues
~~ ─/─/─/─	Continu fin « ligne à main levée » Continu fin droit avec zigzag	Limites de vues ou coupes partielles
▬ ▬ ▬ ▬ ▬ - - - - -	Interrompu fort ou Interrompu fin	Contours cachés, arêtes cachées (l'un ou l'autre sur un même dessin)
─ — ─ — ─	Mixte fin	Axe de révolution, tracé du plan de symétrie, trajectoire, fibre moyenne
━ ─ ━ ─ ━	Mixte fort	Lignes ou surfaces particulières, tracé de plan de référence
━ ─ ─ ━ ─ ─	Mixte fin avec éléments forts	Tracé de plan de coupe continu ou brisé
── — — ──	Mixte à deux tirets aussi désignés par « fantômes » dans les logiciels de DAO	Contours situés en avant du plan de coupe (couverture sur une vue en plan) Contours d'éléments voisins, demi-rabattement

Remarques : l'épaisseur des traits est au moins doublée du trait fin au trait fort et du trait fort au trait renforcé ÷ :

– trait fin : de 0,13 mm à 0,20 mm ;

– trait fort : de 0,25 mm à 0,50 mm ;

– trait renforcé : de 0,50 mm à 1 mm.

Un trait mixte se termine par des éléments longs.

Les traits interrompus sont raccordés aux extrémités.

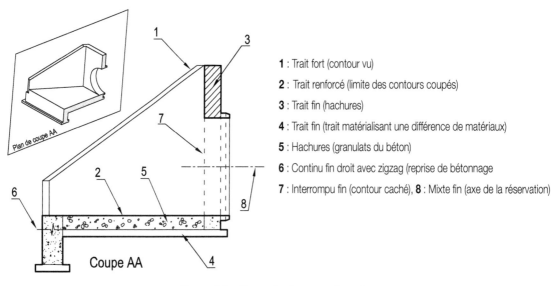

1 : Trait fort (contour vu)

2 : Trait renforcé (limite des contours coupés)

3 : Trait fin (hachures)

4 : Trait fin (trait matérialisant une différence de matériaux)

5 : Hachures (granulats du béton)

6 : Continu fin droit avec zigzag (reprise de bétonnage

7 : Interrompu fin (contour caché), **8** : Mixte fin (axe de la réservation)

Figure 1.2 - Exemple de types de traits

1.3   Les hachures et trames

Les hachures sont des traits fins qui matérialisent la matière coupée par le plan de coupe lors de la représentation des sections et des coupes. L'aspect de ces hachures varie en fonction de la nature des matériaux coupés.

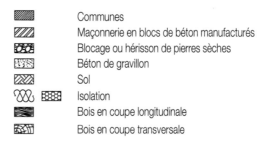

Communes

Maçonnerie en blocs de béton manufacturés

Blocage ou hérisson de pierres sèches

Béton de gravillon

Sol

Isolation

Bois en coupe longitudinale

Bois en coupe transversale

Figure 1.3 - Quelques hachures usuelles

Les trames (ou motifs) donnent un aperçu des matériaux employés sur une vue qui n'est pas le résultat d'une coupe (couverture sur une façade…).

Carrelage grès cérame 20 × 40

Couverture en tuiles « canal »

Remplissage ou aplat

Figure 1.4 - Exemples de trames

1.4 Les écritures

La norme NF E 04-505 traite de l'écriture normalisée. Aujourd'hui, les dessins informatisés utilisent des polices et des tailles de caractère qui améliorent la lisibilité des plans. Les écritures et cotations manuelles sont toujours très utilisées sur les relevés d'architecture malgré le développement des tablettes graphiques.

1.5 Les formats

Autant que faire se peut, les dessins sont imprimés sur des formats normalisés mais, très souvent, les plans du BTP ont des dimensions qui imposent l'utilisation de rouleaux.

Le format de base est le A4 (210 mm × 297 mm) pris horizontalement (mode portrait) ou verticalement (mode paysage). Les autres formats sont déduits du format inférieur en multipliant sa plus petite dimension par deux.

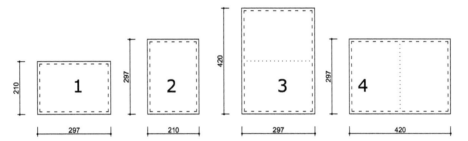

1 : Format A4 horizontal ou mode paysage, **2 :** Format A4 vertical ou mode portrait,
3 : Format A3 vertical ou mode portrait, **4 :** Format A3 horizontal ou mode paysage

Figure 1.5 - Les formats A4 et A3 (cotes en mm)

REMARQUES : pour des raisons techniques d'impression et de reproduction, le dessin n'occupe pas toute la feuille. Un cadre intérieur situé à 10 mm du bord de la feuille définit les limites du dessin.

Le rapport entre les 2 dimensions d'une feuille est de l'ordre de 2 (la diagonale du carré), par exemple pour le A4, $210 \sqrt{2} \approx 297$.

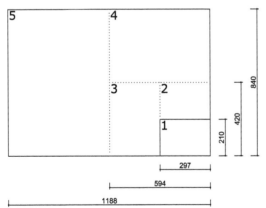

1 : Format A4 : 297 mm × 210 mm

2 : Format A3 : 420 mm × 297 mm (210 × 2)

3 : Format A2 : 594 mm × 420 mm (297 × 2)

4 : Format A1 : 840 mm × 594 mm

5 : Format A0 : 1 188 mm × 840 mm (proche de 1 m²)

Figure 1.6 - Du format A4 au format A0

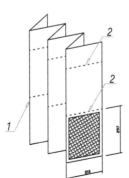

1 : Plis principaux

2 : Plis secondaires

Figure 1.7 - Pliage d'un plan sur la base d'un cartouche A4 vertical

Le format A4 sert de base au pliage des feuilles plus grandes. Mais l'impression ou la reproduction des documents ne peut pas occuper toute la feuille. Un cadre, tracé à 10 mm (valeur courante) du bord de la feuille, réduit la surface utile.

1.6 Le cartouche

C'est un cadre, visible après pliage de la feuille, en général en bas et à droite du dessin, de format A4 pour les grands plans mais plus réduit sur un dessin déjà au format A4, qui mentionne :

► le titre du dessin ;

► l'échelle (ou les échelles), la date et l'auteur du dessin ;

► un numéro de classement et un indice de modification ;

► le maître d'ouvrage, le maître d'œuvre, le bureau d'études… ;

► la phase du projet, esquisse, APS pour avant-projet sommaire, APD pour avant-projet définitif, DCE pour dossier de consultation des entreprises, PEO pour plan d'exécution des ouvrages.

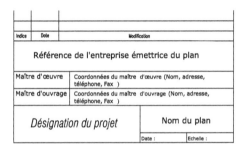

Figure 1.8 - Exemples de cartouches (complet et simplifié)

2. Représentation des objets

2.1 Introduction

La représentation des ouvrages de quelques arts ou sciences auxquels ils appartiennent pose 2 problèmes.

Le plus simple est relatif à leurs dimensions. Dans le BTP, une parcelle, un bâtiment, une porte, etc. ne peuvent pas être représentés selon leurs dimensions réelles (vraie grandeur ou échelle 1) sur une feuille de papier. Pour être dessinées, les dimensions réelles sont réduites[1] en les multipliant par un nombre sans unité appelé « échelle », inférieur à 1. Réciproquement, s'il manque une cote sur un plan, l'échelle permet le calcul de la dimension réelle, mais avec une imprécision liée à la mesure et au facteur d'échelle.

---

1. Dans certaines disciplines comme la mécanique, l'électronique, la définition de certains éléments exige une représentation plus grande que leur taille réelle. Le facteur d'échelle est alors supérieur à 1.

REMARQUE : avec les logiciels de CAO DAO[1], toutes les dimensions du projet sont saisies à l'échelle 1. Par conséquent, le facteur d'échelle n'intervient qu'à l'impression[2] des plans. Mais le principe de retrouver une dimension réelle demeure.

L'autre problème, bien plus complexe, est lié à la représentation et la définition des objets, un ensemble de formes issu de volumes de sections constantes ou variables, de surfaces planes ou gauches, de lignes d'intersection....

Leurs représentations en perspective, au trait ou en image de synthèse, ne donnent qu'une allure générale qui ne permet pas leur fabrication.

Pour définir précisément ces objets, la technique des projections orthogonales sur des plans particuliers (horizontaux, verticaux, etc.) permet de produire des vues extérieures, des coupes horizontales ou verticales, des détails, pour :

- ▶ une définition complète (forme, vraie grandeur, dimension et cotation) ;
- ▶ l'intervention des divers corps d'état (le maçon et l'électricien n'ont pas besoin des mêmes informations) ;
- ▶ la réalisation sur le chantier...

La pratique d'un métier lié à la technique nécessite à la fois de :

- ▶ lire des plans : associer les différentes représentations planes 2D pour en construire une image spatiale 3D ;
- ▶ produire des plans pour traduire des idées, de l'espace au plan.

2.2   Les échelles

À part pour les plans sur règle et les épures à l'atelier, il est rare que les sorties papier des dessins nécessaires à la réalisation des ouvrages soient à l'échelle réelle 1 (1 cm dessiné pour 1 cm réel ou 1 m dessiné pour 1 m réel).

Les ouvrages du BTP sont reproduits sur des plans à échelle réduite :

- ▶ de 1/2 (1 cm dessiné pour 2 cm réels) pour un détail d'assemblage ;
- ▶ à 1/5 000 (1 cm dessiné pour 5 000 cm = 50 m réels) pour les plans de situation ou même davantage pour les routes et autoroutes (cartes routières).

L'échelle est un nombre sans dimension, rapport entre la dimension dessinée et la dimension réelle exprimée dans la même unité.

$$\text{échelle} = \frac{\text{dimension dessinée}}{\text{dimension réelle}} = \frac{DD}{DR}$$

Dans une égalité composée de 3 valeurs, une valeur est déterminée à partir du moment où les 2 autres sont définies. Cela permet le calcul, soit de l'échelle, soit de la dimension à dessiner (impression des plans), soit de la dimension réelle (trouver une cote manquante[3] d'un plan).

---

1.   CAO : conception assistée par ordinateur. DAO : dessin assisté par ordinateur.
2.   Avec certains logiciels très élaborés, la saisie est toujours à l'échelle 1, mais le choix d'une échelle de travail augmente ou diminue automatiquement la précision des détails représentés. Par exemple, au 1/200, une porte n'est représentée qu'avec un trait et un arc de cercle, alors qu'au 1/20 les feuillures, la poignée... sont affichées.
3.   Cette technique, qui engendre des imprécisions, ne doit être employée que lorsque aucun autre calcul n'est possible.

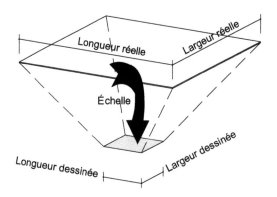

Figure I.9 - Principe du facteur d'échelle

2.2.1 Calcul de l'échelle d'un dessin

L'échelle est obtenue en divisant la dimension sur le dessin par la dimension réelle avec, impérativement, la même unité.

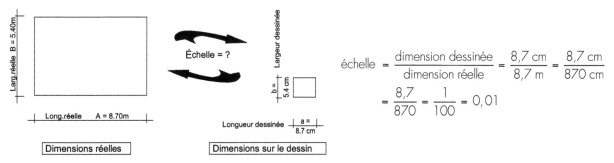

$$\text{échelle} = \frac{\text{dimension dessinée}}{\text{dimension réelle}} = \frac{8,7 \text{ cm}}{8,7 \text{ m}} = \frac{8,7 \text{ cm}}{870 \text{ cm}}$$

$$= \frac{8,7}{870} = \frac{1}{100} = 0,01$$

Figure I.10 - Principe du calcul de l'échelle

Expression de l'échelle sous forme :

▶ fractionnaire 1/100 (soit 1 cm pour 100 cm, ou 1 cm pour 1 m) ;
▶ décimale 0,01 ;
▶ littérale 1 cm par mètre ;
▶ schématisée.

Figure I.11 - Schéma de l'échelle du dessin

2.2.2 Calcul de la dimension à dessiner

Avec la quasi-disparition du dessin « à la planche », cette procédure n'intervient que lors de l'impression, car avec un logiciel, toutes les cotes saisies sont à l'échelle 1 et le logiciel propose des échelles prédéfinies.

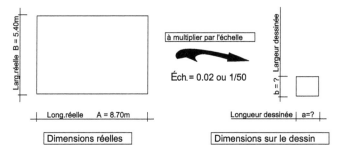

Figure I.12 - Principe du calcul de la dimension sur le dessin

Dimension dessinée = dimension réelle × échelle

Dimension dessinée = 8,70 m × 0,02 = 0,174 m = 17,4 cm

Ou en utilisant la forme fractionnaire, dimension dessinée = 8,70 m × 1/50 = 8,70 m/50 = 0,174 m = 17,4 cm.

2.2.3 Calcul de la dimension réelle

Elle est obtenue à partir d'une dimension mesurée sur le plan (en principe à éviter car l'imprécision de la mesure est divisée par l'échelle, d'où une multiplication par un facteur 50 ou 100...).

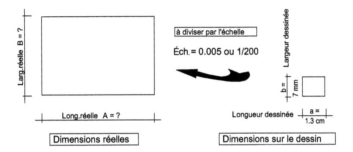

Figure 1.13 - Principe du calcul de la dimension réelle

$$\text{dimension réelle} = \frac{\text{dimension dessinée}}{\text{échelle}} = \frac{1,3 \text{ cm}}{0,005}$$

$$= \frac{1,3 \text{ cm} \times 1\ 000}{5} = \frac{1,3 \text{ m} \times 10}{2} = 6,5 \text{ m}$$

Une imprécision de 1mm sur le dessin, ou sur la mesure, entraîne une erreur de 200 mm ou 20 cm sur le terrain.

Remarque : parfois le facteur d'échelle n'est pas identique dans les 2 directions, par exemple pour les profils en long ou les profils en travers de certains terrassements.

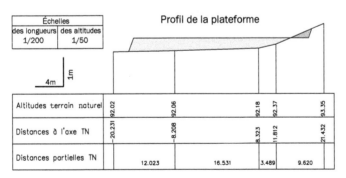

Figure 1.14 - Exemple de profils avec des échelles différentes selon x (1/200) et y (1/50)

Pour cette figure, un segment vertical de 1 m correspond à 4 m en longueur. Ainsi, les variations verticales sont accentuées et deviennent visibles.

2.3 Les projections orthogonales

Elles permettent de définir un objet volumique (3D) à partir d'un ensemble de projections (2D) selon des directions perpendiculaires à plans préférentiels. Deux exemples illustrent ce paragraphe, avec des approches différentes.

2.3.1 Le cube de projection

C'est un procédé qui permet d'expliquer le nom et la position des différentes mises en plan (projections orthogonales) d'un objet qui est en 3 dimensions.

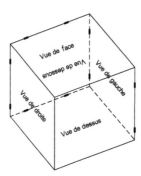

Figure 1.15 – Les 6 faces du cube de projection (vue d'arrière non mentionnée)

Une feuille de papier ou une ligne de peinture ont une épaisseur, mais dans ce cas, une seule représentation suffit.

Dans les autres cas, une des présentations du raisonnement consiste à placer l'objet à l'intérieur d'un cube, dit « de projection ». Le dessinateur se déplace autour de l'objet, et dans la méthode européenne, il projette les points, arêtes, faces vues et cachées (parfois pas toutes) sur une des faces du cube situées au-delà de l'objet.

Pour l'impression du dessin sur une même feuille, les 6 faces du cube sont rabattues dans un même plan : celui de la vue de face pour donner les 6 projections orthogonales de l'objet.

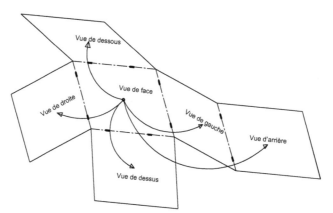

Figure 1.16 – Dépliage des 6 faces du cube selon les charnières liant chaque vue

REMARQUE : c'est pourquoi dans la méthode européenne, comme l'objet est situé entre l'observateur et le plan de projection, le nom de la vue, qui correspond à la position de l'observateur, est situé en symétrique de la vue de face : la vue de droite est à gauche de la vue de face, la vue de gauche est à droite de la vue de face, la vue de dessus est au-dessous de la vue de face, la vue de dessous est au-dessus de la vue de face.

2.3.2 Exemple 1 : maison

Figure 1.17 – Perspective d'une maison schématisée, à représenter en projections orthogonales

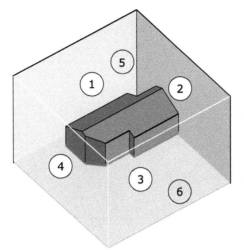

1 : Plan de projection de la vue de face

2 : Plan de projection de la vue de gauche

3 : Plan de projection de la vue arrière

4 : Plan de projection de la vue de droite

5 : Plan de projection de la vue de dessous

6 : Plan de projection de la vue de dessus

Figure 1.18 - Maison insérée dans le cube de projection

REMARQUES : la vue de face est arbitraire, mais choisie par le projeteur, comme la plus significative de l'objet à représenter.

Seules les surfaces parallèles au plan de projection sont représentées en vraie grandeur.

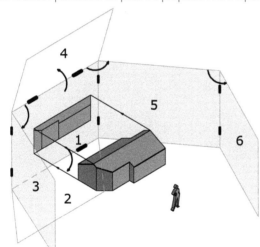

1 : Plan de projection de la vue de face

2 : Plan de projection de la vue de dessus

3 : Plan de projection de la vue de droite

4 : Plan de projection de la vue de dessous

5 : Plan de projection de la vue de gauche

6 : Plan de projection de la vue de derrière

Figure 1.19 - Dépliement partiel des faces du cube

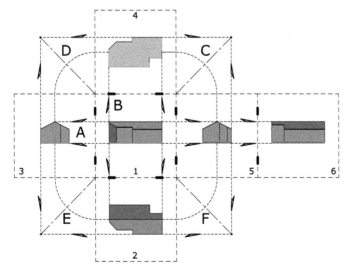

1 : Vue de face

2 : Vue de dessus (au-dessous de la vue de face)

3 : Vue de droite (à gauche de la vue de face)

4 : Vue de dessous (au-dessus de la vue de face)

5 : Vue de gauche (à droite de la vue de face)

6 : Vue de derrière

A : Correspondances horizontales entre les vues 1, 3, 5, 6

B : Correspondances verticales entre les vues 1, 2, 4

C : Correspondances entre les vues 4 et 5 par la droite à 45°

D : Correspondances entre les vues 4 et 3 par la droite à 45°

E : Correspondances entre les vues 2 et 3 par la droite à 45°

F : Correspondances entre les vues 2 et 5 par la droite à 45°

Figure 1.20 - Dépliement du cube sur la base de la vue de face (plan vertical)

REMARQUE : il y a correspondance entre les vues. Si, dans la mise en page, l'espacement « vue de face, vue de dessus » est égal à l'espacement « vue de face, vue de droite », alors seulement cette droite passe par l'intersection des lignes de correspondance sur la vue de face.

2.3.3 Représentations des projections orthogonales

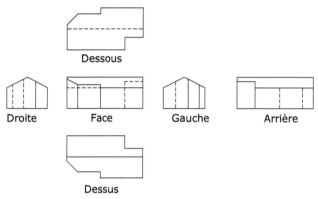

Figure 1.21 - Représentation aux traits, lignes vues et cachées

REMARQUE : les arêtes vues sont représentées en traits continus. Les arêtes cachées, en traits interrompus, ne sont pas toujours toutes représentées car elles peuvent réduire la clarté du dessin.

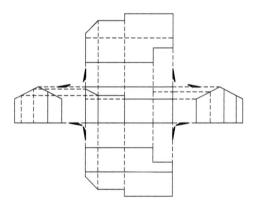

Figure 1.22- Correspondances horizontales et verticales

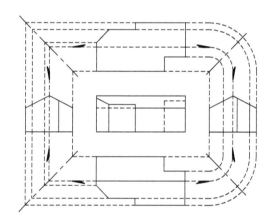

Figure 1.23 - Correspondances par la droite à 45° (selon des droites ou des arcs de cercle)

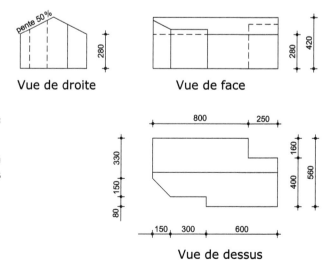

Figure 1.24 - Représentation des 3 vues cotées

La cotation, toujours en dimensions réelles exprimées en millimètre, mètre ou centimètre, complète le dessin des projections.

2.3.4 Autres présentations de techniques comparables

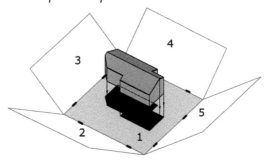

Figure 1.25 - Rabattement des plans verticaux dans le prolongement du plan horizontal (vue de dessus)

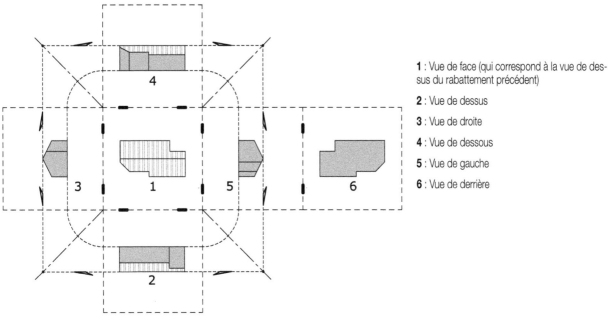

1 : Vue de face (qui correspond à la vue de dessus du rabattement précédent)

2 : Vue de dessus

3 : Vue de droite

4 : Vue de dessous

5 : Vue de gauche

6 : Vue de derrière

Figure 1.26 - Dépliement du cube sur la base d'un plan horizontal

REMARQUE : dans cette projection, la vue de face correspond à la vue de dessus de la projection de la figure 1.20.

2.3.5 Parcours de l'observateur

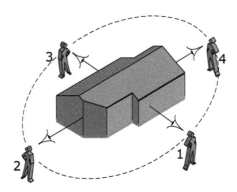

Figure 1.27 - Positions de l'observateur pour des projections sur des plans horizontaux

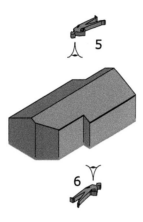

Figure 1.28 - Positions de l'observateur
pour des projections sur des plans verticaux

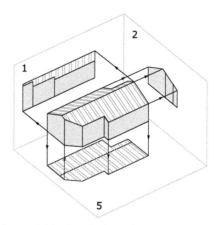

Figure 1.29 - Les 3 plans de projections pris
pour exemples

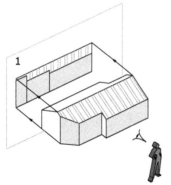

Figure 1.30 - Vue de face (observateur situé face
à l'objet, plan hôte situé derrière l'objet)

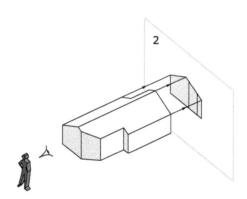

Figure 1.21 - Vue de gauche (observateur situé à gauche
de l'objet, plan hôte situé à droite de l'objet)

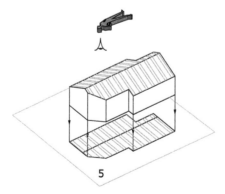

Figure 1.32 - Vue de dessus (observateur situé au-dessus de l'objet, plan hôte situé au-dessus de l'objet)

2.3.6 Exemple 2 : balcon préfabriqué

Figure 1.33 - Perspective du balcon avec garde-corps,
en mode image (bitmap)

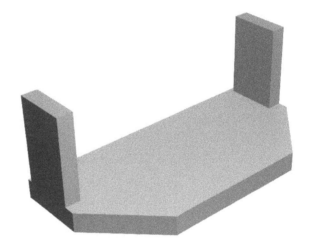

Figure 1.34 - Perspective du balcon seul,
sans garde-corps

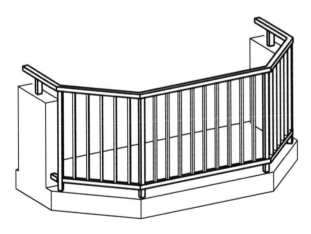

Figure 1.35 - Perspective, côté extérieur,
en mode vectoriel

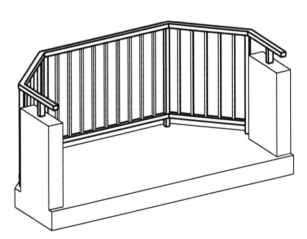

Figure 1.36 - Perspective, côté intérieur,
en mode vectoriel

REMARQUE : ces représentations sont simplifiées car ne figurent ni les douilles de levage pour la manutention, ni les armatures en attente, ni le larmier en sous-face de la dalle, ni la pente pour évacuer l'eau de pluie.

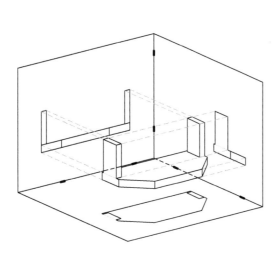

Figure 1.37 - Balcon seul en perspective,
et selon 3 projections orthogonales

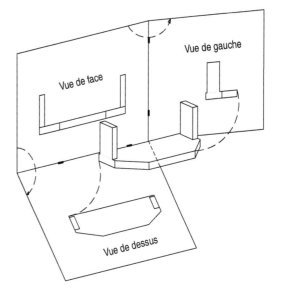

Figure 1.38 - Les 3 faces du cube,
en cours de développement

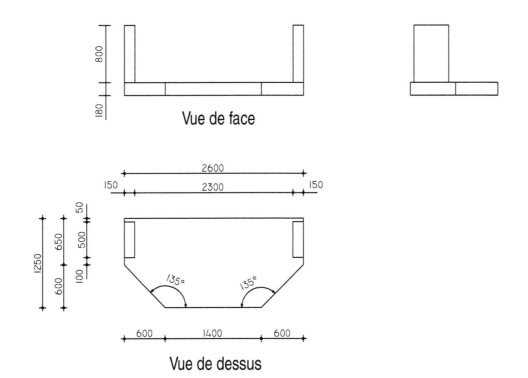

Figure 1.39 - Balcon coté en millimètres, défini en vue de face (ou élévation) et vue de dessus (ou plan)

La décomposition des différentes vues peut aussi être présentée en utilisant le parcours de l'observateur.

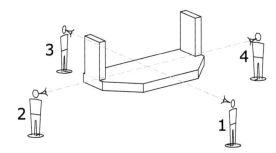

1 : Observateur pour la vue de face

2 : Observateur à gauche de l'objet pour la vue de gauche projetée à droite de l'objet

3 : Observateur pour la vue d'arrière (ou de derrière)

4 : Observateur à droite de l'objet pour la vue de droite projetée à gauche de l'objet

Figure 1.40 – Observateurs pour les projections sur des plans verticaux

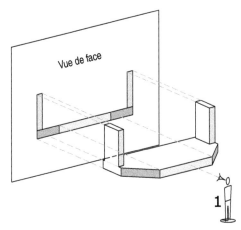

Figure 1.41 - Observateur, objet à projeter et plan de projection pour la vue de face

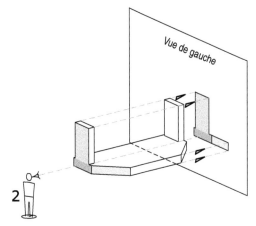

Figure 1.42 – Observateur, objet à projeter et plan de projection pour la vue de gauche

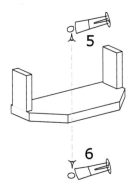

5 : Observateur au-dessus de l'objet pour la vue de dessus projetée au-dessous de l'objet

6 : Observateur au-dessous de l'objet pour la vue de dessous projetée au-dessus de l'objet

Figure 1.43 - Projections sur des plans horizontaux

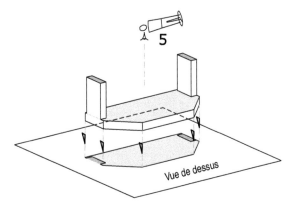

Figure 1.44 - Observateur, objet à projeter et plan de projection pour la vue de dessus

2.4   Les coupes et sections

Mais les vues extérieures sont rarement suffisantes pour définir des ouvrages complexes, ou avec des « vides ». Pour les clarifier, les sections ou coupes transforment des arêtes cachées en contours coupés ou vus.

2.4.1 Principe

Un plan, dit « de coupe », orienté selon une direction privilégiée (le plus souvent horizontale ou verticale), scie ou partage l'objet en 2 parties. L'une d'entre elles est supprimée afin de représenter la partie restante. Ainsi des parties cachées deviennent visibles.

Cette procédure se résume en 5 étapes :

- ▶ choix d'un plan de coupe et d'un sens d'observation ;
- ▶ suppression de la matière située entre le plan de coupe et l'observateur ;
- ▶ représentation de la seule partie coupée (c'est une section) ;
- ▶ ajout des éléments situés en arrière du plan de coupe ;
- ▶ habillage de la coupe.

Elle est illustrée par un exemple concret : une tête d'ouvrage hydraulique, élément situé aux extrémités d'une canalisation de gros diamètre permettant le passage de l'eau sous la chaussée d'une route ou d'une autoroute.

2.4.2 Tête d'ouvrage hydraulique

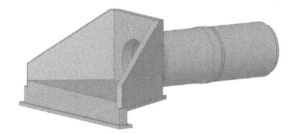

Figure 1.45 - Tête d'ouvrage hydraulique raccordée à deux éléments de canalisation

Figure 1.46 - Tête d'ouvrage hydraulique seule

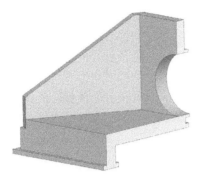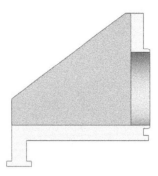

Figure 1.47 – Tête d'ouvrage hydraulique coupée verticalement, en perspective et en projection orthogonale

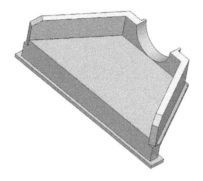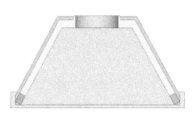

Figure 1.48 – Tête d'ouvrage hydraulique coupée horizontalement, en perspective et en projection orthogonale

2.4.3 Procédure de la coupe verticale

<u>Étape 1</u> : choix d'un plan de coupe et d'un sens d'observation.

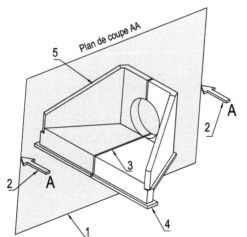

1 : Plan de coupe

2 : Sens d'observation

3 : Tracé du plan de coupe

4 : Partie de l'objet située en avant du plan de coupe

5 : Partie de l'objet située en arrière du plan de coupe

Figure 1.49 – Plan de coupe normal (perpendiculaire) à la vue de face et parallèle à un plan de projection (vue de droite)

Étape 2 : suppression de la matière située en avant du plan de coupe.

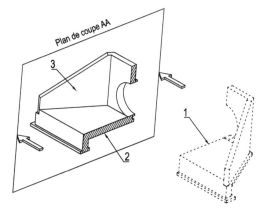

1 : Zone non représentée (située entre l'observateur et le plan de coupe)

2 : Zone représentée : matière coupée (section)

3 : Zone représentée : zone située en arrière du plan de coupe (coupe complète)

Figure 1.50 - Suppression de la matière située en avant du plan de coupes

Étape 3 : représentation de la seule partie coupée (nommée « section »).

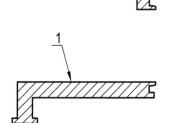

1 : Contour, en traits renforcés, de la matière coupée

2 : Hachures, en traits fins, matérialisant la matière coupée

Figure 1.51 - Section AA

Étape 4 : pour une coupe, il faut ajouter les arêtes situées en arrière du plan de coupe (parfois, seules les arêtes vues sont représentées).

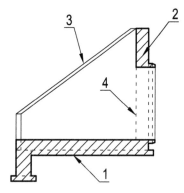

1 : Contour de la matière coupée (en traits renforcés)

2 : Hachures matérialisant la matière coupée (en traits fins)

3 : Arêtes vues en arrière du plan de coupe (en traits continus forts)

4 : Arêtes cachées en arrière du plan de coupe (en traits interrompus forts)

Figure 1.52 - Coupe AA

Étape 5 : habillage de la coupe par des hachures des zones coupées (variables selon la nature des matériaux), des cotes, du texte et parfois d'une légende.

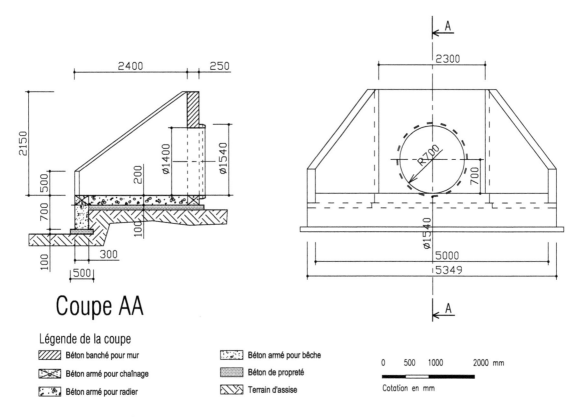

Coupe AA

Légende de la coupe

- ▨ Béton banché pour mur
- ⊠ Béton armé pour chaînage
- ▦ Béton armé pour radier
- ▥ Béton armé pour bêche
- ▦ Béton de propreté
- ▨ Terrain d'assise

Cotation en mm

Figure 1.53 - Représentation de la coupe verticale en correspondance avec la vue de face

REMARQUE : le plan de coupe est représenté par un trait mixte fin terminé par un trait renforcé, des flèches qui indiquent le sens d'observation et une lettre ou un chiffre pour le repérer.

2.4.4 La coupe brisée à plans parallèles

Elle permet la représentation de détails situés sur des plans différents et diminue le nombre de sections ou de coupes.

L'objet est coupé par 2 plans parallèles qui, de par le principe des projections orthogonales, sont représentés l'un à côté de l'autre.

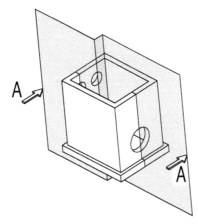

Figure 1.54 - Principe de la coupe brisée, coupe à plans parallèles

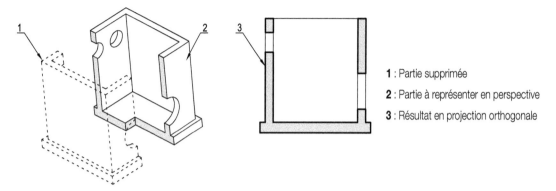

Figure 1.55 - Principe de la représentation

1 : Partie supprimée

2 : Partie à représenter en perspective

3 : Résultat en projection orthogonale

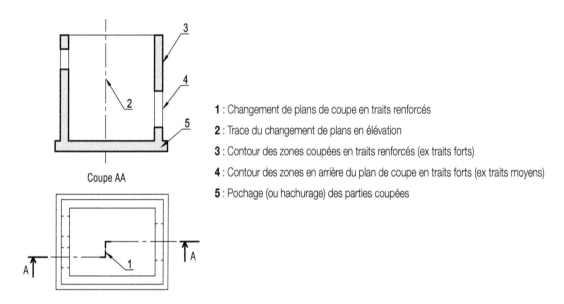

Coupe AA

1 : Changement de plans de coupe en traits renforcés

2 : Trace du changement de plans en élévation

3 : Contour des zones coupées en traits renforcés (ex traits forts)

4 : Contour des zones en arrière du plan de coupe en traits forts (ex traits moyens)

5 : Pochage (ou hachurage) des parties coupées

Figure 1.56 - Résultat avec correspondance entre plan et élévation

2.4.5 Les sections particulières

Section rabattue : la section est superposée à la vue normale au plan de coupe. Elle dispense d'une autre vue et permet une visualisation immédiate du profil utilisé.

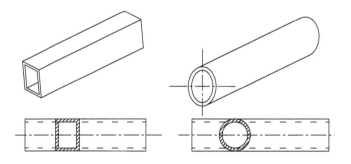

Figure 1.57 - Tube rectangulaire, circulaire

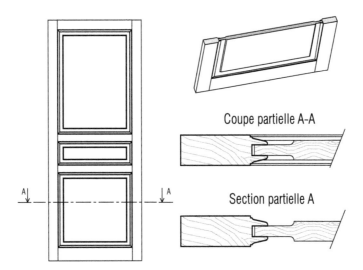

Figure 1.58 - Exemple d'une porte à panneaux, en élévation, en coupe horizontale en perspective et selon une section de l'assemblage montant et panneau

2.5 Les cotations

Elles indiquent les cotes réelles de l'ouvrage.

Elles sont exprimées en mètre avec 3 décimales ou en millimètre, mais un grand nombre de plans conservent l'habitude de coter en mètre avec 2 décimales lorsque la longueur est < 1 m et en centimètre lorsque la longueur est < 1 m. D'autres plans sont cotés en centimètre.

Dans tous les cas, la ou les unités sont précisées sur le plan ou dans le cartouche.

La cotation comporte 3 aspects :

▶ une cotation dimensionnelle, essentiellement des valeurs directement en relation avec la longueur représentée, parfois suivies d'une tolérance : par exemple pour exprimer que la longueur doit être comprise entre 400 et 400,04 ;

▶ une cotation des niveaux ;

▶ une cotation de repérage (du texte, avec ou non une nomenclature associée).

2.5.1 Cotation dimensionnelle

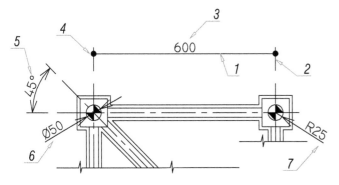

1 : Ligne de cote

2 : Ligne d'attache

3 : Valeur, distance entre les 2 points cotés exprimée en mètre, ou en centimètre, ou en millimètre, avec ou sans décimale

4 : Extrémités des lignes de cotes avec des options : flèches, points…

5 : Cotation d'un angle, valeur suivie du symbole ° pour indiquer des degrés

6 : Cotation d'un diamètre, valeur précédée d'un symbole ø

7 : Cotation d'un rayon, valeur précédée de la lettre R

Figure 1.59 - Nomenclature de la cotation

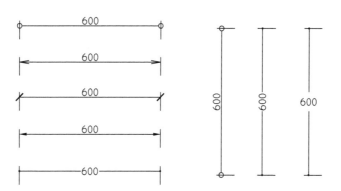

Figure 1.60 - Diverses extrémités et positions du texte d'une ligne de cote

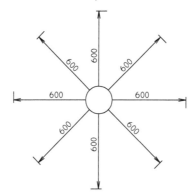

Figure 1.61 - Positions des valeurs de la cotation selon la direction de la ligne de cote

Les plans de bâtiment présentent des ensembles de cotations particulières.

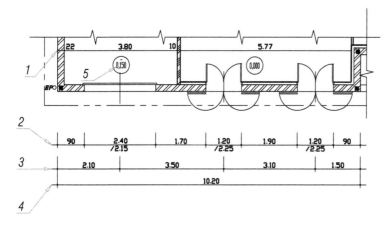

1 : Cotation intérieure, épaisseurs des murs et cloisons, dimensions intérieures des pièces

2 : Cotation des baies (HNB/LNB) et des trumeaux (parties des murs situées entre les baies)

3 : Cotation des axes des baies

4 : Cote totale

5 : Cotation des niveaux en plan

Figure 1.62 - Cotation d'une vue en plan partielle

Pour une cotation cumulée, une ligne ou une surface est choisie comme référence (0,00 ou 0,000 selon l'unité et la précision). Toutes les valeurs prennent cette référence pour origine, en X ou en Y.

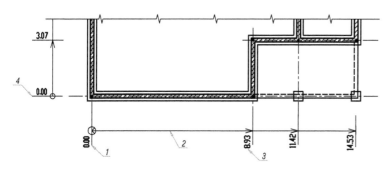

1 : Origine des cotes horizontales (axe des X)

2 : Ligne de cote

3 : Position des valeurs, sur les lignes d'attache

4 : Origine des cotes verticales (axe des Y)

Figure 1.63 - Cotation dite « en cumulé » d'une vue en plan partielle (revoir l'accord) des fondations

Avec des mesures mises bout à bout, les erreurs s'additionnent (en valeur absolue). Avec des mesures qui partent toujours de la même origine, une erreur de mesure ou de report n'altère pas les autres.

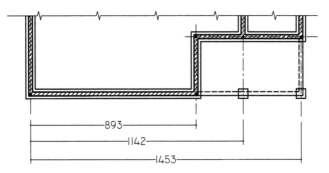

Figure 1.64 – Lignes de cote remplacées par une ligne de cote en cumulé

2.5.2 Cotation des niveaux

C'est une cote verticale (ou altitude), précédée d'un signe + ou – selon qu'elle est au-dessus ou au-dessous du niveau de référence, qui est indiquée à la fois sur les vues en plan et sur les coupes verticales.

Le niveau 0,000 peut être local ou NGF (pour niveau général de la France). Dans cet exemple, les niveaux sont locaux, rattachés à un repère du chantier.

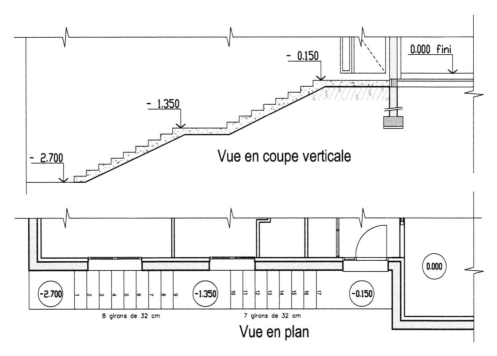

Figure 1.65 – Cotation des niveaux en plan et en élévation

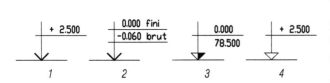

1 : Symbole normalisé

2 : Indication des 2 niveaux de réalisation lorsqu'il y a une couche rapportée (chape ou dalle flottante)

3 : Niveau rattaché au NGF (niveau général de la France)

4 : Autre style de flèche

Figure 1.66 – Différentes notation des cotes de niveaux

2.5.3. Cotation de repérage

Lorsque les types de cotation précédents ne suffisent pas, ils sont complétés par du texte et des schémas selon les éléments à définir.

2.5.3.1 Plan de coffrage

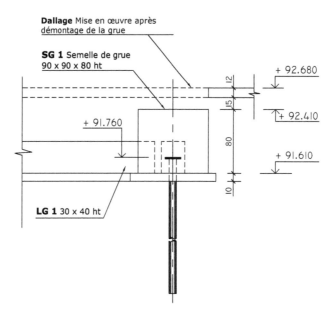

Figure 1.67 - Ensemble de cotations, dimensionnelles, de niveaux (rattachés au NGF), de repérage

2.5.3.2 Plan d'armatures

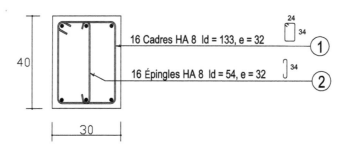

Figure 1.68 - Repérage des aciers dans une section en béton armé

À chaque acier est associée une ligne de repère où figurent le nombre d'éléments identiques, son type ou désignation, sa longueur développée (ld), un croquis et un numéro. Un tableau, appelé « nomenclature » ou « bordereau d'acier », récapitule les aciers par numéro.

Rep.	Type	Ø	Long. unitaire	Façonnage	Nbr. par éléments	Nbr. d'éléments	Nbr. total	Long. totale	Poids total
1	HA	8	1.33	24 ⌐⌐ 34	16	4	64	85.12	33.71
2	HA	8	0.54	⌡34	16	4	64	34.56	13.69

Figure 1.69 - Nomenclature des aciers de la section précédente

2.6 Les perspectives

Ce sont aussi des projections, mais avec une représentation[1] de plusieurs faces de l'objet, plus ou moins déformées, sur un plan dont le résultat se veut proche de notre perception visuelle, alors que les projections orthogonales visent une définition technique de l'objet.

Seules les perspectives les plus communes sont présentées, de la plus simple à réaliser (mais aussi la moins réaliste) comme la cavalière, à celle plus complexe comme la perspective conique (plus fidèle à notre vision) en passant par la perspective axonométrique qui se décline en plusieurs variantes.

Néanmoins, tous les types de perspectives ont pour origine la projection conique. Le principe de la perspective se résume à 3 éléments : l'objet à représenter, le centre de projection et le plan qui reçoit la projection.

Parmi tous les choix possibles de positionnements relatifs de ces éléments, la première distinction concerne le centre de projection. S'il est à une distance infinie, les rayons sont parallèles et il s'agit d'une axonométrie avec pour cas particulier la perspective cavalière[2]. S'il est à une distance finie, il s'agit d'une perspective centrale (ou conique) dont l'œil est le centre.

2.6.1 Principe de la perspective axonométrique

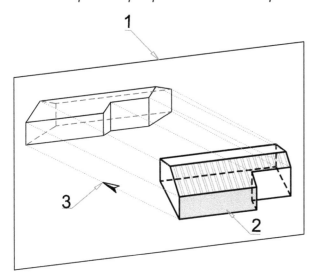

C'est une projection orthogonale de l'objet, sur un plan de projection oblique. L'orientation de la face principale de l'objet est quelconque par rapport au plan de projection.

1 : Plan de projection[3]

2 : Face principale de l'objet avec une orientation quelconque par rapport au plan de projection

3 : Projetante, perpendiculaire (ou normale) au plan de projection

Figure 1.70 - Principe de la perspective axonométrique

Pour son exécution, le plan de la feuille, qui correspond au plan de projection, est divisé en 3 régions caractérisées par 3 angles â, b̂, ĉ avec â + b̂ + ĉ = 360°. Une direction reste verticale, les autres sont choisies selon l'importance à conférer aux 3 vues. Les parallèles sont conservées et les longueurs sont soit conservées soit réduites.

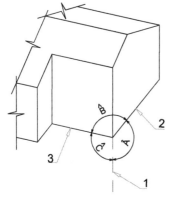

1 : Verticale

2 : Fuyante orientée d'un angle Â (variable entre 30 et 70°)

3 : Fuyante orientée d'un angle B̂, avec Â + B̂ + Ĉ = 360°

Figure 1.71 - Les directions d'une perspective axonométrique

---

1. À ce titre, il ne faut pas limiter la perspective dans un cadre exclusivement mathématique (géométrie, équations et algèbre), mais mentionner son rôle dans les arts figuratifs.
2. Les différences viennent du fait que les rayons sont ou ne sont pas perpendiculaires au plan de projection et que le plan de projection est oblique ou parallèle à une des faces de l'objet.
3. Pour une meilleure lecture de cette figure, le plan de projection est ramené vertical.

Si les 3 angles sont égaux (360°/3=120°), la perspective est dite isométrique, dimétrique pour 2 angles égaux et trimétrique pour les 3 angles différents.

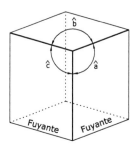
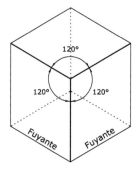

Figure 1.72 – Angles d'une perspective axonométrique et d'une perspective isométrique

Les facteurs de réduction des longueurs varient selon les angles choisis. La perspective isométrique, qui donne une importance égale à toutes les vues, est adaptée aux tracés des réseaux ou aux plans de montage. Elle est beaucoup moins utilisée pour une perspective extérieure car, dans la réalité, un observateur voit principalement les façades et nettement moins la couverture.

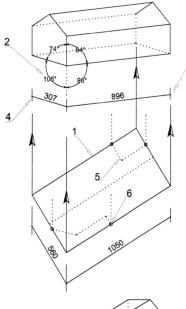

1 : Vue en plan orientée

2 : Angles de la perspective axonométrique

3 : Correspondance pour le facteur de réduction de la longueur

4 : Correspondance pour le facteur de réduction de la largeur

5 : Contour de la construction contenu dans le rectangle capable

6 : Exemple de point singulier à reporter sur la perspective (respect du facteur de réduction par construction, sans calcul)

Figure 1.73 – Facteurs de réduction des longueurs pour cette axonométrie

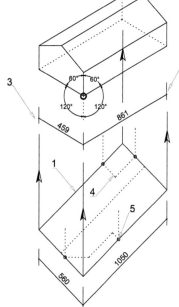

1 : Vue en plan orientée

2 : Correspondance pour le facteur de réduction de la longueur

3 : Correspondance pour le facteur de réduction de la largeur

4 : Contour de la construction

5 : Exemple de point singulier à reporter sur la perspective

Figure 1.74 – Facteurs de réduction des longueurs pour une isométrie

2.6.2 Construction d'une perspective isométrique

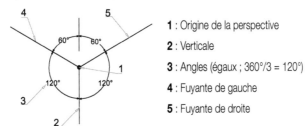

1 : Origine de la perspective

2 : Verticale

3 : Angles (égaux ; 360°/3 = 120°)

4 : Fuyante de gauche

5 : Fuyante de droite

Figure 1.75 - Éléments de base d'une isométrie

Soit les faces sont construites de proche en proche, soit la perspective est contenue dans le volume capable qui sert de base à tous les tracés.

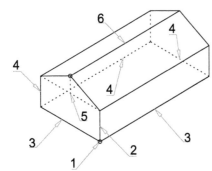

1 : Origine

2 : Ligne verticale

3 : Fuyantes à 60° ou 120° selon la verticale (120° + 60° = 180°) ou 30° selon l'horizontale (90° + 30° = 120°)

4 : Lignes parallèles aux lignes de base

5 : Lignes de construction de l'altitude du faîtage

6 : Ligne du faîtage, parallèle à la longueur du bâtiment

Figure 1.76 - Construction du volume capable

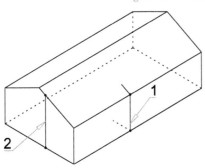

1 : Angle d'un mur (obtenu par le report du point 5 de la figure 1.73) qui intercepte le sol et le toit. De ces 2 points, des parallèles aux lignes du volume capable de la figure 1.75 déterminent la suite du contour de la construction.

2 : Même procédure pour cette arête du mur

Figure 1.77 - Premières lignes particulières de l'isométrie positionnées dans le volume capable

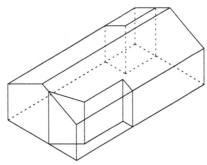

Figure 1.78 - Isométrie de la construction, à l'intérieur du volume capable

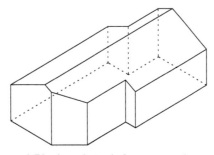

Figure 1.79 - Isométrie de la construction seule

La perspective axonométrique reprenant les caractéristiques de la figure 1.72 est construite en suivant le principe de construction de la perspective isométrique.

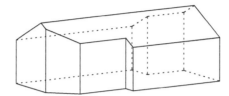

Figure 1.80 – Axonométrie de la construction avec les angles de la figure 1.73

2.6.3 Principe de la perspective cavalière

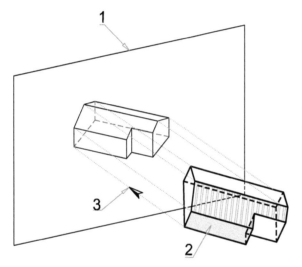

C'est une projection avec des rayons obliques sur un plan parallèle à une face de l'objet.

1 : Plan de projection

2 : Face principale de l'objet parallèle au plan de projection

3 : Projetante, d'orientation quelconque par rapport au plan de projection

Figure 1.81 - Principe de la perspective cavalière

Une des vues de l'objet, la vue parallèle au plan de projection, est choisie pour être représentée en vraie grandeur. Les arêtes qui sont perpendiculaires à ce plan sont des obliques (ou fuyantes) inclinées à 45° avec, soit un respect de leur longueur, soit un rapport de réduction de 0,5 ou de 2/3 (0,66).

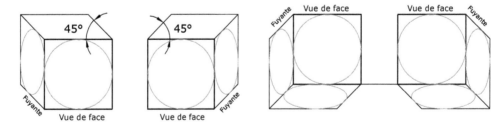

Figure 1.82 - Les 4 options possibles pour la direction des fuyantes, rapport de réduction 0,5

Comme les faces perpendiculaires sont réduites, selon les fuyantes, les cercles deviennent des ellipses.

Pour décrire la réalisation d'une perspective cavalière, prenons l'exemple 1 : la maison définie dans les projections orthogonales.

La façade du 1er plan est prise pour référence. Les autres lignes sont des parallèles ou des obliques à 45°, excepté pour les lignes du toit.

2.6.4 Construction d'une perspective cavalière

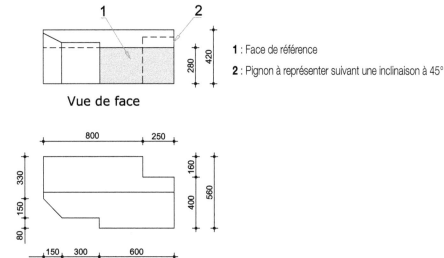

1 : Face de référence

2 : Pignon à représenter suivant une inclinaison à 45°

Vue de face

Vue de dessus

Figure 1.83 - Cotation des 2 vues utilisées pour monter la perspective cavalière

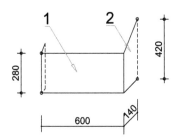

1 : Rectangle de référence de 600 (longueur en vue de dessus) par 280 (hauteur en vue de face)

2 : Demi-pignon, ligne inférieure à 45° de 140 (longueur de la construction 560 à diviser par 2 pour la position du faîtage, soit 280, et aussi à diviser par 2 pour le coefficient de réduction, soit 140)

Figure 1.84 - Début de la perspective cavalière

Toutes les autres lignes sont déduites de ce procédé. Mais des décalages et des pans brisés ne simplifient pas cette construction.

D'où une autre solution : construire le volume capable englobant toute la construction puis insérer les lignes matérialisant les décalages des façades et des couvertures.

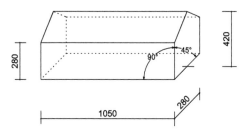

Figure 1.85 - Construction du volume capable avec les dimensions « hors tout » de la construction

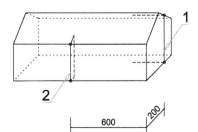

1 : Limite du pignon droit à 200 (400 sur la vue de dessus, diviser par 2 si l'on tient compte du coefficient de réduction) qui détermine la ligne du sol et la ligne de la couverture de la façade arrière

2 : Tracé d'une 1re portion du pignon gauche qui positionne le retrait d'une partie de la façade

Figure 1.86 - Début de la perspective cavalière dans le volume capable

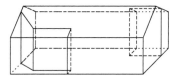

Figure 1.87 - Perspective cavalière complète, dans le volume capable

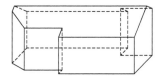

Figure 1.88 - Perspective cavalière terminée

2.6.5 Principe de la perspective conique

C'est la représentation la plus proche de notre perception visuelle, même si en réalité, nos yeux sont en permanence en mouvement pour saisir notre environnement alors qu'une perspective est figée.

Parmi toutes les variétés de perspectives coniques, un seul exemple, avec 2 points de fuite, est présenté.

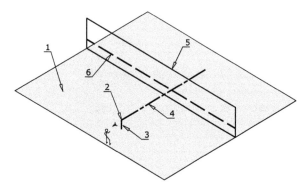

1 : Plan de terre (ou plan du sol)

2 : Point de visée (position de l'observateur)

3 : Hauteur de visée (hauteur des yeux comprise entre 1,50 m et 1,80 m)

4 : Rayon visuel principal, issu du point de visée, et pour cet exemple, perpendiculaire au plan du tableau

5 : Plan du tableau (plan de la feuille du dessin)

6 : Ligne d'horizon, horizontale ayant pour altitude la hauteur de visée

Figure 1.89 - Les éléments de la perspective conique

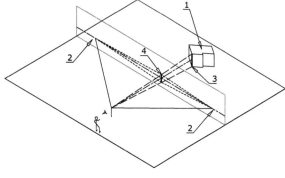

1 : Position relative de l'objet par rapport à l'observateur et au tableau

2 : Points de fuite situé sur la ligne d'horizon

3 : Hauteur réelle de l'objet

4 : Hauteur projetée de l'objet sur le plan du tableau

Figure 1.90 - Mise en place du projet

Figure 1.91 - Angle de visée, défini par l'observateur et les 2 points extrêmes[1] de l'objet

---

1. Ces 2 points et le point de visée (œil de l'observateur) appartiennent au même plan horizontal que la ligne d'horizon.

Le choix de la position relative de tous ces éléments influence le résultat final.

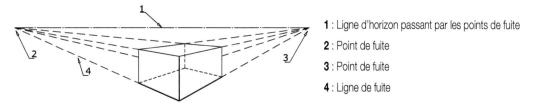

1 : Ligne d'horizon passant par les points de fuite

2 : Point de fuite

3 : Point de fuite

4 : Ligne de fuite

Figure 1.92 - Ligne d'horizon au-dessus de l'objet

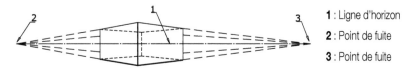

1 : Ligne d'horizon

2 : Point de fuite

3 : Point de fuite

Figure 1.93 - Modification de la ligne d'horizon et des points de fuite

2.6.6 Construction d'une perspective conique

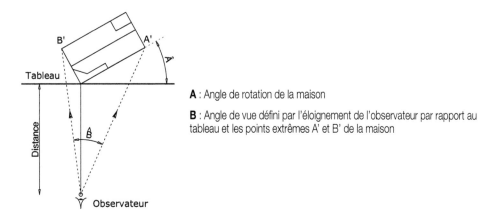

A : Angle de rotation de la maison

B : Angle de vue défini par l'éloignement de l'observateur par rapport au tableau et les points extrêmes A' et B' de la maison

Figure 1.94 - Position de l'observateur et angle de vue

Ces 2 paramètres sont liés : si l'observateur s'approche du tableau, l'angle de vue augmente, et inversement. Couramment, l'angle de vue est choisi entre 35 et 40°. Sa modification, surtout s'il augmente, déforme l'objet.

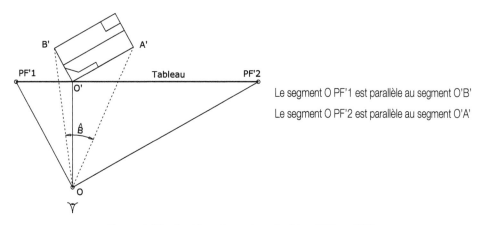

Le segment O PF'1 est parallèle au segment O'B'

Le segment O PF'2 est parallèle au segment O'A'

Figure 1.95 - Position des points de fuite PF'1 et PF'2

Ils sont à l'intersection du tableau et des lignes parallèles aux lignes du projet, issues de O : O'A' est parallèle à O PF'2 et O'B' est parallèle à O' PF'1

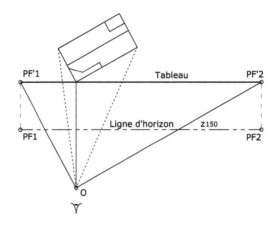

Figure 1.96 - Décalage des points de fuite et tracé de la ligne d'horizon¹

La position de la ligne d'horizon est sans influence sur l'aspect définitif de la perspective. Elle peut être confondue avec le tableau mais son déplacement, y compris le rappel des points de fuite PF1 et PF2, améliore la lisibilité.

Parmi les différentes méthodes possibles pour aborder le tracé, la représentation du plancher de la construction (au niveau z0 qui indique un plancher à l'altitude 0) sera présentée en premier. Une autre façon, à partir des faces verticales, sera aussi développée.

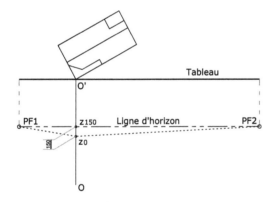

Figure 1.97 - Lignes de fuite de PF1 et PF2 vers z0

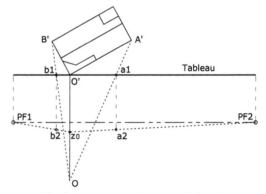

Figure 1.98 - Report des angles A' et B' du bâtiment sur les lignes de fuite, en a2 et b2

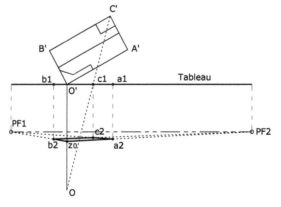

Figure 1.99 - Report de l'angle C' en c2, qui termine la définition du quadrilatère z0a2c2b2

---

1. z150 indique une hauteur de visée située à 150 cm (1,50 m) du plan de terre. Cela correspond à la hauteur des yeux de l'observateur.

De la même manière, le plan de la rive d'égout est obtenu en reportant le point bas de la couverture h vers la ligne OO' en h'.

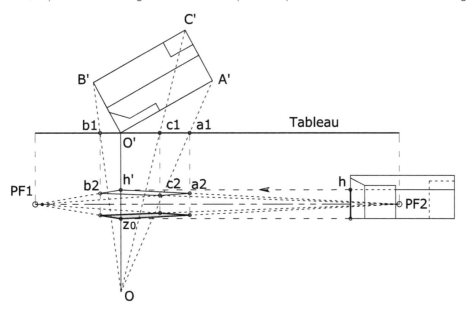

Figure 1.100 - z0a2c2b2, quadrilatère contenant les rives d'égout de la couverture

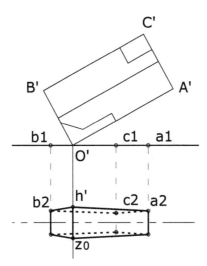

Figure 1.101 - Détail du parallélépipède rectangle en perspective conique

Le tracé peut aussi commencer par la définition des 2 façades verticales vues.

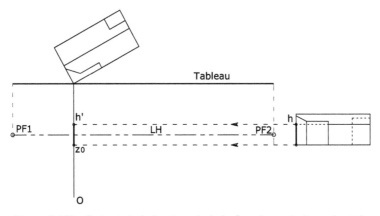

Figure 1.102 - Report de la hauteur h de la façade sur la ligne de visée

Pour être réaliste, la position verticale de la façade par rapport à la ligne d'horizon correspond à la hauteur des yeux de l'observateur : entre 1,50 et 1,80 m.

En élevant la ligne d'horizon par rapport à la ligne de terre, la représentation du toit est privilégiée. L'effet inverse est choisi pour représenter un escalier, un plafond, une mezzanine dans une perspective intérieure.

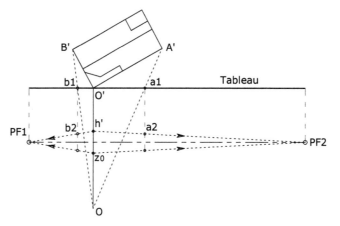

Figure 1.103 - Reports des points caractéristiques A' et B' sur les lignes de fuite

Un rayon, issu de l'observateur situé en O en direction de A', coupe le tableau en un point a1. Le point a1, rappelé verticalement, coupe PF2h' en a2. La procédure est identique pour le point B' et les lignes de fuite PFz0.

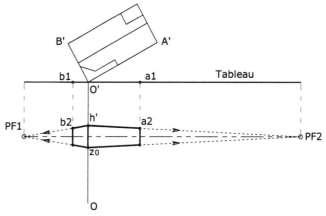

Figure 1.104 - Tracé des murs des 2 façades vues

Le segment du faîtage défini par 2 points (E et D sur l'élévation ou E' et D' sur la vue de dessus) est reporté en e1 et d1 sur la perspective.

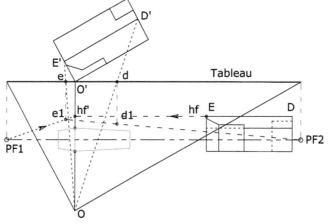

Figure 1.105 - Points extrêmes du faîtage

Les segments reliant le faîtage aux points hauts des murs représentent le toit à 2 pentes, pour le volume capable.

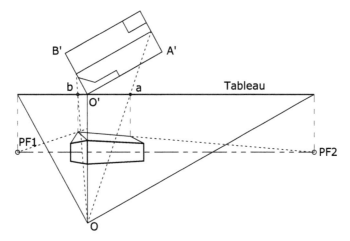

Figure 1.106 - Tracé du toit

Les points singuliers 1, 2, 3, 4 sont reportés afin d'obtenir les autres arêtes de la construction.

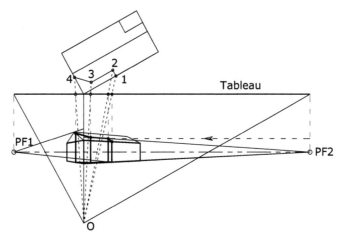

Figure 1.107 - Arêtes des angles des autres murs

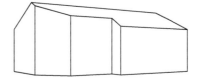

Figure 1.108 - Perspective conique achevée

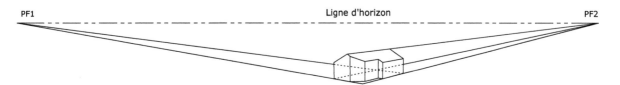

Figure 1.109 - Exemple de perspective conique avec une ligne d'horizon située au-dessus du faîtage

3. LA GÉOMÉTRIE DESCRIPTIVE

3.1 Introduction

Les segments, les angles et, par conséquent, les surfaces ne sont représentés en vraie grandeur que lorsqu'ils sont parallèles aux plans de projection.

Or, dans les représentations consacrées aux projections orthogonales sur les 6 faces du cube, ou aux perspectives, les plans de projection sont fixés. Il faut donc définir des plans de projection auxiliaires parallèles aux objets pour déterminer les intersections et vraies grandeurs, à la fois pour quantifier et réaliser ces ouvrages.

Cela est obtenu selon l'une des 3 méthodes désignées par le « changement de plans de projection (horizontal ou frontal) », la « rotation » et le « rabattement ». Leurs principes sont liés aux techniques de la géométrie descriptive.

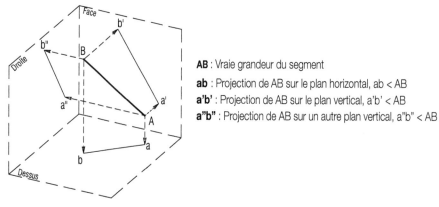

AB : Vraie grandeur du segment

ab : Projection de AB sur le plan horizontal, ab < AB

a'b' : Projection de AB sur le plan vertical, a'b' < AB

a"b" : Projection de AB sur un autre plan vertical, a"b" < AB

Figure I.110 - Projection d'un segment non parallèle aux plans de projection

La géométrie descriptive est une méthode pratique de représentation plane des figures de l'espace, principalement développée par Gaspard Monge (1746-1818) et publiée dans un ouvrage paru en 1800. Il a élargi ses recherches à l'analyse infinitésimale et à la géométrie analytique (description par des équations).

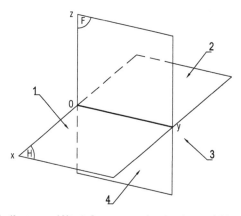

Figure I.111 - Les 4 dièdres de l'espace délimités par un plan horizontal H et un plan vertical dit frontal F

Toutes les constructions s'effectuent dans le 1er dièdre, en translatant la position du repère, si nécessaire.

3.2 Épure

La figure est projetée orthogonalement sur deux plans (le 3e n'est pas utile). Puis le plan horizontal est rabattu pour qu'il se retrouve dans le prolongement du plan frontal (analogie avec le cube de projection) afin que ces deux plans soient représentés sur une feuille de papier, en 2 dimensions. Le résultat porte le nom d'« épure ».

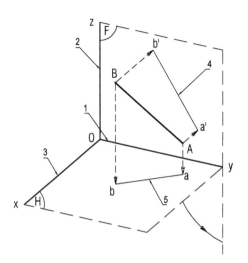
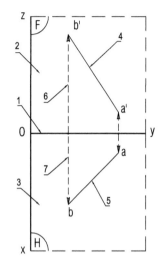

Terminologie de l'épure :

1 : Ligne de terre (intersection des 2 plans) aussi notée xy

2 : Plan frontal (ou vertical)

3 : Plan horizontal

4 : Projection frontale du segment AB

5 : Projection horizontale du segment AB

6 : Cote du point A

7 : Éloignement du point A

Conventions de notation :

A : Point de l'espace

a : Projection horizontale du point A

a' : Projection frontale du point A

Oxyz : Repère direct

Figure I.112 - Perspective et épure du segment AB

3.3 Droites[1] remarquables

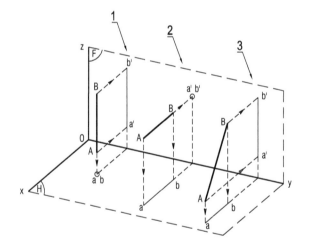
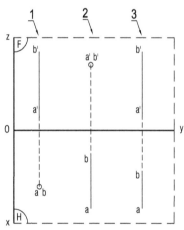

1 : Droite verticale, perpendiculaire au plan horizontal

2 : Droite de bout, perpendiculaire au plan frontal

3 : Droite de profil, appartient à un plan perpendiculaire à la ligne de terre

Figure I.113 - Perspective et épure de droites parallèles au plan Oxz

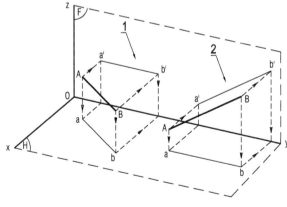
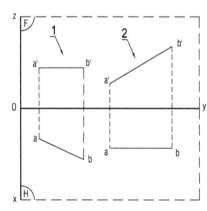

1 : Droite horizontale : sa projection frontale est parallèle à la ligne de terre, la cote est constante et l'éloignement variable

2 : Droite frontale : sa projection horizontale est parallèle à la ligne de terre, la cote est variable et l'éloignement constant

Figure I.114 - Perspective et épure de droites parallèles à l'un des plans de projection

---

1. Selon la définition mathématique, une droite est infinie, donc les figures représenteraient plus des segments. Mais la terminologie de la géométrie descriptive parle de droite que l'on représente limitée pour ne pas encombrer l'épure.

La droite fronto-horizontale est parallèle au plan frontal et au plan horizontal, elle est parallèle à la ligne de terre.

La trace d'une droite est le point d'intersection de la droite et d'un plan de projection (horizontal ou frontal).

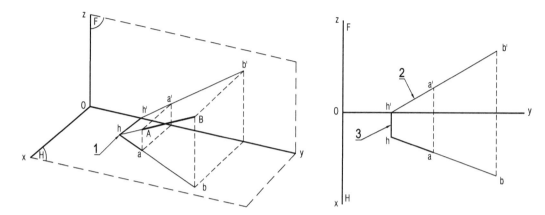

1 : Trace horizontale de la droite (intersection de la droite avec le plan horizontal de projection) ; **2** : Prolongement de la projection frontale de la droite jusqu'à la ligne de terre ; **3** : Intersection de cette droite avec le plan horizontal de projection en un point de cote nulle h'h

Figure I.115 – Trace horizontale d'une droite

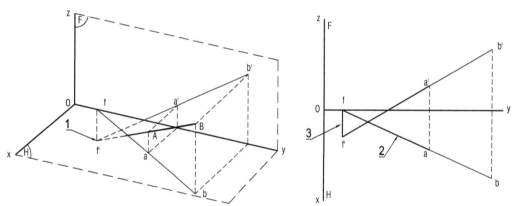

1 : trace frontale de la droite

2 : prolongement de la projection horizontale de la droite

3 : intersection de cette droite avec le plan frontal de projection en un point d'éloignement nul (et une cote négative f'f)

Figure I.116 – Trace frontale d'une droite

3.4 Applications

Concrètement, cela permet de trouver, pour un point appartenant à une droite, son éloignement si on connaît sa cote (et réciproquement) ou si un point appartient à une droite, connaissant sa cote ou son éloignement.

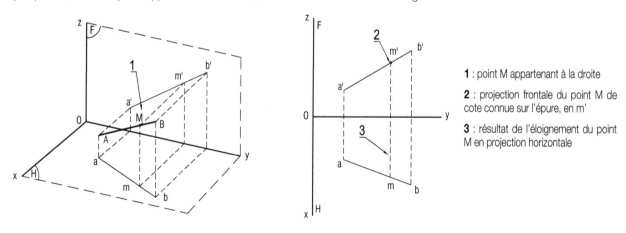

1 : point M appartenant à la droite

2 : projection frontale du point M de cote connue sur l'épure, en m'

3 : résultat de l'éloignement du point M en projection horizontale

Figure I.117 – Perspective et épure d'un point appartenant à une droite

Applications aux droites concourantes :

▶ 2 droites concourantes dans l'espace ont leur intersection sur la même ligne de rappel ;

▶ 4 points A, B, C, D sont coplanaires (dans le même plan) si et seulement si les droites AC et BD sont concourantes. Dans l'autre cas, la surface est gauche et la réalisation de la pièce (en tôlerie par exemple) est différente.

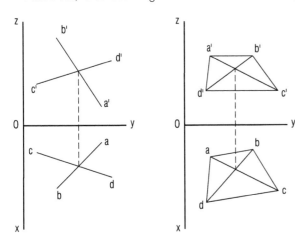

Figure 1.118 - Droites concourantes et surface plane

3.5 Le plan

S'il est défini en géométrie par 3 points non alignés, ou 1 point et une droite, ou 2 droites concourantes, il est souvent représenté en géométrie descriptive par ses traces qui se coupent sur la ligne de terre en un point, intersections de ce plan avec les plans de projection (comme pour une droite mais, si pour une droite l'intersection est point, pour un plan cela devient une droite).

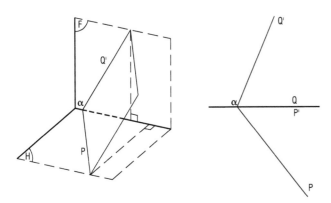

Figure 1.119 - Perspective et épure du plan représenté par ses traces (horizontale P et frontale Q)

Comme il existe des droites particulières, il existe des plans particuliers : les plans verticaux qui sont perpendiculaires au plan horizontal de projection, les plans de bout qui sont perpendiculaires au plan frontal et les plans de profil perpendiculaires aux deux plans de projection.

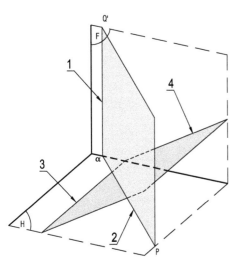

1 : Trace frontale d'un plan vertical (perpendiculaire à la ligne de terre)

2 : Trace horizontale d'un plan vertical

3 : Trace horizontale d'un plan de bout (perpendiculaire à la ligne de terre)

4 : Trace frontale d'un plan de bout

Figure 1.120 - Perspective d'un plan vertical et d'un plan de bout

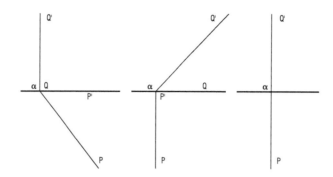

Figure 1.121 - Épure d'un plan vertical, d'un plan de bout et d'un plan de profil

3.6 Les droites d'un plan

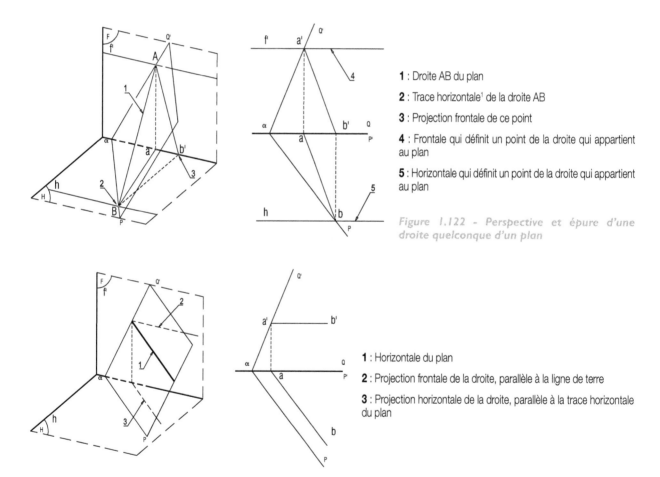

1 : Droite AB du plan

2 : Trace horizontale[1] de la droite AB

3 : Projection frontale de ce point

4 : Frontale qui définit un point de la droite qui appartient au plan

5 : Horizontale qui définit un point de la droite qui appartient au plan

Figure 1.122 - Perspective et épure d'une droite quelconque d'un plan

1 : Horizontale du plan

2 : Projection frontale de la droite, parallèle à la ligne de terre

3 : Projection horizontale de la droite, parallèle à la trace horizontale du plan

Figure 1.123 - Droite horizontale d'un plan, en perspective et sur épure

Selon une procédure analogue, pour une droite frontale du plan, sa projection horizontale est parallèle à la ligne de terre et sa projection frontale est parallèle à la trace frontale du plan.

---

1. La trace d'une droite est un point qui correspond à la position où la droite coupe un des plans de projection. Ainsi la trace frontale d'une droite est le point où cette droite coupe le plan frontal de projection. Si la droite est parallèle à un des plans de projection, alors la trace n'existe pas.

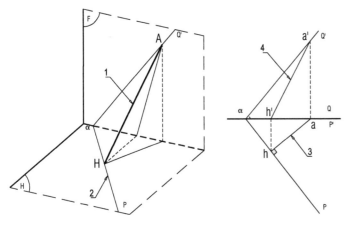

1 : Droite AH passant par A, et perpendiculaire à la trace horizontale du plan P↦Q'

2 : Trace horizontale du plan

3 : Perpendiculaire à la trace horizontale du plan ↦P

4 : Projection frontale de la ligne de plus grande pente

Figure 1.124 - Ligne de plus grande pente

Un plan est défini par ses traces mais aussi par deux droites concourantes[1], lorsqu'en particulier les traces du plan sont extérieures à l'épure, bien qu'il y ait toujours moyen d'en représenter des parallèles.

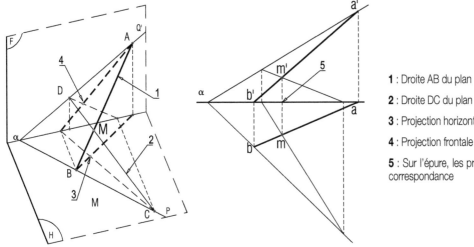

1 : Droite AB du plan

2 : Droite DC du plan

3 : Projection horizontale du point M

4 : Projection frontale du point M,

5 : Sur l'épure, les projections du point M sont bien en correspondance

Figure 1.125 - Plan défini par ses traces ou par 2 droites concourantes

3.7   Vraie grandeur d'un segment

Après une partie un peu théorique, la recherche des vraies grandeurs, aussi bien pour les longueurs que pour les angles et les surfaces, est une des applications concrètes de la géométrie descriptive.

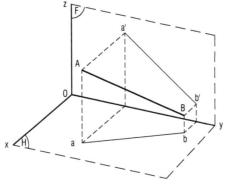

Figure 1.126 - Recherche de la vraie grandeur du segment AB

---

1   Un plan est aussi défini par 3 points alignés, par lesquels passent 2 droites concourantes

Parmi les méthodes issues de la géométrie descriptive, le rabattement et le changement de plan de projection sont explicités ci dessous.

3.7.1 Par rabattement sur un plan de projection

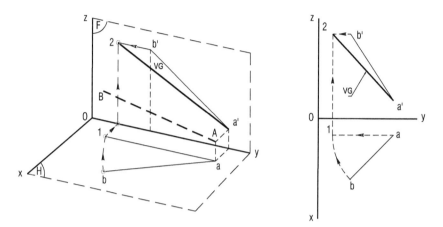

1 : La projection horizontale ab du segment AB est ramenée parallèle à la ligne de terre, ce qui déplace la ligne de rappel de la projection frontale de b'

2 : Point d'intersection de la projection frontale de 1 et de l'horizontale issue de b', **VG** : Projection frontale de la vraie grandeur du segment AB

Figure 1.127 - Rabattement sur le plan frontal

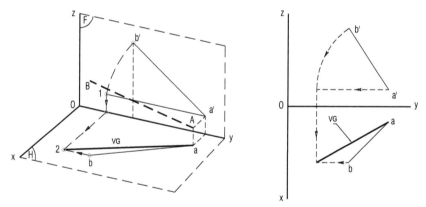

1 : La projection frontale a'b' du segment AB est ramenée parallèle à la ligne de terre, ce qui déplace la ligne de rappel de la projection horizontale de b

2 : Point d'intersection de la projection horizontale de 1 et de l'horizontale issue de b, **VG** : Projection horizontale de la vraie grandeur du segment AB

Figure 1.128 - Rabattement sur le plan horizontal

> <u>Remarque</u> : en toute rigueur, sur les 2 perspectives ci-dessus, le segment AB devrait aussi être rabattu. Il ne l'est pas afin de ne pas surcharger le dessin et nuire à sa lisibilité.

3.7.2 Par changement de plan

Au lieu de ramener le segment parallèle à la ligne de terre, c'est la ligne de terre qui est amenée parallèle à la projection horizontale du segment AB. Les cotes ne changent pas.

Avec une ligne de terre ramenée parallèle à la projection frontale du segment AB, ce sont les éloignements qui sont invariants.

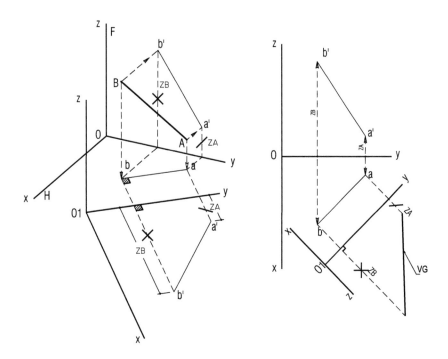

Figure 1.129 - Changement de plan frontal en perspective et sur épure

La nouvelle ligne de terre O1y est tracée parallèlement à projection horizontale ab du segment AB.

Perpendiculairement à cette nouvelle ligne de terre sont reportées les cotes za et zb des projections frontales a' et b'

La ligne de terre est amenée parallèle à la projection frontale du segment AB. Les éloignements ne changent pas.

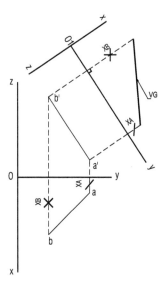

Figure 1.130 - Changement de plan horizontal

La nouvelle ligne de terre O1y est tracée parallèlement à projection frontale a'b' du segment AB.

Perpendiculairement à cette nouvelle ligne de terre sont reportés les éloignements xa et xb des projections horizontales a' et b'.

3.8   Vraie grandeur d'une surface

Les vraies grandeurs des surfaces sont obtenues par des procédures analogues à celles utilisées pour les segments.

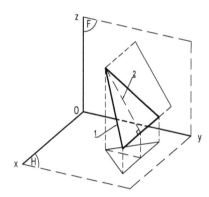

1 : Contour du triangle

2 : Ligne de plus grande pente (perpendiculaire à une horizontale du triangle)

Figure 1.131 - Recherche de la vraie grandeur de la surface

3.8.1 Par rabattement

Comme pour les droites, certains plans sont remarquables. La croupe est un plan de bout ; il est perpendiculaire au plan frontal. Sa projection sur le plan frontal est un segment (ligne de plus grande pente).

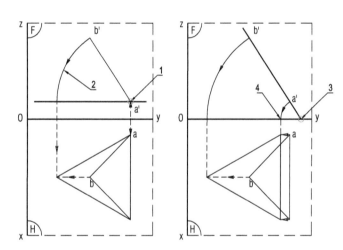

1 : Rabattement de plan amené en a', point de passage d'un plan horizontal auxiliaire

2 : Rabattement de b' sur ce plan horizontal

3 : Centre du rabattement obtenu en prolongeant le plan jusqu'à la ligne de terre

4 : Rabattement de a' (en plus de b')

Figure 1.132 - Rabattements sur le plan horizontal pour la vraie grandeur de la surface

3.8.2 Par changement de plan

Comme le plan est défini par 3 points ou 2 segments, il suffit de répéter la méthode présentée pour les segments.

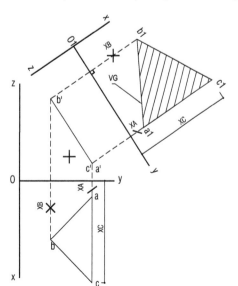

La nouvelle ligne de terre O1y est tracée parallèlement à la projection frontale a'b'.

Perpendiculairement à cette nouvelle ligne de terre sont reportés les éloignements xa et xb xc des 3 points.

Figure 1.133 - Changement de plan horizontal

3.9 Exemples pratiques de vraies grandeurs

Le problème des vraies grandeurs est courant dans le bâtiment, à chaque fois que les éléments ne sont pas parallèles aux plans de projection : charpente, couverture, chaudronnerie...

3.9.1 Couverture 4 pentes

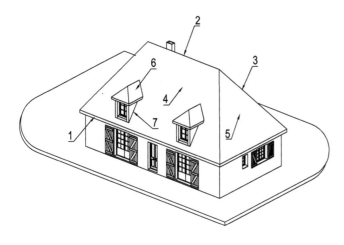

1 : Ligne d'égout

2 : Faîtage

3 : Arêtier

4 : Versant de long-pan

5 : Versant de croupe

6 : Lucarne

7 : Intersection du versant de long-pan et de la jouée de la lucarne

Figure 1.134 - Nomenclature des arêtes et des plans

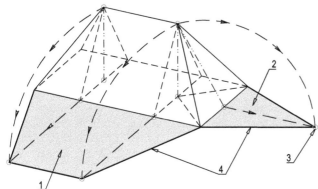

1 : Versant de long pan rabattu sur un plan horizontal

2 : Versant de croupe rabattu sur un plan horizontal

3 : Sommet issu de l'intersection d'un arc de cercle et d'une ligne rappel

4 : Vraie grandeur de l'arêtier

Figure 1.135 - Perspective du principe de rabattement des versants

REMARQUE : le principe de la procédure de rabattement de la figure 2.26 correspond à celui de la figure 2.23, à 2 particularités près :
– la rive d'égout de la couverture est considérée appartenir au plan horizontal ;
– les rabattements s'effectuent vers l'extérieur afin de ne pas surcharger la figure.

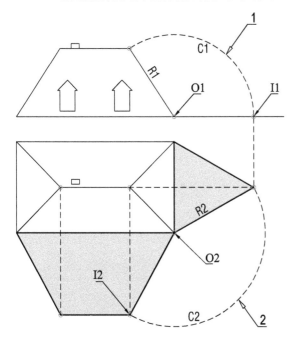

1 : Rabattement du versant de croupe par un arc de cercle de centre O1, de rayon R1 qui coupe le plan horizontal en I1

2 : Rabattement du versant de long-pan par un arc de cercle de centre O2, de rayon R2 qui coupe en I2 la ligne de rappel issue d'une extrémité du faîtage. Cela correspond aussi à reporter la VG de l'arêtier du versant de croupe vers le versant de long pan

Figure 1.136 - Rabattement des versants en élévation et en plan

REMARQUE : R1 est différent de R2 car R1 représente la longueur de la ligne de plus grande pente alors que R2 représente la vraie grandeur de l'arêtier.

Pour un gain de place, mais avec un résultat moins lisible, les versants peuvent être rabattus vers l'intérieur de la figure.

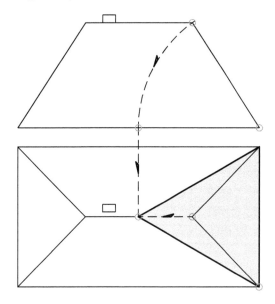

Figure 1.137 - Rabattement du versant de croupe

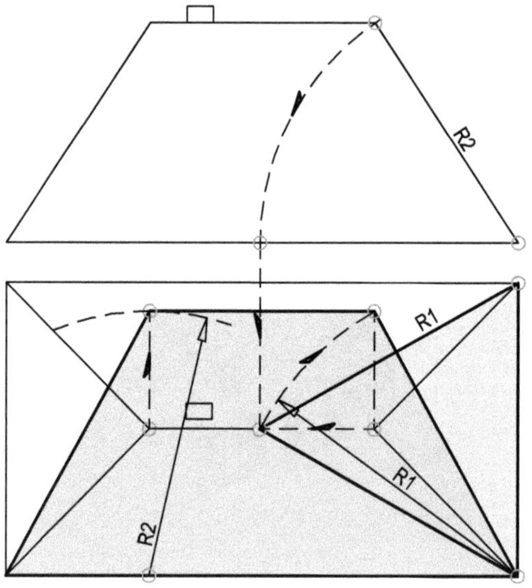

Figure 1.138 - Rabattement du versant de long-pan
soit avec R1 (vraie grandeur de l'arêtier),
soit avec R2 (ligne de plus grande pente)

3.9.2 Couverture avec croupe redressée et coyaux

Lorsque la pente de la croupe est supérieure à la pente du versant de long-pan, la croupe est dite « redressée ». Avec des pentes différentes, les intersections ne sont plus selon des bissectrices (à 45° pour des retours d'équerre).

La cassure du bas de pente, appelée « coyau », à la fois réduit la hauteur du faîtage et rejette l'eau de pluie plus loin des murs, en absence de gouttières.

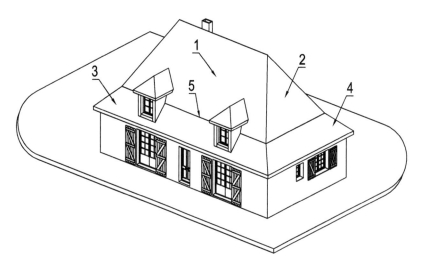

1 : Versant de long-pan : pente 150 %

2 : Versant de croupe (redressée) : pente 180 %

3 et **4** : Coyaux de pente 100 % sur 1 m de long

5 : Ligne de brisure : intersection des 2 pentes de 150 % et de 100 %

Figure 1.139 - Nomenclature du toit

Le principe du rabattement de plan précédent de la figure 2.27 s'applique aussi, mais en 2 temps, puisqu'il y a une pente pour le coyau et une pente pour le long-pan.

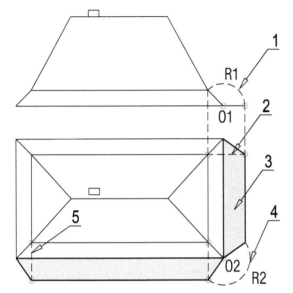

1 : Rabattement sur le plan horizontal du coyau de croupe par un arc de cercle de centre O1 et de rayon R1

2 : Ligne de rappel de la ligne de brisure

3 : Vraie grandeur du coyau de croupe

4 : Rabattement du coyau de long-pan par un arc de cercle de centre O2, de rayon R2 qui coupe en I2 la ligne de rappel issue d'une extrémité du faîtage

5 : Ligne de rappel de la ligne de brisure

Figure 1.140 – Rabattement des coyaux

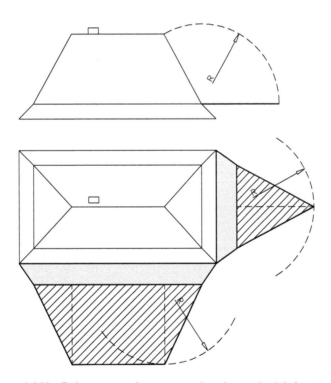

Figure 1.141 – Rabattement des versants dans la continuité des coyaux

4. INTERSECTIONS ET DÉVELOPPEMENTS

La réalisation d'éléments courbes nécessite aussi un développement pour leur fabrication.

4.1 Plan et cylindre, exemple du coude cylindrique

Exemple du coude cylindrique.

4.1.1 Caractéristiques du coude

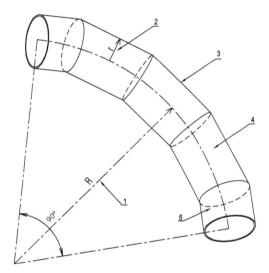

1 : Rayon de raccordement R entre 2 éléments droits

2 : Rayon du cylindre r

3 : Génératrice du cylindre

4 : Élément du coude (3 entiers et 2 demis)

5 : Plan de raccordement entre 2 éléments

Figure 1.142 - Perspective et nomenclature

REMARQUE : épaisseur cachée non représentée

2.1.2 Élévation du coude

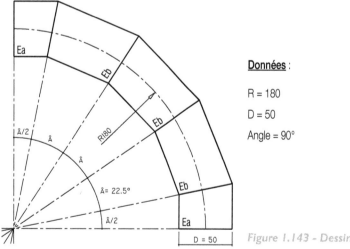

Données :

R = 180

D = 50

Angle = 90°

Figure 1.143 - Dessin de définition en élévation

4 éléments complets (3 éléments Ea et 2 fois l'élément Eb qui correspond à la moitié de l'élément Ea)

Le nombre d'éléments du coude détermine l'angle entre chaque intersection

$\hat{A} = 90/4 = 22,5°$

La 1re intersection est à 22,5°/2 = 11,25°

REMARQUE : les angles sont exprimés en degrés décimaux

4.1.3 Exemple du développement d'un demi-élément Ea

Après traçage, les éléments sont découpés dans une tôle qui est enroulée puis assemblée par soudage le long d'une génératrice. C'est pourquoi la génératrice la plus courte est choisie comme génératrice de base du développement.

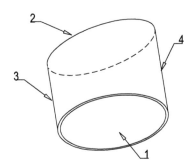

1 : Plan horizontal

2 : Plan incliné à 11,25°

3 : Génératrice la plus courte (repère 0 dans le développement), qui sert de base au développement

4 : Génératrice la plus longue (repère 6 dans le développement)

Figure 1.144 - Perspective du demi-élément Ea

La méthode de développement est divisée en 4 étapes :

▶ division du cercle de base ;

▶ définition des longueurs des génératrices ;

▶ report des longueurs des génératrices ;

▶ tracé de la courbe.

4.1.3.1 Division du cercle

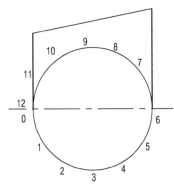

Figure 1.145 - Division de la section rabattue

Selon le rapport entre l'épaisseur de la tôle et le diamètre du cylindre, le diamètre à rabattre est le diamètre extérieur du cylindre ou le diamètre de la fibre neutre. Pour certaines épaisseurs, la tôle est chanfreinée pour la soudure.

En règle générale, pour une raison pratique, le cercle est divisé en 12 parties égales en utilisant le rayon du cercle.

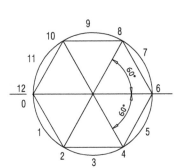

Figure 1.146 - Triangles équilatéraux : 1re division en 6

En partant de la génératrice 0 et en conservant le rayon du cercle, la génératrice 2 est à un rayon de la génératrice 0 et ainsi de suite. Cela correspond au tracé d'un triangle équilatéral (3 côtés égaux et 3 angles égaux de 60°). Or, $6 \times 60° = 360°$, le parcours de la circonférence du cercle.

La bissectrice de 60° donne 30° et $12 \times 30° = 360°$.

Pratiquement, la division du cercle en 12 parties s'effectue au compas d'ouverture le rayon du cercle.

Pour augmenter la précision du développement, il suffit d'augmenter le nombre de génératrices.

4.1.3.2 Longueur des génératrices

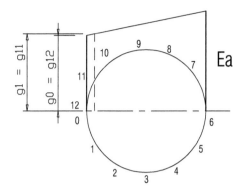

Figure 1.147 - Longueur des génératrices

La longueur des génératrices est obtenue en correspondance avec la division du cercle.

Elles sont égales 2 à 2.

Il suffit de développer la moitié de l'élément, l'autre moitié est obtenue par symétrie.

4.1.3.3 Report des génératrices

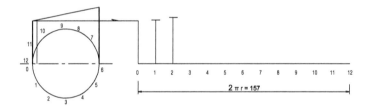

Figure 1.148 - Cercle développé et principe du report

Le développement d'un cylindre est un rectangle. Une de ces dimensions correspond à la circonférence du cercle de base. Cette longueur de $2\pi r$ est divisée en 12 parties égales, comme pour la circonférence.

La longueur des génératrices, définie sur le 1er demi-élément Ea, est reportée sur le segment 0-12 en respectant l'ordre sur les 2 figures.

> REMARQUE : à l'atelier, la construction géométrique utilisant la propriété des triangles semblables, ou théorème de Thalès, permet la décomposition de segment 0-12 en 12 parties égales sans aucun calcul.

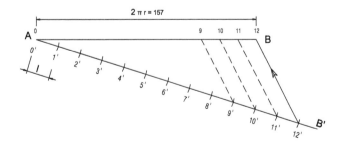

Figure 1.149 - Décomposition du segment AB
en 12 parties égales

Tracer un segment AB' de direction de longueur quelconque ayant la même origine que le segment à décomposer AB.

Sur ce segment AB', reporter au compas 12 fois une longueur quelconque.

Tracer le segment qui joint les points 12 et 12'.

Les parallèles à ce segment issues des points 11', 10'... déterminent les points 11, 10...

4.1.3.4 Tracé de la courbe

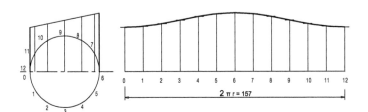

Tracé de la courbe

La courbe qui joint les sommets des génératrices délimite le développement de l'intersection.

Figure I.150 - Développé en correspondance avec la pièce

4.2 Plan et cône

4.2.1 Caractéristiques du cône

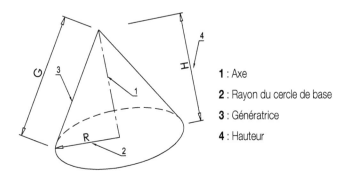

1 : Axe

2 : Rayon du cercle de base

3 : Génératrice

4 : Hauteur

Figure I.151 - Nomenclature du cône

Relation entre la génératrice, le rayon du cercle et la hauteur : théorème de Pythagore

$$G = \sqrt{H^2 + R^2}$$

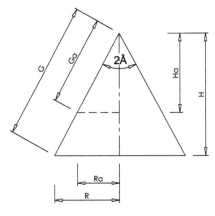

Figure I.152 – Proportionnalités

La projection du cône sur le plan vertical est un triangle isocèle de hauteur H et de base 2R

L'angle Â est calculé à partir H et R

$$\tan \hat{A} = \frac{R}{H} \text{ d'où } \hat{A} = \tan^{-1} \frac{R}{H}$$

À une distance Ha du sommet, le rayon Ra est tel que :

$$\frac{Ra}{R} = \frac{Ha}{H}$$

d'où

$$Ra = \frac{Ha}{H} \times R$$

Ce résultat, calculé ou obtenu graphiquement, détermine les rayons à prendre en compte lors de la recherche des intersections.

4.2.2 Intersections de plan et de cône

Les résultats de ces intersections se répartissent en 3 types, selon la direction du plan sécant par rapport à l'axe ou aux génératrices du cône : plan sécant parallèle à l'axe du cône, plan sécant parallèle à une génératrice du cône, plan sécant quelconque. Dans le vocabulaire mathématique ces intersections sont des courbes qui appartiennent à la famille des coniques : parabole, hyperbole, ellipse, avec des cas particuliers. Si le plan sécant est perpendiculaire à l'axe du cône, l'intersection est une ellipse particulière : le cercle. Si en plus, le plan sécant passe par le sommet, le résultat est un cercle particulier : le point. De même, la parabole et l'hyperbole deviennent des droites en choisissant des plans sécants particuliers passant par les génératrices ou l'axe du cône.

Le plan sécant est parallèle à l'axe du cône (hyperbole).

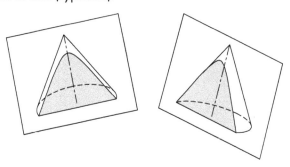

Figure I.153 - Perspectives de l'intersection

4.2.2.1 Principe général de la recherche des points appartenant à l'intersection

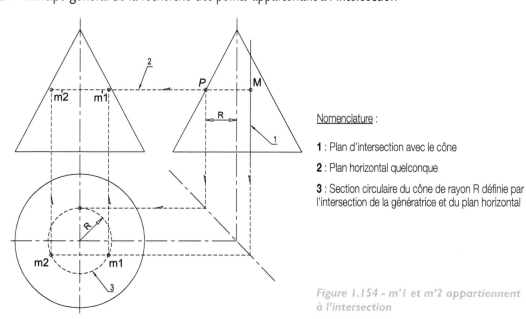

Nomenclature :

1 : Plan d'intersection avec le cône

2 : Plan horizontal quelconque

3 : Section circulaire du cône de rayon R définie par l'intersection de la génératrice et du plan horizontal

Figure I.154 - m'1 et m'2 appartiennent à l'intersection

Méthode :

Choisir un plan horizontal quelconque (2). Sur la vue de gauche, il coupe :

  ▶ le plan vertical (1) en M ;

  ▶ la génératrice en P, définissant la section circulaire de rayon R.

Ce rayon est reporté sur la vue de dessus.

Les points cherchés appartiennent à l'intersection du plan vertical (1) et de la section circulaire (3) : m1 et m2 sur la vue de dessus ; m'1 et m'2 sur la vue de face.

Pour tracer la courbe avec suffisamment de précision, il faut trouver d'autres points. à l'aide de plans auxiliaires parallèles au plan (2), selon la même méthode.

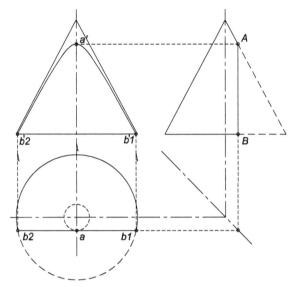

L'intersection est une hyperbole ayant pour asymptotes les 2 génératrices du cône.

En A, sommet de l'hyperbole, la tangente à la courbe est horizontale.

En B, la section circulaire est la base du cône.

Figure 1.155 - Points remarquables et tracé de l'intersection

REMARQUE : la vue de gauche n'est pas indispensable, le rayon peut être trouvé sur la vue en élévation ou sur la vue de dessus, mais elle simplifie l'explication.

Le plan sécant est parallèle à une génératrice du cône.

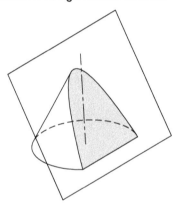

Figure 1.156 - Perspective de l'intersection

4.2.2.2 Principe général de la recherche des points appartenant à l'intersection

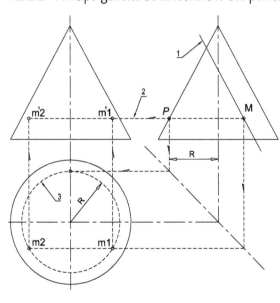

Nomenclature :

1 : Plan d'intersection avec le cône

2 : Plan horizontal quelconque

3 : Section circulaire du cône de rayon R définie par l'intersection de la génératrice et du plan horizontal

Figure 1.157 - m'1 et m'2 appartiennent à l'intersection

Méthode :

Choisir un plan horizontal quelconque. Sur la vue de gauche, il coupe :

▶ en M, le plan incliné repéré (1) ;

▶ en P, la génératrice, définissant la section circulaire de rayon R.

Ce rayon est reporté sur la vue de dessus.

Les points cherchés appartiennent à l'intersection du plan incliné (1) et de la section circulaire (3) : m1 et m2 sur la vue de dessus ; m'1 et m'2 sur la vue de face.

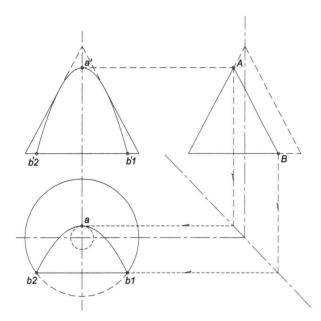

L'intersection est une parabole ayant pour axe de symétrie l'axe du cône.

En A, sommet de la parabole, la tangente à la courbe est horizontale.

En B, la section circulaire est la base du cône.

Figure 1.158 - Points remarquables et tracé de l'intersection

Le plan est quelconque, mais ni parallèle à une génératrice, ni parallèle à l'axe du cône.

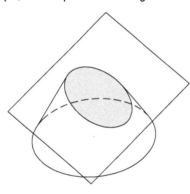

Figure 1.159 - Perspective de l'intersection

4.2.2.3 Principe général de la recherche des points appartenant à l'intersection

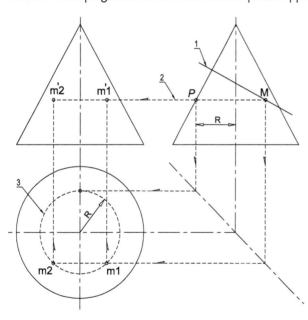

Nomenclature :

1 : Plan d'intersection avec le cône

2 : Plan horizontal quelconque

3 : Section circulaire du cône de rayon R définie par l'intersection de la génératrice et du plan horizontal

Figure 1.160 - m'1 et m'2 appartiennent à l'intersection

Méthode :

Choisir un plan horizontal quelconque. Sur la vue de gauche, il coupe :

▶ en M, le plan incliné (1) ;

▶ en P, la génératrice définissant la section circulaire de rayon R.

Ce rayon est reporté sur la vue de dessus.

Les points cherchés appartiennent à l'intersection du plan incliné (1) et de la section circulaire (3) : m1 et m2 sur la vue de dessus ; m'1 et m'2 sur la vue de face.

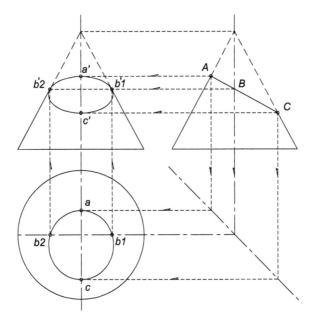

Figure 1.161 - Points remarquables et tracé de l'intersection

L'intersection est une ellipse.

4.2.3 Développement du cône

4.2.3.1 Cône entier

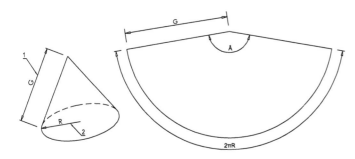

Figure 1.162 - Développement du cône

Le développement est un secteur circulaire avec :

▶ pour rayon : la longueur de la génératrice du cône G ;

▶ pour angle : Â.

La longueur de l'arc intercepté par l'angle Â est égale au périmètre du cercle de base du cône.

D'où l'égalité :

$$2\pi G = \frac{\hat{A}}{360°} = 2\pi R, \text{ en isolant } \hat{A}, \quad \hat{A} = \frac{2\pi R}{2\pi G} \times 360° \text{ , et en simplifiant par } 2\pi, \quad \hat{A} = \frac{R}{G} \times 360°$$

4.2.3.2 Cône tronqué

Lorsque le cône est coupé par un plan, la base du développement est conservée, mais toutes les génératrices n'ont pas la même longueur et elles ne sont pas représentées en vraie grandeur sur les vues en projection.

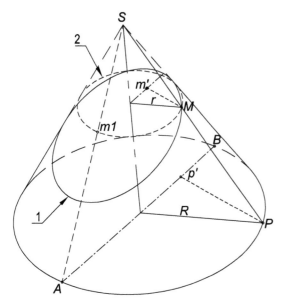

Principe :

Le plan SAB est choisi comme plan de projection frontal ou élévation. Les points singuliers M et P sont projetés sur ce plan.

La génératrice quelconque SP coupe le plan incliné du cône (1) en M et la base du cône en P.

m' : Projection du point M sur le plan SAB

p' : Projection du point P sur le plan SAB

m1 : Intersection du cercle de rayon r (2) et de la génératrice SA.

Figure 1.163 - Génératrice quelconque SP en perspective

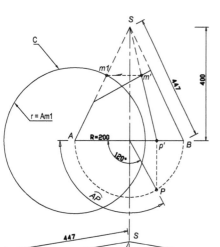

Seules les génératrices SA et SB sont vues en vraies grandeurs.

SA est choisie comme base du développement.

La vraie grandeur de m'p', Am1, est obtenue par projection de m' sur SA.

L'arc AP, appartenant au rabattement de la base du cône de diamètre AB, donne la position de la génératrice quelconque SP.

Cet arc AP, et non la corde, reporté sur le secteur de rayon SA, positionne la génératrice SP sur le développement.

Le cercle C de rayon Am1 permet le report de la génératrice coupée MP (de longueur Am1 sur la vue en élévation) sur le développement du cône.

Figure 1.164 - Principe de report de la génératrice quelconque SP sur le développement du cône

<u>Remarque</u> : le report de l'arc $\widehat{AP}$ de la vue en élévation sur le développement n'est pas immédiat graphiquement. Il existe 2 solutions :
– soit par la mesure directe en utilisant un réglet ;
– soit par le calcul, la mesure (cotation) et le report des angles au centre avec un logiciel.

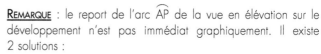

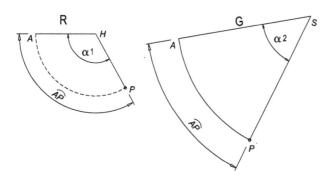

L'arc $\widehat{AP}$ est de même longueur sur les 2 secteurs.

$$\widehat{AP} = 2\pi R \frac{\alpha 1}{360°} = 2\pi G \frac{\alpha 2}{306°} \text{ d'où } \alpha 2 = \alpha 1 \frac{R}{G}$$

Figure 1.165 - Report des angles par le calcul

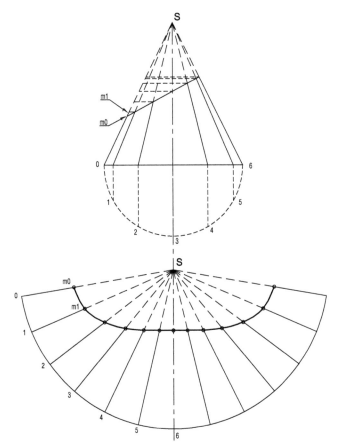

Pour le développement complet du cône, le problème du report de l'angle est supprimé.

Les génératrices sont espacées régulièrement :

▶ sur la vue en élévation en utilisant la section rabattue de la base du cône ;

▶ sur le développement en divisant l'arc

Pour une raison de symétrie, la demi-section, divisée en 6, suffit.

Toutes les vraies grandeurs des génératrices sont obtenues par projection sur SA puis reportées sur le développement.

La courbe reliant toutes ces extrémités complète le développement.

Figure 1.166 - Développement du cône tronqué

REMARQUE : le report de la vraie longueur des génératrices peut s'effectuer à partir du pied ou à partir du sommet des génératrices

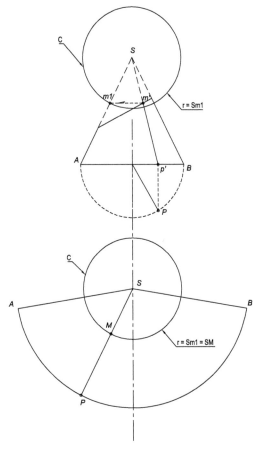

Figure 1.167 - Report à partir du sommet

4.3 Cylindre et cylindre

4.3.1 Cylindres de même diamètre

4.3.1.1 Intersections

Principe général de la recherche des points appartenant à l'intersection

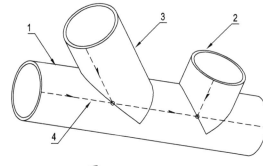

1 : Cylindre horizontal

2 : Cylindre vertical pour un té à 90°

3 : Cylindre incliné à 45° pour un té à 45°

4 : Génératrices

Figure 1.168 - Intersection des génératrices en perspective

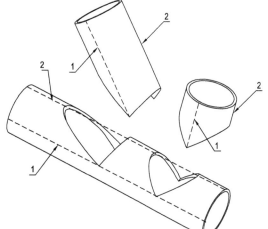

1 : Génératrices confondues avec les axes en vue de face

2 : Génératrices confondues avec les axes en vue de gauche

Figure 1.169 - Perspective éclatée et repérage des génératrices dans les figures suivantes

Intersection du té à 90°

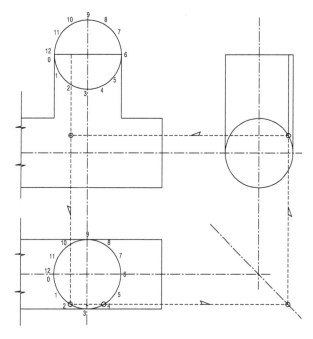

Figure 1.170 - Lignes de rappel de la génératrice 2

La section du cylindre vertical, représentée en projection sur la vue de dessus, est rabattue sur la vue en élévation.

Elle divisée en 12 parties égales par la méthode exposée pour le coude cylindrique.

En prenant pour exemple la génératrice 2 :

Sa position sur la vue en élévation coupe la section sur la vue de dessus. La droite à 45° assure la correspondance avec la vue de gauche pour déterminer la longueur de cette génératrice, l'intersection du cercle horizontal et la ligne de rappel. Ce point d'intersection, trouvé sur la vue de gauche, est reporté sur la vue en élévation.

Il suffit de reproduire l'opération pour la génératrice 1 car les points des génératrices 4 et 6 sont obtenus par symétrie et les points des génératrices 0, 3 et 6 sont déjà marqués.

Intersection du té à 45

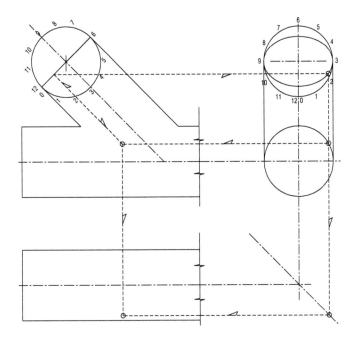

Les sections des cylindres sont rabattues et divisées en 12 parties égales.

Les intersections des lignes de rappel entre les différentes vues déterminent :

▶ l'intersection en élévation ;

▶ l'intersection en plan ;

▶ le tracé de l'ellipse sur la vue de gauche ;

▶ le tracé de l'ellipse sur la vue de dessus.

Figure 1.171 - Lignes de rappel de la génératrice 2

REMARQUE : la numérotation des génératrices sur la vue en élévation et sur la vue de gauche subit une rotation provenant du rabattement du plan de projection.

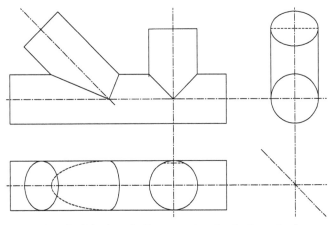

Figure 1.172 - Résultat de l'intersection des 2 tés sur les 3 vues

4.3.1.2 Développements

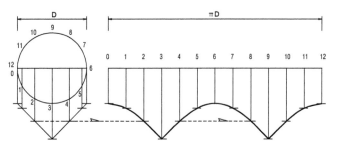

Il suffit de reporter les génératrices 0, 1, 2, 3. Toutes les autres sont obtenues par symétrie :

▶ 4, 5 ,6 symétriques de 0, 1, 2 par rapport à 3 ;

▶ 7, 8, 9, 10, 11, 12 symétriques de 0 à 5 par rapport à 6.

Figure 1.173 - Développement du cylindre vertical

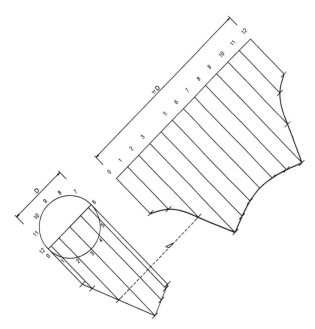

Principe identique au cylindre vertical, mais la direction du développement est perpendiculaire à l'axe du cylindre, à 135° par rapport à l'horizontale.

Les génératrices et lignes de rappel sont tracées en mode polaire pour un té à 45°. Pour un angle quelconque, il faut utiliser un SCU (système de coordonnées) lié à une génératrice ou à une ligne de rappel.

Figure 1.174 - Développement du cylindre incliné à 45°

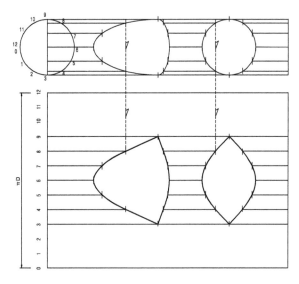

Seules les génératrices 4, 5, 6, 7, 8 sont interrompues.

Les développements sont symétriques par rapport à la génératrice 6.

Figure 1.175 - Développement du cylindre horizontal

4.3.2 Cylindres de diamètres différents

4.3.2.1 Intersections

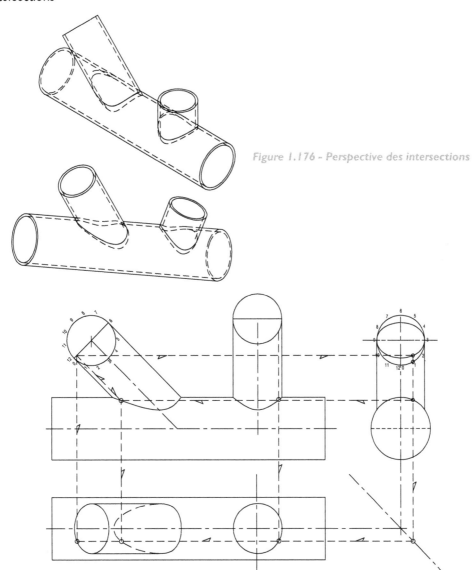

Figure 1.176 - Perspective des intersections

Figure 1.177 - Représentation des intersections selon 3 vues

REMARQUE : pour éviter quelques confusions, les sections rabattues du piquage à 45° et du piquage à 90° sont décalées sur la vue en élévation.

4.3.2.2 Développements

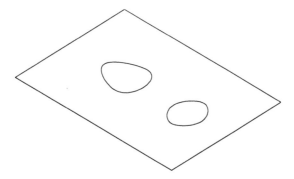

Figure 1.178 - Perspective du cylindre horizontal déplié

4.4 Cylindre et cône

4.4.1 Intersection en perspective

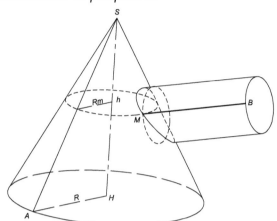

La génératrice MB du cylindre, à une distance Sh du sommet du cône, définit une section circulaire du cône de rayon Rm. La reproduction de cette méthode sur les vues en projection, autant de fois que la précision le nécessite, donne l'intersection cherchée.

Figure 1.179 - Perspective du principe de l'intersection

4.4.2 Intersection en projections

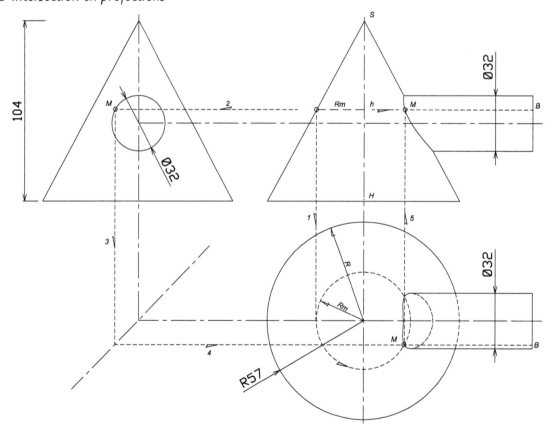

Figure 1.180 - Principe et résultat de l'intersection en projections orthogonales

Dans le plan horizontal passant par h, la section circulaire du cône a pour rayon Rm, ce qui permet de la reporter sur la vue de dessus (1), mais la longueur de la génératrice MB du cylindre est inconnue.

Le point M, appartenant au plan horizontal et au cylindre, est rappelé sur la vue de droite (2). Il est aussi rappelé de la vue de droite sur la vue de dessus à l'aide de la droite à 45° (3 et 4). Comme il appartient aussi à la section circulaire du cône, il est à l'intersection du cercle et de la ligne de rappel (4).

La longueur de la génératrice MB, trouvée sur la vue de dessus, est reportée sur la vue de face (5). La reproduction de cette procédure détermine l'intersection sur les 2 vues.

REMARQUE : dans ce cas, les points sont trouvés 2 par 2 sur la vue de dessus.

PARTIE 2

Lecture du plan

1.   PLANS D'ARCHITECTE

Pour illustrer les principes généraux décrits dans les paragraphes précédents, 2 projets de nature différente sont proposés, afin de montrer les particularités de représentation des vues en plan, des coupes verticales et des façades.

1.1   Projets, principes constructifs

1.1.1 Projet avec combles perdus

Ce projet est composé d'un simple rez-de-chaussée, couvert par une toiture dissymétrique[1] à 2 pentes (35 %).

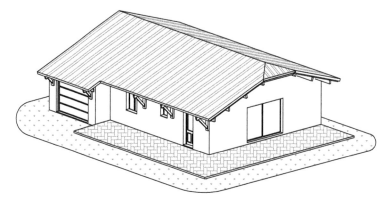

Figure 2.1 - Perspective du projet

Pour mieux représenter et concevoir les différents plans, mais surtout la coupe verticale, la maçonnerie et la charpente sont abordées dans les paragraphes ci-dessous.

1.1.1.1 Maçonnerie en fondation

Dans les figures qui suivent, la terrasse extérieure n'est pas représentée afin d'améliorer la lisibilité.

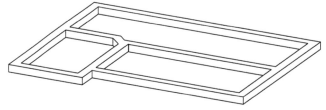

Figure 2.2 - Fondations par semelles filantes

REMARQUE : il y a des semelles filantes sous les murs périphériques, mais aussi sous des murs qui n'existent qu'en fondation, afin de porter le plancher sur vide sanitaire de la partie habitable. Pour le garage, c'est un plancher dit « sur terre-plein » ou « sur dallage ».

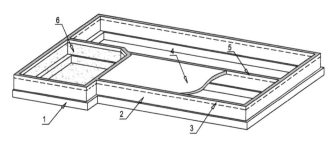

1 : Semelle filante

2 : Mur de soubassement

3 : Chaînage ou ceinture, en partie supérieure de tous les murs de soubassement

4 : Plancher, partiellement représenté, sur vide sanitaire, pour la partie habitable

5 : Arase supérieure du chaînage

6 : Dallage du garage

Figure 2.3 - Maçonnerie en fondation

---

1.   Avec le faîtage situé au milieu de la partie habitable, un décalage du garage et une terrasse couverte, les 2 pans de toiture sont différents.

1.1.1.2 Maçonnerie en élévation

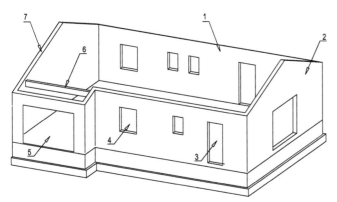

1 : Mur gouttereau (perpendiculaire à la pente)

2 : Mur pignon (parallèle à la pente)

3 : Ouverture de la porte du séjour

4 : Ouverture de la fenêtre de la chambre

5 : Ouverture de la porte du garage

6 : Poutre, dans l'alignement du mur gouttereau, qui permet un 2ᵉ appui pour les fermes situées au-dessus du garage

7 : Arase de rampanage

Figure 2.4 - Ensemble de la maçonnerie

1.1.1.3 Charpente

Elle est présentée en 2 temps, d'abord la structure qui permet de soutenir l'avancée de toit située sur la façade côté garage, puis la partie courante.

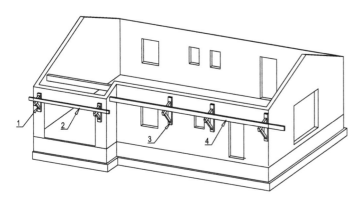

1 : Console devant la porte du garage

2 : Poutre pour supporter les chevrons

3 : Console pour couvrir partiellement la terrasse exposée au sud-ouest

4 : Poutre pour supporter les chevrons situés au-dessus de cette terrasse

Figure 2.5 - Structure de la charpente pour l'avancée de toit

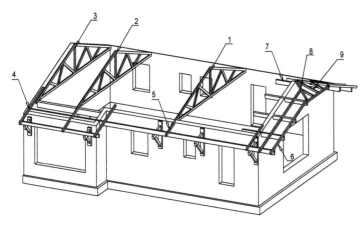

1 : Fermette courante (charpente assemblée par des connecteurs), prenant appui sur les murs extérieurs

2 : Fermette prenant appui d'un côté mur gouttereau, et de l'autre sur la poutre de la figure 1.112

3 : Fermette de rive

4 : Chevron, dans le prolongement de la fermette, pour supporter la couverture au-dessus du garage

5 : Chevron, selon le même principe, mais plus court pour la terrasse

6 : Chevron de rive

7 : Panne, dite aussi « fausse panne »

8 : Chevron d'arêtier

Figure 2.6 - Schéma simplifié de la charpente supportant la couverture

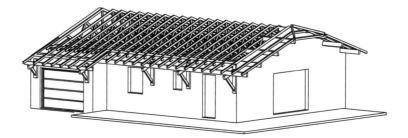

Figure 2.7 - Charpente avec toutes les fermettes représentées

1.1.1.4 Couverture (hors d'eau) puis menuiseries extérieures (hors d'air)

Cette phase de la construction est atteinte lorsque la couverture et les menuiseries sont posées. À partir de cette étape, l'électricien, le plaquiste, le plombier, le chauffagiste peuvent intervenir.

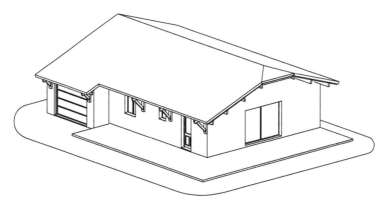

Figure 2.8 - Maison dite « hors d'eau et hors d'air »

1.1.1.5 Cloisonnements

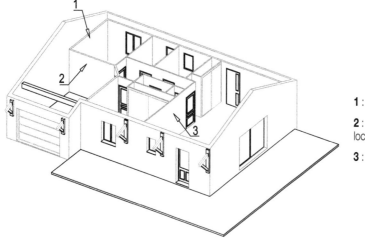

1 : Cloison de doublage

2 : Cloison de séparation (entre garage et partie habitable, entre local non chauffé et local chauffé)

3 : Cloison de distribution

Figure 2.9 - Différents types de cloison[1]

---

1. Charpente, couverture et plafond ne sont pas représentés.

1.1.2 Projet avec combles aménageables

Ce projet[1] est composé de 2 volumes, l'un couvert par une toiture de faible pente (30 %), et l'autre couvert par une toiture de forte pente (100 %).

La pente de 100 % permet la réalisation de combles aménageables.

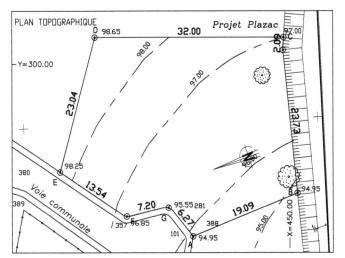

Figure 2.10 - Extrait du plan du lotissement

Figure 2.11 - Perspective du projet

Pour mieux représenter et concevoir les différents plans, quelques éléments de construction, comme la maçonnerie, la charpente traditionnelle à entrait retroussé, les fenêtres de toit, les divers escaliers possibles pour accéder à l'étage sont abordés dans les paragraphes ci-dessous.

1.1.2.1 Maçonnerie

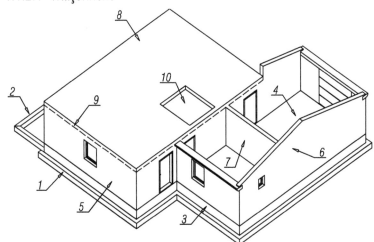

1 : Fondations par semelles filantes

2 : Bêches en limite de la terrasse

3 : Mur de soubassement

4 : Dallage du garage

5 : Murs extérieurs du RDC

6 : Mur pignon

7 : Mur séparant la chambre du garage

8 : Plancher haut du RDC[2]

9 : Chaînage ou ceinture en périphérie de ce plancher

10 : Trémie (ou réservation) pour l'escalier et l'accès à l'étage

Figure 2.12 - Maçonnerie du RDC (y compris les pignons)

---

1. M. Jacques Laumond, architecte DPLG.
2. Comme la portée (distance entre les 2 murs porteurs) du plancher est inférieure à 6 m, un appui intermédiaire, comme un mur de refend ou une poutre, n'est pas nécessaire

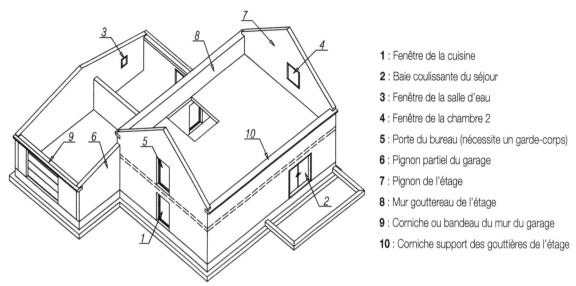

1 : Fenêtre de la cuisine

2 : Baie coulissante du séjour

3 : Fenêtre de la salle d'eau

4 : Fenêtre de la chambre 2

5 : Porte du bureau (nécessite un garde-corps)

6 : Pignon partiel du garage

7 : Pignon de l'étage

8 : Mur gouttereau de l'étage

9 : Corniche ou bandeau du mur du garage

10 : Corniche support des gouttières de l'étage

Figure 2.13 - Ensemble de la maçonnerie

1.1.2.2 Charpente

1.1.2.2.1 Charpente, ensemble

Le volume à simple RDC est couvert par des tuiles « romanes canal » supportées par une charpente assemblée par des connecteurs du même type que le pavillon précédent.

Le 2ᵉ volume est couvert par des tuiles plates, pente 100 % ou 45°, supportées par une charpente dite « traditionnelle » pour y aménager des combles.

C'est cette dernière partie qui sera développée.

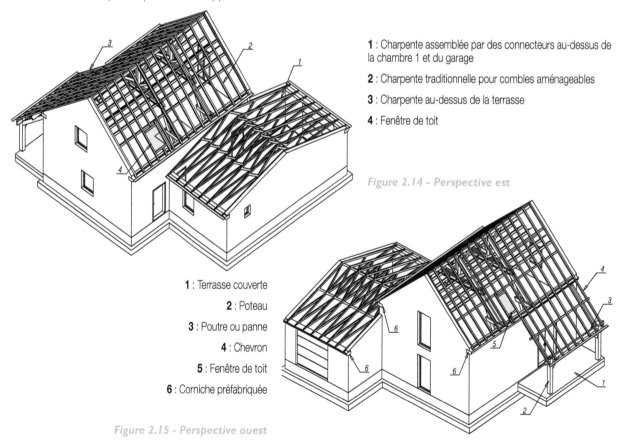

1 : Charpente assemblée par des connecteurs au-dessus de la chambre 1 et du garage

2 : Charpente traditionnelle pour combles aménageables

3 : Charpente au-dessus de la terrasse

4 : Fenêtre de toit

Figure 2.14 - Perspective est

1 : Terrasse couverte

2 : Poteau

3 : Poutre ou panne

4 : Chevron

5 : Fenêtre de toit

6 : Corniche préfabriquée

Figure 2.15 - Perspective ouest

La charpente est composée de pièces de bois, posées perpendiculairement les unes aux autres (lattes ou liteaux perpendiculaires à la pente et aux chevrons, chevrons perpendiculaires aux pannes, pannes perpendiculaires aux fermes), de sections de plus en plus grandes (section des liteaux < à la section des chevrons < à la section des pannes) au fur et à mesure qu'elles s'éloignent de la couverture.

1.1.2.2.2 Les fermes

Elles sont parallèles aux pignons distants de 8,75 m. Pour les positionner, l'écartement[1] de l'ordre de 4 m. Il en faut 2 avec une contrainte : la trémie d'escalier.

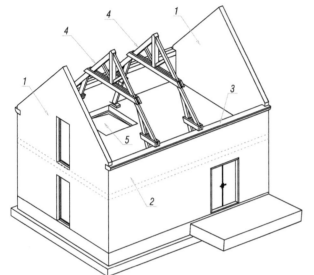

1 : Mur pignon

2 : Mur gouttereau

3 : Corniche pour arasement du mur gouttereau

4 : Fermes

5 : Trémie d'escalier

Figure 2.16 - Structure de l'étage

Les dessins suivants seront présentés sans les murs de l'étage afin de mieux visualiser la charpente.

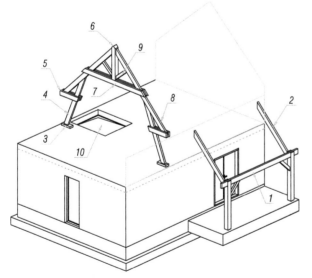

1 : Poutre de la terrasse

2 : Arbalétrier de la terrasse

3 : Semelle de la ferme

4 : Jambe de force

5 : Blochet moisé (2 pièces de bois identiques boulonnées)

6 : Poinçon

7 : Entrait moisé

8 : Arbalétrier

9 : Contre-fiche

10 : Trémie d'escalier

Figure 2.17 - Détail d'une ferme

1.1.2.2.3 Les pannes

Elles sont perpendiculaires à la pente et reposent sur les pignons et sur les fermes. Seule la panne sablière, entièrement supportée par le mur gouttereau, est de section plus faible.

---

1. Toutes les dimensions indiquées ci-après sont des ordres de grandeur. Les sections à mettre en œuvre tiennent compte des charges (couverture, neige, vent), des portées (distances entre points d'appui) et des techniques régionales.

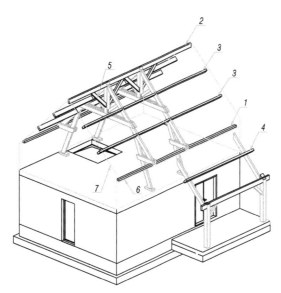

1 : Panne sablière 12 × 8

2 : Panne faîtière 6,5 × 18

3 : Pannes intermédiaires courantes 6,5 × 18

4 : Panne intermédiaire de la terrasse 8 × 22 (car de portée supérieure aux pannes courantes)

5 : Lien de faîtage entre le poinçon et la panne faîtière (participe au contreventement en rigidifiant cet angle)

6 : Représentation filaire du mur gouttereau

7 : Représentation filaire du mur pignon

Figure 2.18 - Position des pannes

À ce stade de la représentation, le nombre de pannes intermédiaires est fonction :

▶ de la distance entre la panne faîtière et la panne sablière ;

▶ de la section des chevrons.

Pour des chevrons courants de section 6 × 8, il faut retenir une portée (distance entre 2 pannes) d'environ 1,50 m.

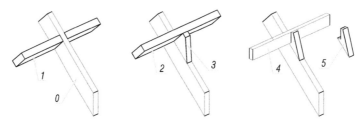

0 : Arbalétrier ; **1** : Panne posée à dévers (selon la pente) entre les arbalétriers, sabot métallique non représenté ; **2** : Panne posée à dévers, sur les arbalétriers, maintenue par une échantignolle ; **3** : Échantignolle ; **4** : Panne posée d'aplomb (selon la verticale), maintenue par une échantignolle avec barbe pour tenir compte de l'espace entre la face inférieure de la panne et la face supérieure de l'arbalétrier ; **5** : Échantignolle avec barbe

Figure 2.19 - Différentes méthodes de pose des pannes par rapport à l'arbalétrier

1.1.2.2.4 Les chevrons

Ils sont parallèles à la pente et reposent sur les pannes.

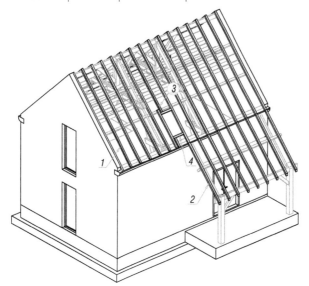

1 : Chevron courant 6 × 8

2 : Chevron de la terrasse

3 : Chevron coupé pour la fenêtre de toit

4 : Chevêtre pour la fenêtre de toit

Figure 2.20 - Représentation des chevrons

1.1.2.2.5 Charpente, en projection pour les coupes verticales

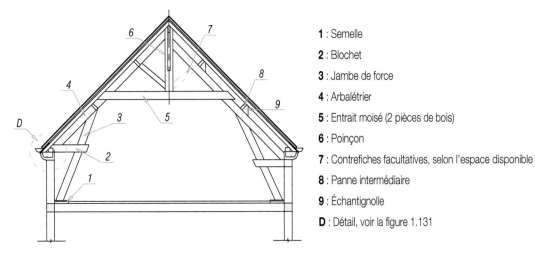

1 : Semelle

2 : Blochet

3 : Jambe de force

4 : Arbalétrier

5 : Entrait moisé (2 pièces de bois)

6 : Poinçon

7 : Contrefiches facultatives, selon l'espace disponible

8 : Panne intermédiaire

9 : Échantignolle

D : Détail, voir la figure 1.131

Figure 2.21 - Ferme complète avec 2 options[1] pour le support des pannes

1 : Corniche préfabriquée

2 : Chaînage

3 : Panne sablière

4 : Chevron

5 : Chanlatte (compense l'épaisseur de la tuile manquante afin de conserver l'alignement)

6 : Gouttière havraise

7 : Bavette en zinc

Figure 2.22 - Détail de la rive d'égout, avec l'option d'une corniche préfabriquée

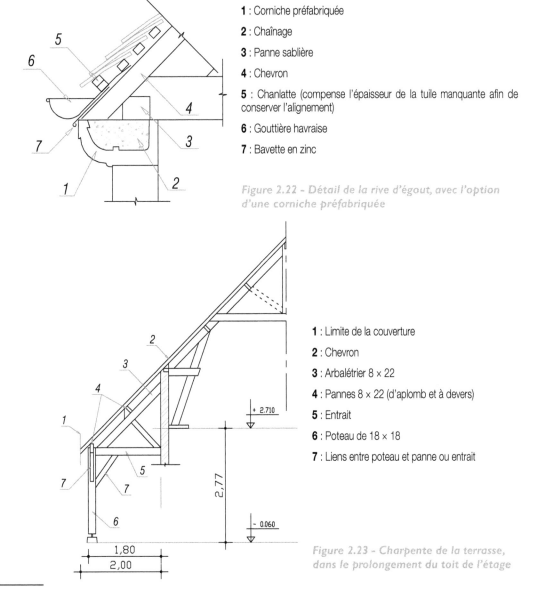

1 : Limite de la couverture

2 : Chevron

3 : Arbalétrier 8 × 22

4 : Pannes 8 × 22 (d'aplomb et à devers)

5 : Entrait

6 : Poteau de 18 × 18

7 : Liens entre poteau et panne ou entrait

Figure 2.23 - Charpente de la terrasse, dans le prolongement du toit de l'étage

---

1. Position des pannes soit entre les arbalétriers, soit sur les arbalétriers.

1.1.2.3 Fenêtre de toit

Elle assure l'éclairage et la ventilation de la salle de bains et de la chambre 3.

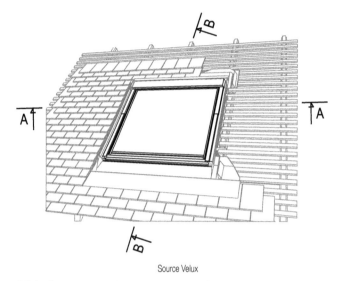

Source Velux

Figure 2.24 - Perspective d'intégration de la fenêtre de toit dans la couverture

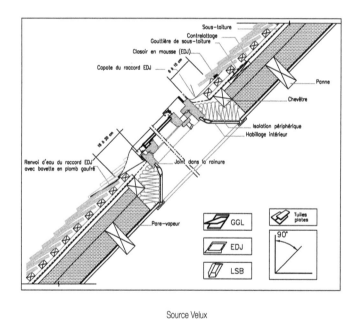

Source Velux

Figure 2.25 - Coupe BB, selon la pente

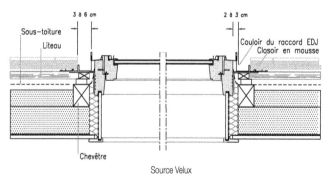

Source Velux

Figure 2.26 - Coupe AA, perpendiculaire à la pente

1.1.3 Projet ossature bois

La réalisation d'une maison à structure bois peut être envisagée selon plusieurs techniques. Seule la maison à ossature bois (MOB en abrégé) est développée ci après.

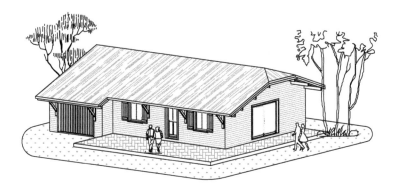

Figure 2.27 - Perspective avant

Les particularités de ce projet sont abordées dans les paragraphes ci-dessous, afin de mieux représenter et concevoir les différents plans qui définissent ce projet.

1.1.3.1 Maçonnerie en fondation

Dans les figures qui suivent, le terrain naturel et la terrasse extérieure ne sont pas représentés afin d'améliorer la lisibilité.

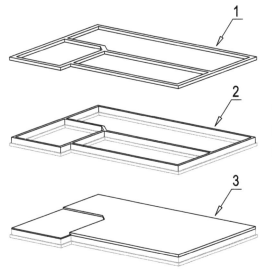

1 : semelles filantes en 0.60 de large sous les murs extérieurs et les refends

2 : mur de soubassement

3 : planchers bruts

Figure 2.28 - Maçonnerie en fondations (terrain non représenté)

REMARQUE : compte tenu de la conception des murs à ossature bois, le nu extérieur des murs en fondation est décalés par rapport au nu extérieur des murs en élévation

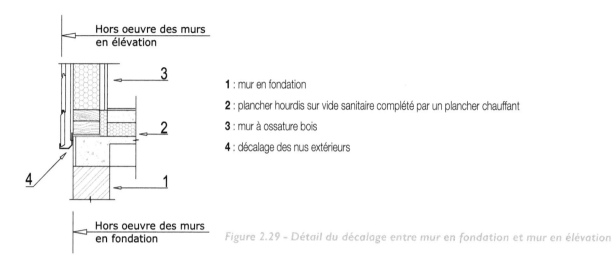

1 : mur en fondation

2 : plancher hourdis sur vide sanitaire complété par un plancher chauffant

3 : mur à ossature bois

4 : décalage des nus extérieurs

Figure 2.29 – Détail du décalage entre mur en fondation et mur en élévation

1.1.3.2 Murs en élévation

1.1.3.2.1 Lisses de pose

Elles sont posées sur une arase étanche (ou coupure de capillarité) puis fixées dans le chainage ou la dalle de compression du plancher brut

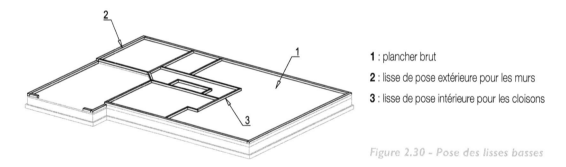

1 : plancher brut

2 : lisse de pose extérieure pour les murs

3 : lisse de pose intérieure pour les cloisons

Figure 2.30 – Pose des lisses basses

1.1.3.2.2 Ossature, composition

Ils sont préfabriqués à l'atelier. Pour plus de lisibilité, sur les dessins suivants, les panneaux de contreventement[1] ne sont pas représentés

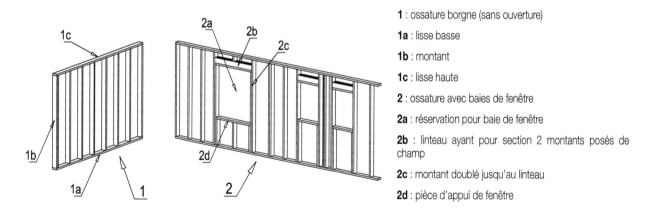

1 : ossature borgne (sans ouverture)

1a : lisse basse

1b : montant

1c : lisse haute

2 : ossature avec baies de fenêtre

2a : réservation pour baie de fenêtre

2b : linteau ayant pour section 2 montants posés de champ

2c : montant doublé jusqu'au linteau

2d : pièce d'appui de fenêtre

Figure 2.31 – Détail des ossatures rectangulaires

---

1.   Ces panneaux, selon leur nature sont fixés sur les lisses et les montants

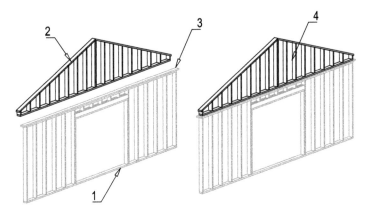

1 : panneau rectangulaire pour baie coulissante

2 : panneau triangulaire pour le pignon

3 : lisse de chainage ou lisse de ceinture

4 : assemblage des 2 panneaux

Figure 2.32 - Détail de l'ossature pour un mur pignon

1.1.3.2.3 Ossature, pose

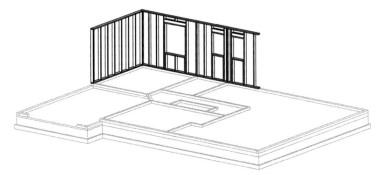

Figure 2.33 - Pose des ossatures de l'angle de la chambre 1

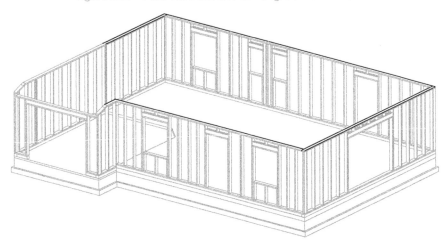

Figure 2.34 - Pose de l'ossature des murs extérieurs

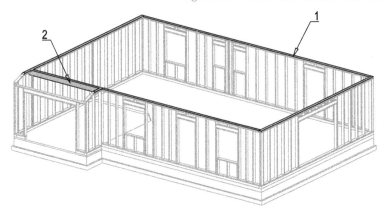

1 : lisse de chainage, ou lisse de ceinture

2 : poutre supportant les entraits des fermettes situées au dessus du garage

Figure 2.35- Ceinture haute posée

R<small>EMARQUE</small> : ces lisses relient aussi les murs et le cloisonnement (non représenté sur cette figure)

77

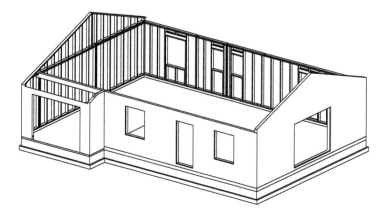

Figure 2.36 - Représentation des panneaux extérieurs fixés sur les lisses et les montants des murs extérieurs

<u>Remarque</u> : dans les figures précédentes, le cloisonnement n'est pas représenté afin que la représentation reste lisible

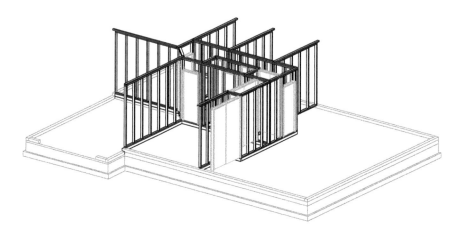

Figure 2.37 - Ossatures des cloisons (portes représentées)

1.1.3.3 Charpente

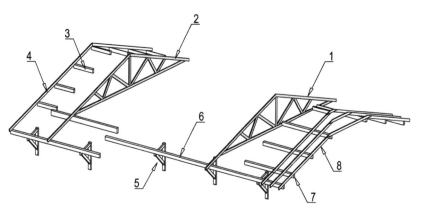

1 : fermette courante au dessus de la partie habitable

2 : fermette courante au dessus de la partie habitable et du garage

3 : fausse panne supportant les chevrons extérieurs coté pignon aveugle

4 : chevron

5 : console support de la poutre

6 : poutre supportant les chevrons de la terrasse en partie couverte

7 : fausse panne supportant les chevrons extérieurs coté pignon du séjour

8 : chevron de l'avancé du toit coté séjour

Figure 2.38 - Principe de la structure de la charpente

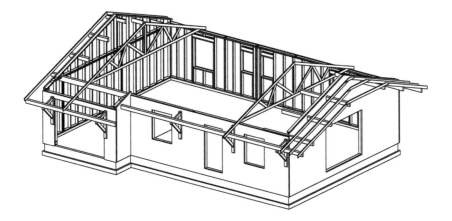

Figure 2.39 - Pose (partielle¹) de la structure de la charpente sur l'ossature

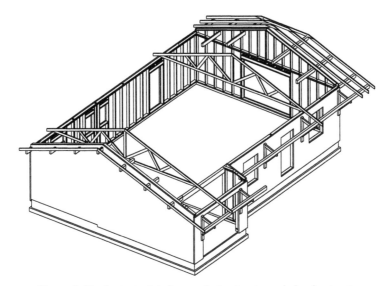

Figure 2.40 - Autre point de vue de la structure de la charpente

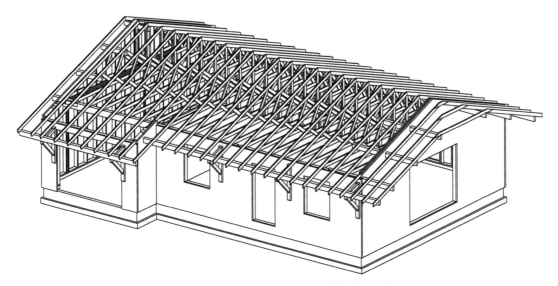

Figure 2.41 - Représentation de l'ensemble de la charpente

1.   Parmi toutes les fermettes à poser seules 2 exemplaires sont représentés (une au dessus du séjour et une au dessus du garage et de la chambre 1)

1.1.3.4 Couverture et bardage

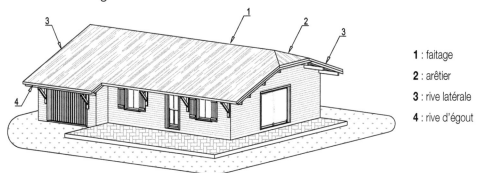

1 : faitage

2 : arêtier

3 : rive latérale

4 : rive d'égout

Figure 2.42 - Construction terminée avec pose d'un bardage à lames horizontales

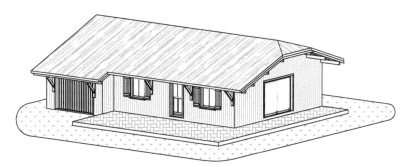

Figure 2.43 - Option de pose d'un bardage à lames verticales

REMARQUE : la vue en plan et la coupe verticale des pages suivantes précisent les détails de construction

1.1.4 Projet à isolation répartie, avec toit terrasse, compris aménagement pour accès handicapé

Comparé aux projets précédents, il présente comme particularités :

▶ Des murs dits à isolation thermique répartie (ITR en abrégé). Dans ce procédé, il n'y a pas d'isolation thermique rapportée car le mur est à la fois porteur et isolant. Néanmoins, compte tenu des épaisseurs nécessaires pour atteindre les objectifs de la RT 2012, un complément d'isolation par l'extérieur peut être rapporté

▶ Un aménagement pour personnes à mobilité réduite

▶ Des toits terrasses à la fois accessibles et inaccessibles

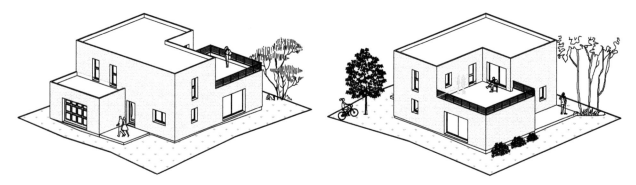

Figure 2.44 - Perspective avant   *Figure 2.45 - Perspective arrière*

Les particularités de ce projet sont abordées dans les paragraphes ci-dessous, afin de mieux représenter et concevoir les différents plans qui le définissent.

1.1.4.1 Terrassements

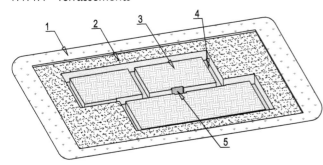

1 : terrain naturel

2 : décapage de la terre végétale

3 : fouille en pleine masse pour le vide sanitaire

4 : fouille en rigoles pour les semelles filantes

5 : fouille en trou pour la semelle isolée du poteau (dans ce cas, c'est plus un élargissement ponctuel de la fouille en rigole)

Figure 2.46 - Repérage des différentes phases du terrassement

1.1.4.1.1 Maçonnerie en fondation

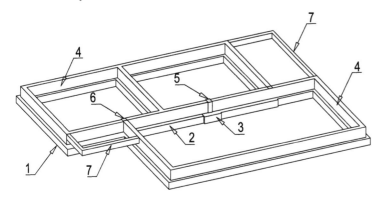

1 : semelles filantes en 0.60 de large sous les murs extérieurs

2 : semelle filante en 0.80 de large sous le mur de refend

3 : semelle de 1.00 par 1.20 sous le poteau

4 : mur de soubassement

5 : poteau 20x30 (en continuité du poteau du RDC)

6 : poteau 20x20

7 : bêches en limite des terrasses

Figure 2.47 - Maçonnerie en fondations (terrain non représenté)

REMARQUE : compte tenu de l'échelle de cette perspective, les raidisseurs verticaux et la ventilation du vide sanitaire ne sont pas représentés

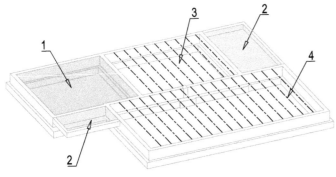

1 : plancher sur TP (terre plein) pour le garage

2 : plancher sur TP pour les terrasses

3 : plancher sur VS (vide sanitaire) pour la parti habitable

4 : axe des poutrelles du vide sanitaire

Figure 2.48 - Plancher bas du RdC

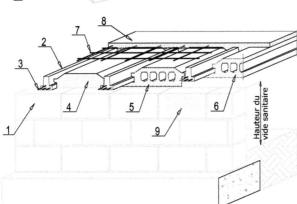

1 : mur de soubassement,

2 : poutrelle[1] en béton armé ou précontraint,

3 : armatures des poutrelles,

4 : hourdis[2] borgne en rive,

5 : hourdis en coupe transversale,

6 : hourdis en coupe longitudinale,

7 : treillis soudé,

8 : dalle de compression,

9 : ventilation du vide sanitaire

Figure 2.49 - Composition du plancher hourdis en perspective éclatée

---

1. Elles prennent appui sur les murs.
2. Les alvéoles sont bouchées pour que le béton du chaînage n'y pénètre pas. Cela limite le volume de béton et le pont thermique.

1.1.4.2 Maçonnerie en élévation

1.1.4.2.1 Rez de chaussée

Les murs, en 0.40 ou 0.50 de large selon les performances thermiques souhaitées, assurent à la fois la fonction porteuse et la fonction isolante

Source IMERYS

1 : brique courante

2 : brique pour poteau d'angle

3 : brique « U » pour linteau

4 : brique de calepinage

5 : brique de tableau

6 : embase d'appui (ou de seuil pour une porte)

7 : planelle

8 : enduit intérieur

9 : enduit extérieur

Figure 2.50 - Les éléments d'un mur en brique « monomur »

R<small>EMARQUE</small> : pour optimiser la mise en œuvre, une étude de répartition[1] des éléments est proposée.

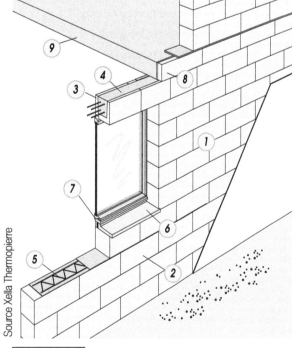

Source Xella Thermopierre

1 : bloc courant

2 : mur d'allège

3 : bloc U

4 : béton et armature pour linteau

5 : armature sous appui

6 : appui de fenêtre

7 : menuiserie

8 : planelle

9 : plancher haut du RDC dans le cas d'une construction à étage

Figure 2.51 - Détail de mise en œuvre des blocs[2] de Thermopierre (béton cellulaire)

---

1. Cette étude de la position rationnelle et détaillée de chacun des éléments est appelée calepinage. Elle aussi utilisée pour le carrelage, la maçonnerie de moellons, etc.
2. Principe pour maison avec étage

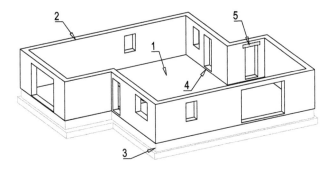

1 : plancher brut

2 : arase des murs

3 : décalage vertical entre les murs en fondation et les murs en élévation (voir détail sur la coupe verticale)

4 : seuil de porte

5 : linteau (1 seul est représenté)

Figure 2.52 - Murs du rez de chaussée

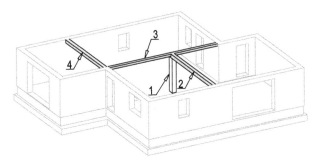

1 : poteau

2 : poutre supportant le mur extérieur de l'étage (coté bureau)

3 : poutre supportant le plancher haut du RdC

4 : poutre supportant le mur extérieur de l'étage (coté chambre 3)

Figure 2.53 - Ossature béton armé, support du plancher haut du RdC

REMARQUE : sur cette figure, seule la retombée de la poutre est visible. Pour la hauteur totale de la poutre, il faut ajouter l'épaisseur brute du plancher.

1.1.4.2.2 Plancher haut du RDC

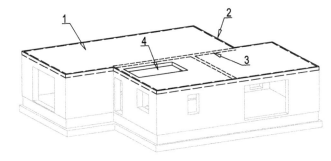

1 : niveau brut du plancher bas de l'étage

2 : chainage extérieur

3 : arase supérieure des poutres du plancher haut du RdC

4 : trémie d'escalier

Figure 2.54 - Plancher haut du RdC (ou plancher bas de l'étage)

1.1.4.2.3 1er étage

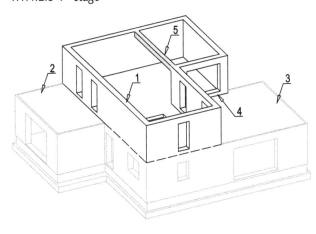

1 : mur de l'étage

2 : terrasse inaccessible au dessus du garage

3 : terrasse accessible au dessus du séjour

4 : seuil de porte (hauteur à prévoir selon l'épaisseur de la terrasse)

5 : poutre supportant le plancher haut de l'étage

Figure 2.55 - Éléments du 1er étage

1.1.4.2.4 Plancher haut de l'étage

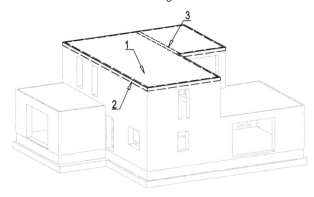

1 : plancher brut du toit terrasse

2 : chainage périphérique

3 : arase supérieure de la poutre du plancher haut de l'étage

Figure 2.56 - Plancher brut du toit terrasse

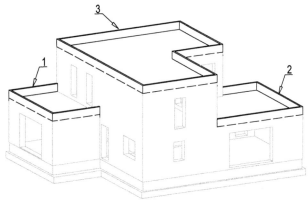

1 : acrotère du toit terrasse situé au dessus du RdC

2 : acrotère à surmonter d'un garde corps en limite de la terrasse accessible

3 : acrotère du toit terrasse situé au dessus du 1er étage

Figure 2.57 - Acrotères

1.1.4.3 Détails du toit terrasse

1.1.4.3.1 Toit terrasse inaccessible

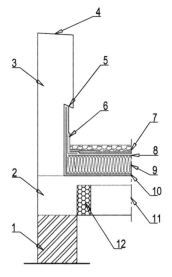

1 : mur de l'étage

2 : chainage

3 : acrotère

4 : pente inclinée vers l'intérieur[1]

5 : engravure

6 : équerre et remontée d'étanchéité

7 : protection meuble en gravillon[2]

8 : étanchéité multicouche

9 : isolation thermique

10 : primaire d'adhérence et pare vapeur

11 : plancher support

12 : rupteur de pont thermique (selon procédé du plancher)

Figure 2.58 - Détail acrotère pour toit terrasse inaccessible

---

1.   Ou couvertine selon le projet (voir détail de la coupe verticale).
2.   Une étanchéité auto protégée rend cette couche inutile.

1.1.4.3.2 Toit terrasse accessible

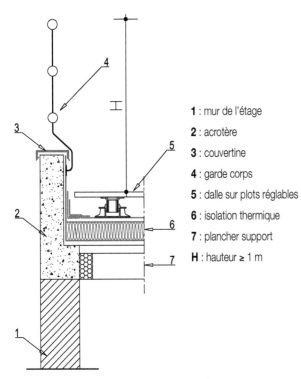

1 : mur de l'étage

2 : acrotère

3 : couvertine

4 : garde corps

5 : dalle sur plots réglables

6 : isolation thermique

7 : plancher support

H : hauteur ≥ 1 m

Figure 2.59 - Détail acrotère et garde corps pour toit terrasse accessible

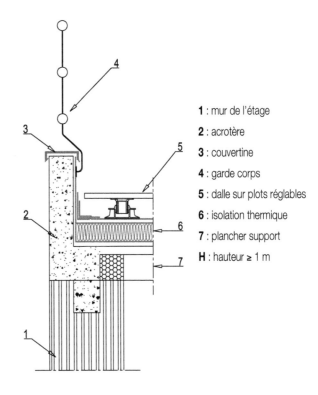

1 : mur de l'étage

2 : acrotère

3 : couvertine

4 : garde corps

5 : dalle sur plots réglables

6 : isolation thermique

7 : plancher support

H : hauteur ≥ 1 m

Figure 2.60 - Variante sur mur I.T.R.

1.1.4.3.3 Toit terrasse végétalisé

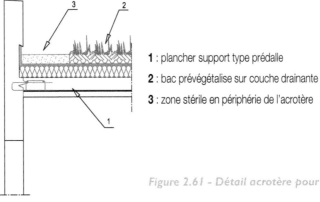

1 : plancher support type prédalle

2 : bac prévégétalise sur couche drainante

3 : zone stérile en périphérie de l'acrotère

Figure 2.61 - Détail acrotère pour toit terrasse végétalisé

1.1.4.3.4 Evacuation des eaux pluviales

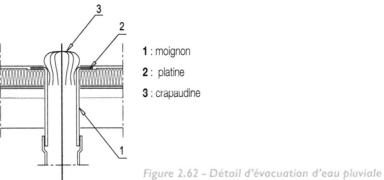

1 : moignon

2 : platine

3 : crapaudine

Figure 2.62 - Détail d'évacuation d'eau pluviale

1.1.4.3.5 Trop plein

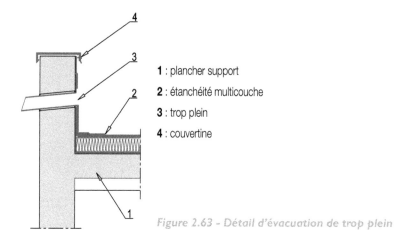

1 : plancher support

2 : étanchéité multicouche

3 : trop plein

4 : couvertine

Figure 2.63 - Détail d'évacuation de trop plein

1.2 Vues en plan

1.2.1 Projet avec combles perdus

1.2.1.1 Principe

Comme défini dans le principe général des coupes, un plan de coupe est choisi, qui dans ce cas est horizontal, avec un sens d'observation, du haut vers le bas. Après avoir ôté les éléments situés au-dessus du plan de coupe, il reste à représenter les éléments situés au-delà de ce plan de coupe. Le résultat porte le nom de « vue en plan ».

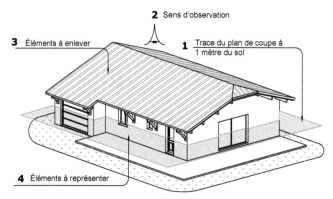

Figure 2.64 - Position du plan de coupe horizontal

1.2.1.2 Perspective de la vue en plan du RDC

Sa représentation respecte les principes abordés précédemment avec à la fois quelques simplifications[1] et quelques compléments spécifiques[2] aux vues en plan.

---

1. Les éléments trop petits, comme les détails des menuiseries, et toutes les arêtes cachées, comme les fondations sur un plan du RDC, ne sont pas représentés.
2. Comme la représentation de la couverture, des poutres, des conduits de fumée situés au dessus du plan de coupe.

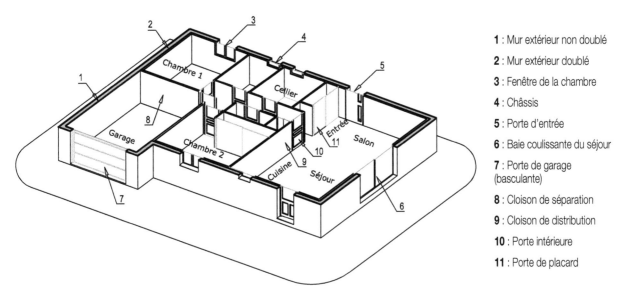

1 : Mur extérieur non doublé

2 : Mur extérieur doublé

3 : Fenêtre de la chambre

4 : Châssis

5 : Porte d'entrée

6 : Baie coulissante du séjour

7 : Porte de garage (basculante)

8 : Cloison de séparation

9 : Cloison de distribution

10 : Porte intérieure

11 : Porte de placard

Figure 2.65 – Perspective de la vue en plan du RDC

Compte tenu de l'échelle d'impression, bien des détails des murs, des cloisons, des menuiseries ne peuvent être représentés. Ainsi, les murs extérieurs sont symbolisés par 2 traits lorsqu'ils ne sont pas doublés, par 3 traits lorsqu'ils sont doublés…

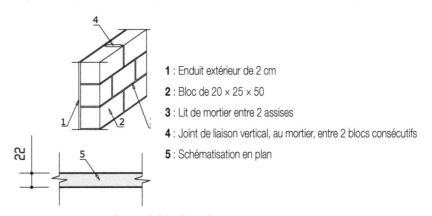

1 : Enduit extérieur de 2 cm

2 : Bloc de 20 × 25 × 50

3 : Lit de mortier entre 2 assises

4 : Joint de liaison vertical, au mortier, entre 2 blocs consécutifs

5 : Schématisation en plan

Figure 2.66 – Mur du garage

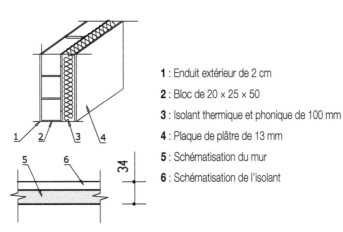

1 : Enduit extérieur de 2 cm

2 : Bloc de 20 × 25 × 50

3 : Isolant thermique et phonique de 100 mm

4 : Plaque de plâtre de 13 mm

5 : Schématisation du mur

6 : Schématisation de l'isolant

Figure 2.67 – Mur de la partie habitable

1.2.1.3 Vue en plan en projection

La représentation finale est une superposition en 4 étapes :

► représentation de ce qui est coupé ;

► ajout des éléments situés en arrière du plan de coupe ;

► ajout de certains éléments situés en avant du plan de coupe (couverture, poutres…) ;

► ajout de l'habillage, puis de la cotation.

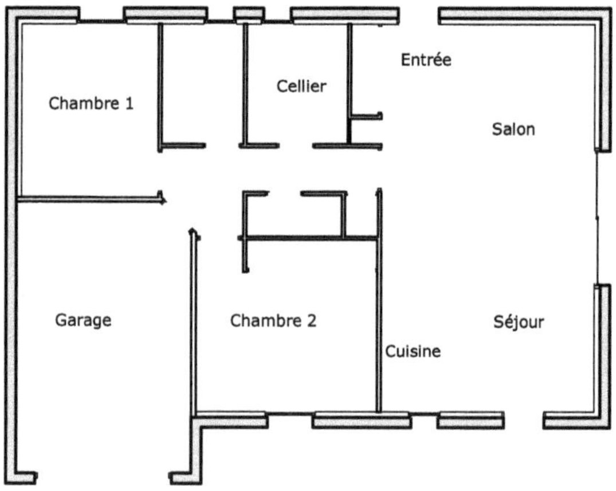

Figure 2.68 - Éléments strictement coupés en projection (murs, cloisons, menuiseries)

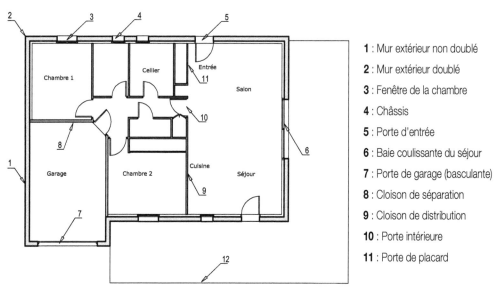

1 : Mur extérieur non doublé

2 : Mur extérieur doublé

3 : Fenêtre de la chambre

4 : Châssis

5 : Porte d'entrée

6 : Baie coulissante du séjour

7 : Porte de garage (basculante)

8 : Cloison de séparation

9 : Cloison de distribution

10 : Porte intérieure

11 : Porte de placard

Figure 2.69 - Repérage des éléments du RDC (coupés et en arrière du plan de coupe)

Ce plan est complété par l'implantation des appareils sanitaires. Selon les pratiques des cabinets de dessin figurent aussi les lignes situées au-dessus du plan de coupe, comme la couverture et les poutres, et aussi l'aménagement intérieur.

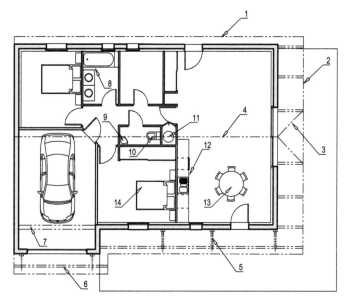

1 : Ligne de la couverture : rive d'égout

2 : Ligne de la couverture : rive latérale

3 : Ligne de la couverture : arêtier

4 : Ligne de la couverture : faîtage

5 : Console supportant la poutre (non représentée) de l'avancée du toit

6 : Poutre supportant la poutre de l'avancée du toit devant le garage

7 : Poutre supportant les fermettes (en traits « fantômes »)

8 : Équipement de la salle de bains (vasques et baignoire)

9 : Lave-mains ; **10** : Cuvette W.-C. ; **11** : Ballon d'eau chaude ;
12 : Équipement de la cuisine ; **13** : Table et chaises de la salle à manger ; **14** : Lit

Figure 2.70 - Ajout d'éléments situés au-dessus du plan de coupe, et d'une partie de l'habillage

REMARQUE : certains éléments de la vue en plan, indispensables de la structure, sont expliqués dans le paragraphe des projets. Ce qui montre que la conception d'une construction est globale. La vue en plan intègre des éléments dimensionnés dans d'autres vues, résultats d'une conception volumique du bâtiment.

1.2.1.4 Cotation de la vue en plan

Au final, il reste à insérer les cotations, avec 2 options pour les cotes intérieures, afin de produire un plan lisible. Soit les cotes intérieures sont placées à l'extérieur du plan, soit elles sont placées à l'intérieur du plan. Dans ce cas, l'aménagement intérieur figure sur un autre plan, édité à part.

REMARQUE : la cotation extérieure de la vue en plan peut présenter plusieurs aspects. Pour ce projet, la cotation est dite « en cumulé », pour le projet suivant, elle est dite « en ligne ».

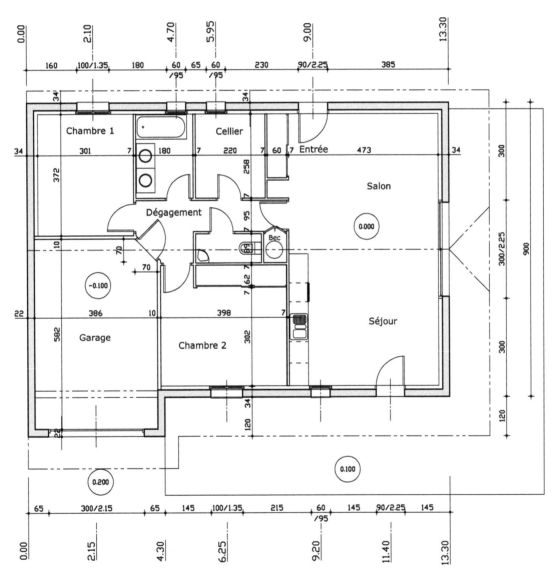

Figure 2.71 - Vue en plan du RDC

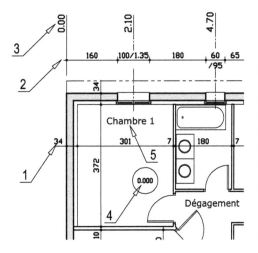

1 : Ligne de cote intérieure (épaisseur des murs et des cloisons, longueur ou largeur des pièces)

2 : Ligne de cote extérieure des baies (HNB/LNB[1]) et des trumeaux[2]

3 : Ligne de cote extérieure, en cumulé[3], des angles des murs et des axes des baies
(2,10 = 1,60 + 1,00/2 et 4,70 = 2,10 + 1,00/2 + 1,80 + 0,60/2)

4 : Niveau du sol

5 : Nom de la pièce (souvent, les surfaces sont regroupées dans un tableau)

Figure 2.72 - Détails de la cotation

1.2.2 Projet avec combles aménageables

1.2.2.1 Principe

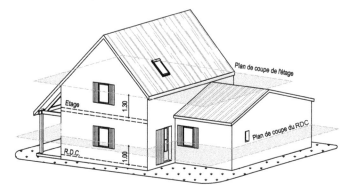

Comme il y a 2 niveaux de plancher, il faut 2 vues en plan.

Figure 2.73 - Position des plans de coupe horizontaux

1.2.2.2 Vue en plan du RDC

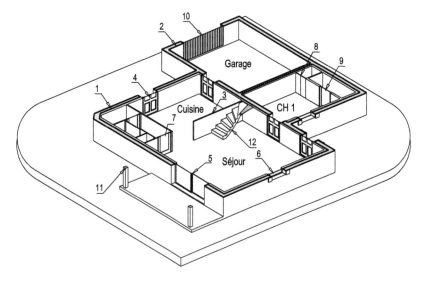

1 : Mur extérieur doublé

2 : Mur extérieur non doublé

3 : Cloison de distribution

4 : Porte d'entrée

5 : Baie coulissante du séjour

6 : Fenêtre du séjour

7 : Porte intérieure

8 : Porte de placard

9 : Porte à galandage (coulissante dans l'épaisseur de la cloison

10 : Porte de garage (basculante)

11 : Poteau

12 : Volée de départ de l'escalier intérieur

Figure 2.74 - Perspective de la vue en plan du RDC

1. HNB pour hauteur nominale de baie et LNB pour largeur nominale de baie.
2. Maçonnerie située entre les baies.
3. Toutes les cotes partent d'une origine, ici l'angle du mur. Des lignes de cotes classiques peuvent remplacer cette cotation en cumulé. Cette option est présentée dans le projet suivant, « Projet avec combles aménageables ».

Sa représentation respecte les principes abordés dans les projets précédents avec des compléments spécifiques à l'étage : la couverture uniquement au-dessus du niveau en cours, l'escalier.

D'une pratique courante, les murs sont représentés bruts, sans enduit : mur de 30 cm (20 cm + 10 cm) pour l'extérieur, sauf pour le garage en mur de 20 cm.

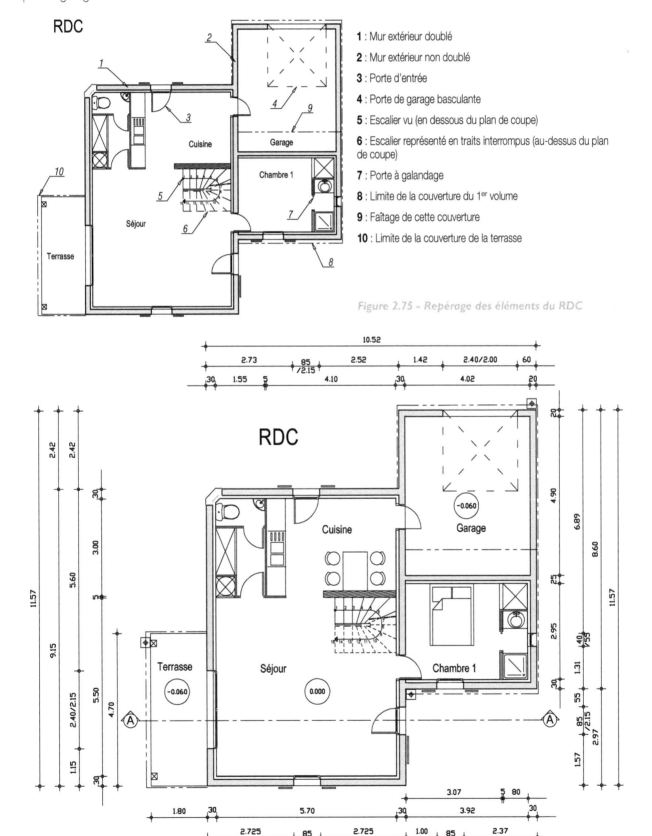

1 : Mur extérieur doublé

2 : Mur extérieur non doublé

3 : Porte d'entrée

4 : Porte de garage basculante

5 : Escalier vu (en dessous du plan de coupe)

6 : Escalier représenté en traits interrompus (au-dessus du plan de coupe)

7 : Porte à galandage

8 : Limite de la couverture du 1er volume

9 : Faîtage de cette couverture

10 : Limite de la couverture de la terrasse

Figure 2.75 - Repérage des éléments du RDC

Figure 2.76 - Vue en plan du RDC

Pour aérer le plan, toutes les cotations, celles de l'intérieur comprises, sont inscrites à l'extérieur du bâtiment.

1.2.2.3 Vue en plan de l'étage

C'est aussi une coupe horizontale mais, dans le cas particulier des combles aménageables, le plan de coupe horizontal est situé à 1,30 m au-dessus du plancher de l'étage (voir la figure 1.169).

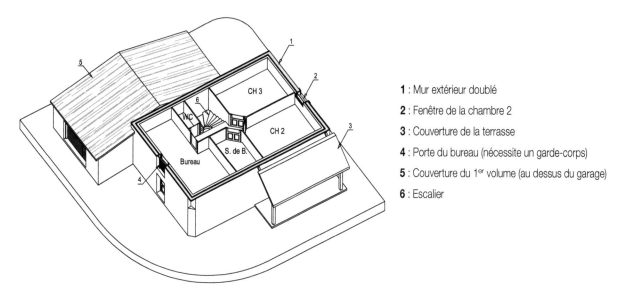

1 : Mur extérieur doublé

2 : Fenêtre de la chambre 2

3 : Couverture de la terrasse

4 : Porte du bureau (nécessite un garde-corps)

5 : Couverture du 1er volume (au dessus du garage)

6 : Escalier

Figure 2.77 - Perspective de la vue en plan de l'étage

Remarque : ce plan horizontal coupe aussi une partie de la couverture du garage, faisant apparaître une partie de la charpente. Mais comme cette représentation n'apporte rien à l'objet du dessin (vue en plan de l'étage), elle ne figure pas sur le dessin à produire.

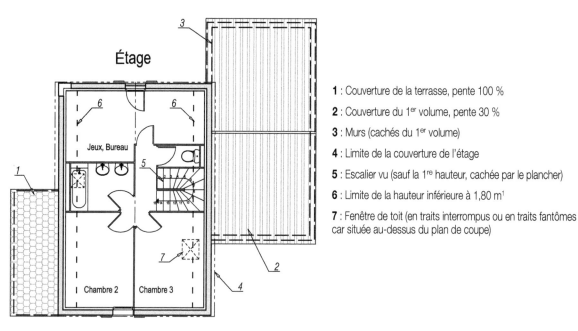

1 : Couverture de la terrasse, pente 100 %

2 : Couverture du 1er volume, pente 30 %

3 : Murs (cachés du 1er volume)

4 : Limite de la couverture de l'étage

5 : Escalier vu (sauf la 1re hauteur, cachée par le plancher)

6 : Limite de la hauteur inférieure à 1,80 m[1]

7 : Fenêtre de toit (en traits interrompus ou en traits fantômes car située au-dessus du plan de coupe)

Figure 2.78 - Repérage des éléments de l'étage

---

1. Détermine la surface déductible pour le calcul de la SHON (surface hors œuvre nette).

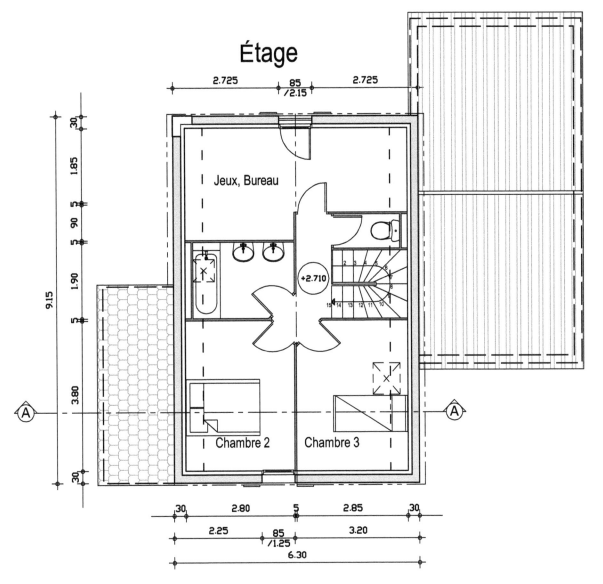

Étage

REMARQUE : les couvertures de la terrasse et du 1er volume, au-dessous du plan de coupe, sont vues, alors que la couverture de l'étage, au-dessus du plan de coupe, est représentée en traits fantômes.

1.2.3 Projet ossature bois

1.2.3.1 Principe

La vue en plan est une coupe horizontale située à 1 m au dessus du plancher fini et au dessus des appuis de fenêtre lorsque la hauteur d'allège est supérieure à 1 m.

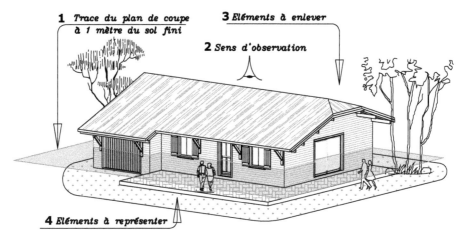

Figure 2.80 - Les 4 étapes du principe

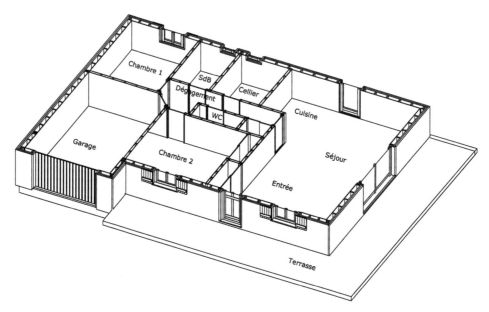

Figure 2.81 - Perspective brute de la vue en plan du RDC

1.2.3.2 Détails de l'ossature bois

Il y a plusieurs types de composition de l'ossature bois avec un point commun : une structure composée de montants et de lisses dont les espaces libres sont remplis d'isolant.

La première variante concerne l'isolant, à la fois de part sa nature pour la zone comprise entre les montants et aussi de sa position et de sa nature lorsqu'une 2ᵉ couche est rapportée.

Une deuxième variante tient à la nature du panneau de contreventement avec son comportement vis-à-vis de la migration de la vapeur d'eau (présence du pare vapeur) fixé du coté intérieur ou extérieur des montants.

Une troisième variante tient à la nature des parements intérieurs et extérieurs (enduit, avec armature, sur isolant extérieur ou bardage bois, fibro ciment, terre cuite).

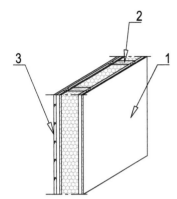

1 : parement intérieur

2 : montant de l'ossature

3 : parement extérieur (bardage horizontal)

Figure 2.82 - Perspective de la composition élémentaire

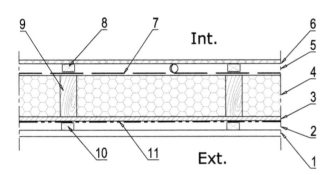

1 : bardage extérieur ventilé

2 : ventilation du bardage extérieur, ouverte au passage de l'air en partie basse et haute et protégée par une grille anti rongeur ou anti insecte

3 : panneau de contreventement

4 : isolation disposée entre les montants

5 : vide technique pour le passage des gaines

6 : parement intérieur

7 : pare vapeur

8 : latte clouée sur les montants, pour le vide technique

9 : montant de l'ossature

10 : latte clouée sur les montants, pour la ventilation du bardage

11 : pare pluie

Figure 2.83 - Détail en coupe horizontale, avec pose du panneau de contreventement coté extérieur à l'ossature

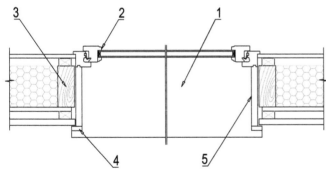

1 : appui de fenêtre

2 : menuiserie posée au nu intérieur

3 : montant de l'ossature (parfois doublé selon la largeur de la baie)

4 : couvre joint

5 : habillage des tableaux

Figure 2.84 - Liaison de l'ossature et de la menuiserie, pose au nu intérieur

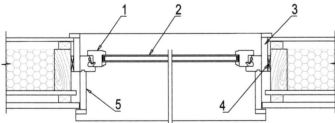

1 : menuiserie posée en tunnel

2 : double vitrage

3 : fourrure intérieure

4 : cale

5 : habillage des tableaux

Figure 2.85 - Pose en tunnel

Tous ces éléments doivent être posés avec le plus grand soin : calfeutrement et joints silicone afin d'assurer les étanchéités à l'eau et à l'air et de réduire les ponts thermiques par défaut ponctuel d'isolation.

95

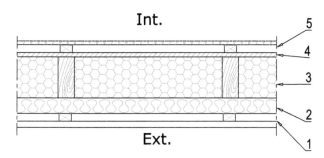

5

4

3

2

1

1 : bardage extérieur ventilé

2 : ISOROOF-NATUR KN (pare-pluie rigide et isolant)[1]

3 : isolation disposée entre les montants

4 : panneau de contreventement type PAVAPLAN 3F [2]

5 : vide technique

Figure 2.86 – Option d'une ossature doublée par une isolation extérieure et un bardage ventilé

REMARQUE : Lors de la pose d'un bardage ventilé non-ajouré, il n'est pas obligatoire de coller les joints des panneaux horizontaux et verticaux. Par contre lors de la pose d'un bardage ventilé ajouré ceux-ci seront collés avec la colle Pavatex (PU) résistante à l'eau afin d'en garantir l'étanchéité

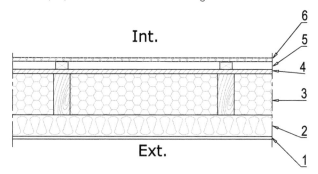

6

5

4

3

2

1

1 : enduit extérieur sur une armature en fibre de verre

2 : isolation extérieure fixée sur les montants

3 : isolation disposée entre les montants

4 : panneau de contreventement type PAVAPLAN 3F

5 : vide technique

6 : parement intérieur

Figure 2.87 – Option d'une ossature doublée par une isolation extérieure protégée par un enduit sur armature en fibre de verre

1.2.3.3 Vue en plan du RDC en projection

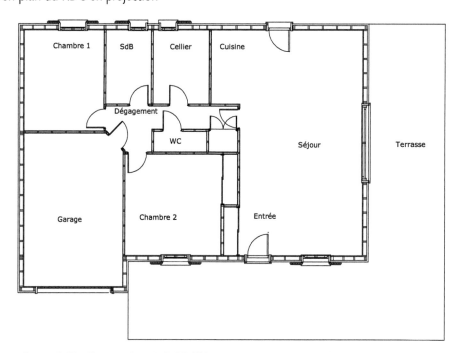

Figure 2.88 – Vue en plan du RdC (éléments coupés et en arrière du plan de coupe)

1. www.pavatex.fr
2. Le panneau PAVAPLAN 3F fait office de régulateur de diffusion de vapeur, pour autant que l'on étanche les joints entre les panneaux et avec les autres éléments de la construction, avec un ruban adhésif approprié. Voir détails de mise en œuvre sur le site pavatex.fr

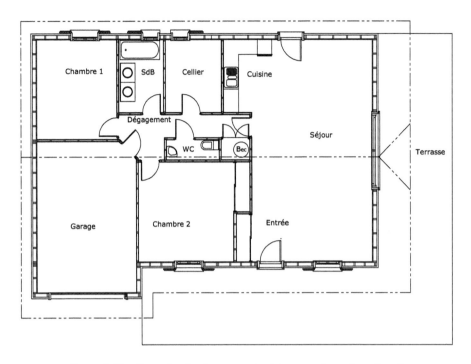

Figure 2.89 - Ajout des équipements intérieurs et des arêtes du toit

<u>Remarque</u> : les arêtes situées au dessus du plan de coupe sont représentées en traits « fantôme ».

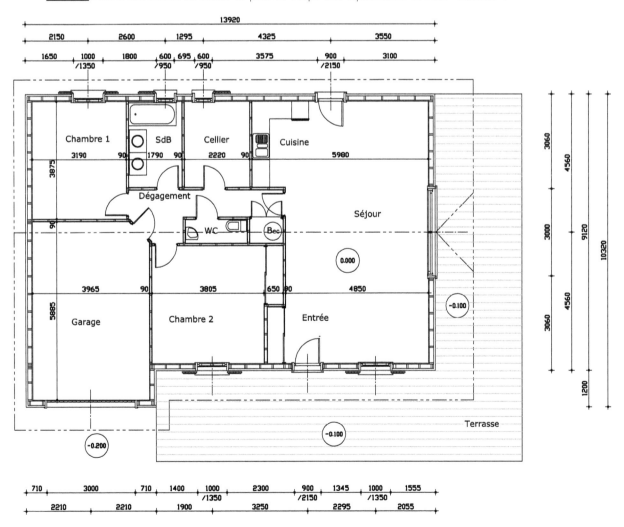

Figure 2.90 - Ajout de la cotation

1.2.4 Projet à isolation répartie

1.2.4.1   Vue en plan du RDC

1.2.4.1.1 Les étapes de la représentation

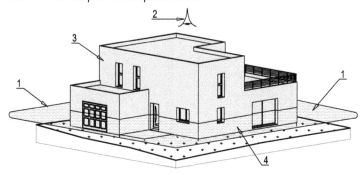

1 : plan de coupe horizontal situé à 1m au dessus du pancher fini du RdC (et au dessus des appuis de fenêtre lorsque la hauteur d'allège est supérieure à 1m)

2 : sens d'observation

3 : éléments à enlever

4 : éléments à représenter

Figure 2.91 - Position du plan de coupe horizontal

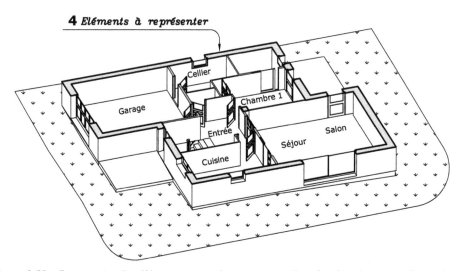

Figure 2.92 - Perspective des éléments –coupés et en en arrière du plan de coupe- à représenter sur la vue en plan du RDC

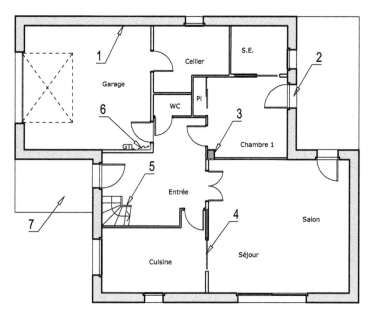

1 : mur extérieur

2 : baie de porte

3 : poteau

4 : porte à galandage (coulissante dans l'épaisseur de la cloison)

5 : partie de l'escalier situé en arrière du plan de coupe

6 : GTL (gaine technique libre)

7 : terrasse située devant l'entrée

Figure 2.93 - Résultat de la représentation en plan

1.2.4.1.2 Position des menuiseries extérieures

Les menuiseries ne sont plus posées en applique des murs avec une isolation rapportée mais dans les murs avec 2 options représentées ci dessous

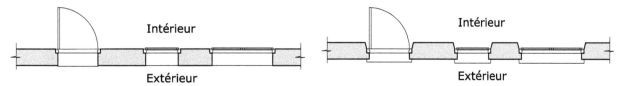

Figure 2.94 - Option 1 menuiseries posées en feuillure, au nu intérieur, appuis et seuil arasés

Figure 2.95 - Option 2 menuiseries posées en feuillure, avec ébrasement, appuis et seuil saillants

1.2.4.1.3 Aménagement pour personnes à mobilité réduite

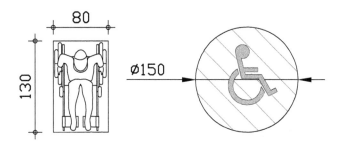

Figure 2.96 - Dimensions de l'aire d'usage et de l'aire de manœuvre

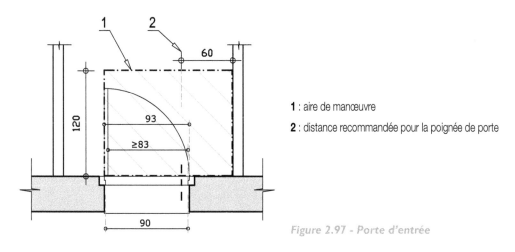

1 : aire de manœuvre

2 : distance recommandée pour la poignée de porte

Figure 2.97 - Porte d'entrée

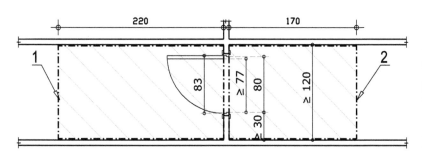

1 : aire de manœuvre pour un accès à l'ouverture en tirant

2 : aire de manœuvre pour un accès à l'ouverture en poussant

Figure 2.98 - Porte intérieure, largeur minimale 80 cm, passage utile ≥ 77cm

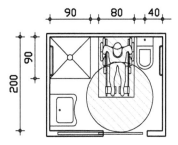

Figure 2.99 - Dimensions minimales pour une salle d'eau avec WC

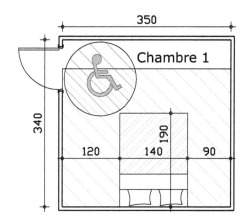

Figure 2.100 - Dimensions minimales pour une chambre

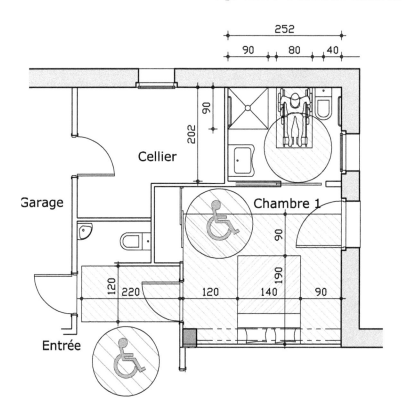

Figure 2.101 - Aménagement intérieur reprenant les dispositions précédentes

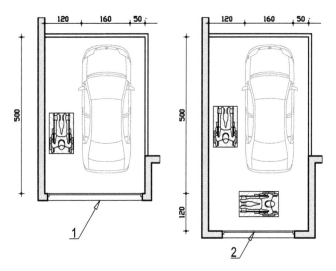

1 : cas où la largeur de la porte dégage entièrement l'accès au garage

2 : cas où la largeur de la porte dégage partiellement l'accès au garage

Figure 2.102 - Dimensions minimales pour un garage

1.2.4.1.4 Représentation des poutres sur la vue en plan

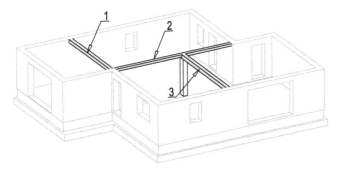

1 : poutre supportant le mur extérieur de l'étage (coté chambre 3)

2 : poutre supportant le plancher hourdis situé au dessus du cellier et de la chambre 1

3 : poutre supportant le mur extérieur de l'étage (coté bureau)

Figure 2.103 - Poutres supportant le plancher haut du RdC

1.2.4.1.5 Résultat final

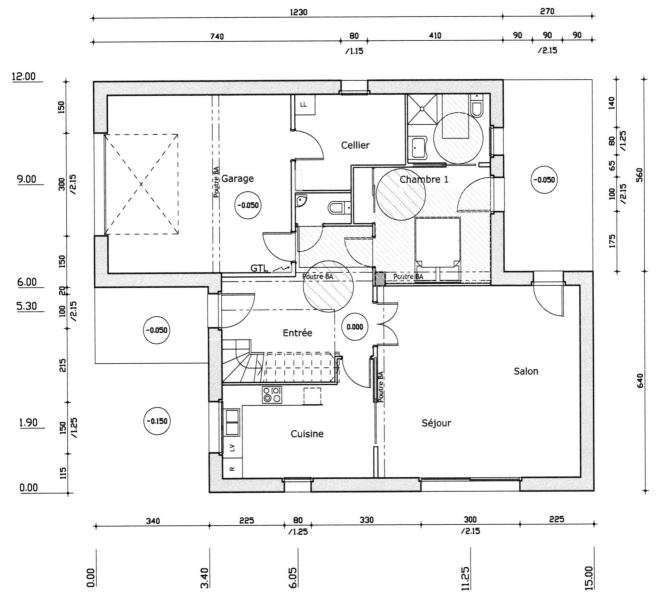

Figure 2.104 - Vue en plan complète du R.D.C.

A cette échelle, pour que le plan reste lisible, les aménagements et les cotations intérieures ne sont pas représentés, mais le principe reste identique aux vues en plan précédentes.

1.2.4.2 Vue en plan de l'étage

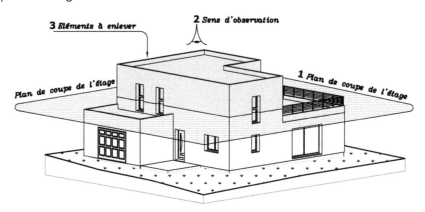

Figure 2.105 - Position du plan de coupe horizontal

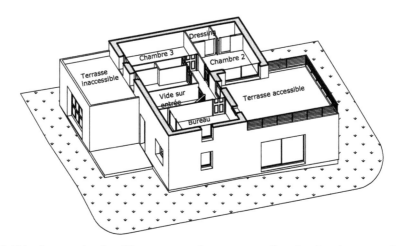

Figure 2.106 - Perspective des éléments –coupés et en en arrière du plan de coupe- à représenter sur la vue en plan de l'étage

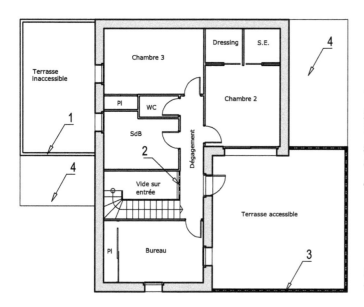

1 : acrotère au dessus du garage

2 : garde corps intérieur, en continuité du garde corps de l'escalier, qui clos le vide sur l'entrée

3 : garde corps extérieur, fixé à l'acrotère, qui limite la terrasse accessible

4 : terrasses du rez de chaussée

Figure 2.107 - Résultat de la représentation de la vue en plan de l'étage

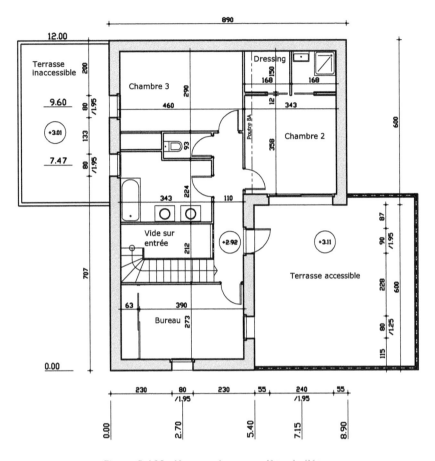

Figure 2.108 - Vue en plan complète de l'étage

1.2.4.3 Vue en plan des toits terrasses

C'est une vue de dessus[1] avec positions des descentes d'eau pluviales, trop pleins…

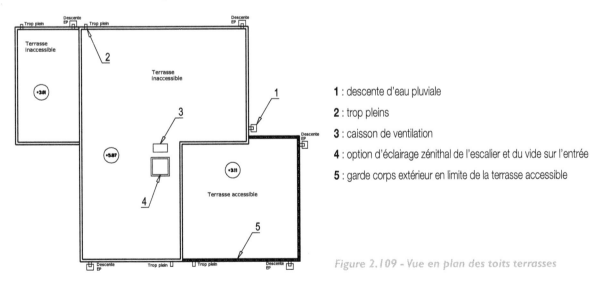

1 : descente d'eau pluviale

2 : trop pleins

3 : caisson de ventilation

4 : option d'éclairage zénithal de l'escalier et du vide sur l'entrée

5 : garde corps extérieur en limite de la terrasse accessible

Figure 2.109 - Vue en plan des toits terrasses

---

1. A la différence des autres vues en plan, ce n'est pas une coupe horizontale puisque l'observateur est au dessus du bâtiment

1.3 Coupes verticales

1.3.1 Projet avec combles perdus

Essentiellement, elle a pour rôle de préciser les hauteurs (et niveaux) qui complètent la définition de la maison apportée par la vue en plan.

1.3.1.1 Principe

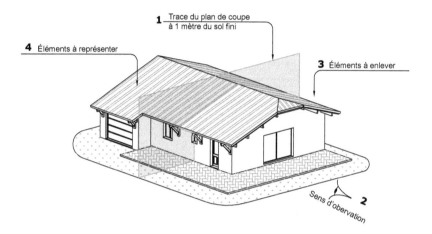

Figure 2.110 - Position du plan de coupe vertical en perspective

1.3.1.2 Coupe verticale AA

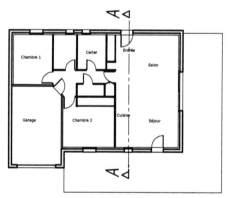

Figure 2.111 - Position du plan de coupe vertical, sur la vue en plan du RDC

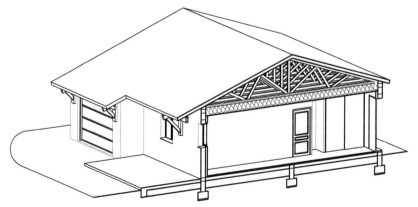

Figure 2.112 - Résultat, en perspective, des éléments à représenter sur la coupe verticale

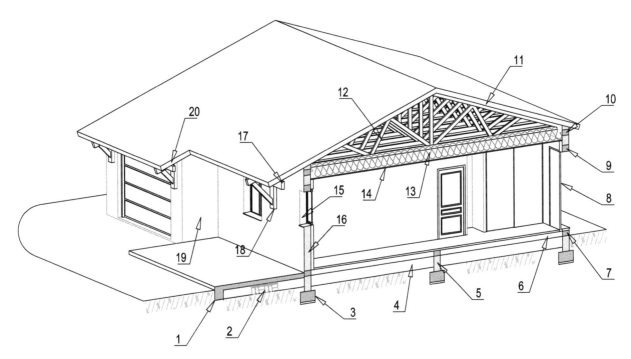

1 : Bêche ; **2** : Dallage de la terrasse ; **3** : Semelle filante ; **4** : Vide sanitaire ; **5** : Mur de soubassement ; **6** : Plancher hourdis ; **7** : Chaînage bas ; **8** : Porte d'entrée ; **9** : Linteau ; **10** : Chaînage haut ; **11** : Couverture ; **12** : Fermette ; **13** : Isolation des combles ; **14** : Plafond ; **15** : Tableau ; **16** : Mur d'allège ; **17** : Poutre ; **18** : Console ; **19** : Mur du garage en arrière du plan coupe ; **20** : Couverture en arrière du plan coupe

Figure 2.113 - Perspective de la coupe verticale à réaliser

Comme pour toutes les coupes, après avoir choisi la position du plan de coupe et le sens d'observation, il s'agit de représenter :

▶ les éléments coupés ;

▶ les éléments situés en arrière du plan de coupe ;

▶ la cotation et l'habillage comme les hachures…

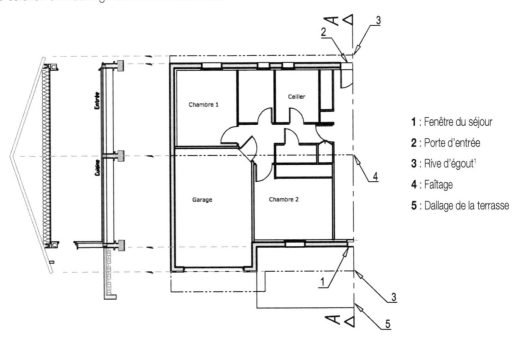

1 : Fenêtre du séjour

2 : Porte d'entrée

3 : Rive d'égout[1]

4 : Faîtage

5 : Dallage de la terrasse

Figure 2.114 - Correspondances entre vue en plan du RDC et coupe verticale, repérage des principaux éléments coupés

---

1. Les rives d'égout ne sont pas au même niveau, car le faîtage est centré sur la partie habitable, mais les débords de couverture sont différents.

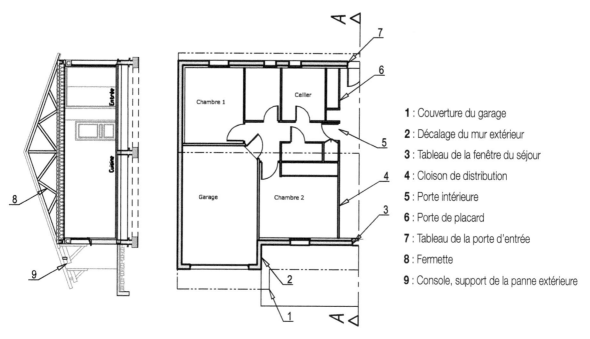

1 : Couverture du garage

2 : Décalage du mur extérieur

3 : Tableau de la fenêtre du séjour

4 : Cloison de distribution

5 : Porte intérieure

6 : Porte de placard

7 : Tableau de la porte d'entrée

8 : Fermette

9 : Console, support de la panne extérieure

Figure 2.115 - Correspondances entre vue en plan du RDC et coupe verticale, repérage des principaux éléments situés en arrière du plan de coupe

La cotation de la coupe verticale est divisée en 3 familles :

▶ les hauteurs et épaisseurs, pour la hauteur sous plafond (HSP), les hauteurs des portes et des fenêtres, la hauteur d'allège, la hauteur du vide sanitaire, les épaisseurs de plancher ;

▶ les niveaux, pour le niveau de référence 0,000, le niveau de la terrasse et du terrain fini, les niveaux de la couverture (ou du lattis, surface sur laquelle sont cloués les liteaux ou les lattes) ;

▶ du texte, pour indiquer le nom des pièces, la pente du toit...

L'habillage consiste essentiellement à différencier les différents éléments coupés par des hachures, du pochage.

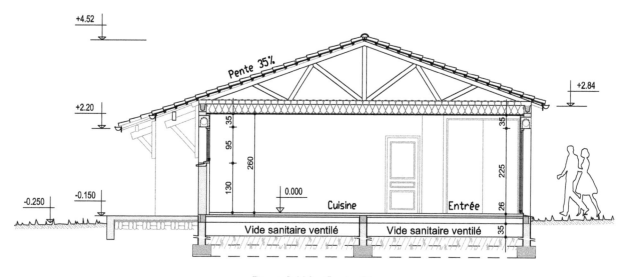

Figure 2.116 - Coupe AA

1.3.2 Projet avec combles aménageables

1.3.2.1 Principe

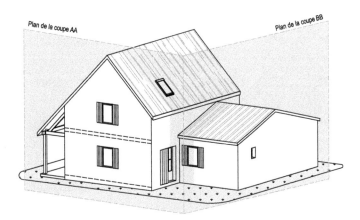

Figure 2.117 – Position des plans de coupe verticaux en perspective

REMARQUE : cette perspective montre aussi que les hauteurs sont déterminées afin que le niveau du faîtage de la couverture du garage soit inférieur au niveau de la rive d'égout de la couverture des combles aménageables. Ainsi, la mise en œuvre et l'étanchéité du raccord entre les 2 volumes s'en trouvent simplifiées. Ces valeurs (hauteurs, niveaux) sont obtenues soit graphiquement en réalisant les coupes AA et BB, soit par le calcul.

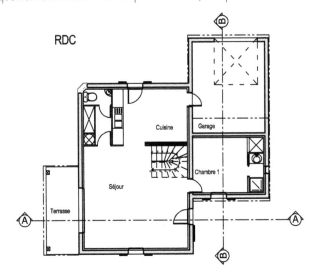

Figure 2.118 – Position, sur la vue en plan du RDC, des plans de coupe verticaux AA et BB

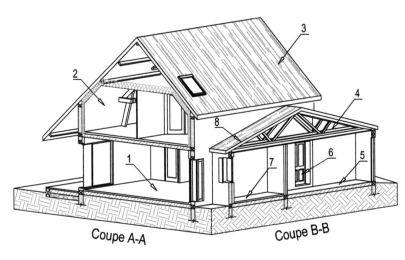

1 : Séjour

2 : Chambre 2 (combles aménageables)

3 : Couverture de pente 100 %

4 : Combles perdus

5 : Garage

6 : Porte d'accès à la cuisine

7 : Chambre 1

8 : Couverture de pente 30 %

Figure 2.119 – Coupes verticales A-A et B-B, en perspective

1.3.2.2 Coupe AA

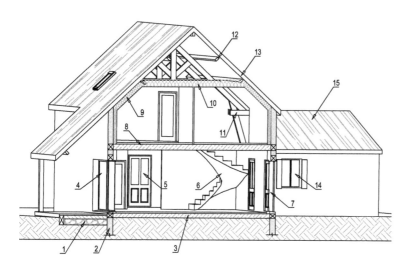

1 : Dallage de la terrasse

2 : Mur de soubassement

3 : Dallage du RDC

4 : Baie coulissante du séjour

5 : Porte d'entrée

6 : Escalier

7 : Porte du séjour

8 : Plancher de l'étage

9 : Isolation en rampant

10 : Isolation en plafond des combles

11 : Pied de ferme

12 : Panne

13 : Couverture des combles aménageables

14 : Fenêtre de la chambre 1

15 : Couverture des combles perdus

Figure 2.120 - Coupe AA en perspective

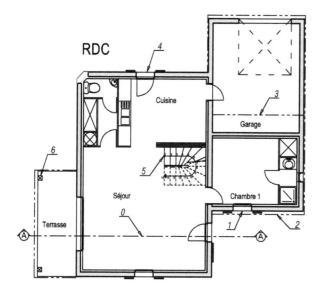

0 : Position du plan de coupe AA en plan

1 : Fenêtre de la chambre 1

2 : Rive d'égout du 1er volume

3 : Faîtage de cette couverture

4 : Porte-fenêtre de la cuisine

5 : Escalier

6 : Poteau de la terrasse

7 : Plancher haut du RDC (ou bas de l'étage)

Figure 2.121 - Correspondances entre vue en plan du RDC et coupe verticale

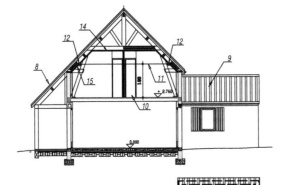

8 : Couverture de la terrasse

9 : Couverture du 1er volume

10 : Porte de la chambre 3 (de par son orientation à 45° sur la vue en plan, elle paraît moins large sur la coupe verticale)

11 : Limite de la hauteur de 1,80 m

12 : Intersection de cette ligne et du plafond en rampant

13 : Report de cette intersection sur la vue en plan (utile au calcul de la SHON)

14 : Plafond horizontal

15 : Plafond en rampant (qui suit la pente du toit)

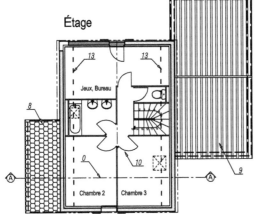

Figure 2.122 - Correspondances entre vue en plan de l'étage et coupe verticale

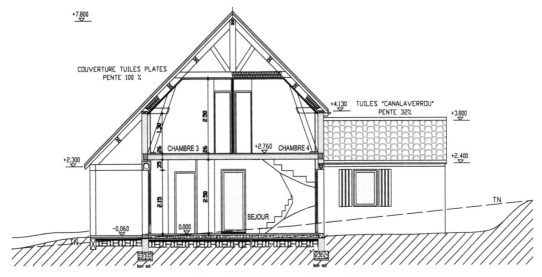

Figure 2.123 - Coupe AA complète

1.3.2.3 Coupe BB

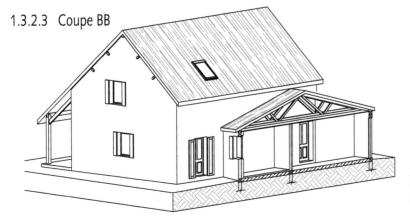

Figure 2.124 - Perspective de la coupe verticale passant dans le volume des combles perdus

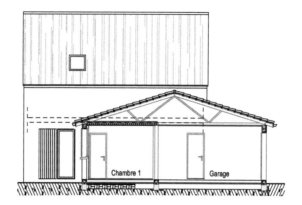

Figure 2.125 – Coupe verticale BB avec le volume des combles aménageables, en arrière du plan de coupe

1.3.2.4 Liens entre vue en plan et coupe horizontale

Pour les combles, le plan de coupe est situé 1,30 m au-dessus du plancher. La hauteur des murs et la pente de la couverture influencent la représentation de la vue en plan de l'étage et la surface hors œuvre nette.

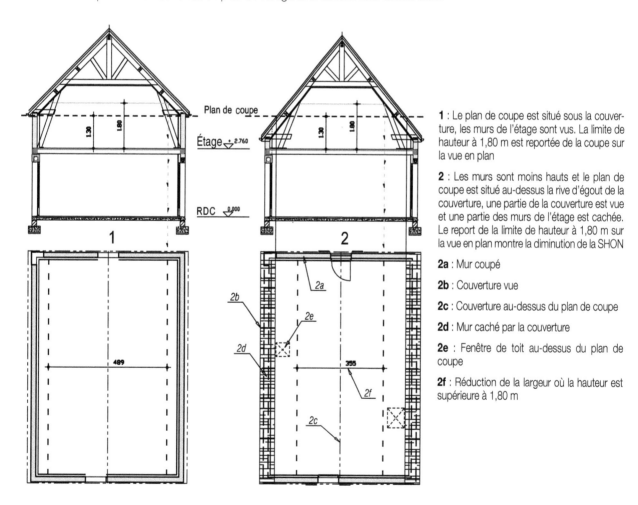

1 : Le plan de coupe est situé sous la couverture, les murs de l'étage sont vus. La limite de hauteur à 1,80 m est reportée de la coupe sur la vue en plan

2 : Les murs sont moins hauts et le plan de coupe est situé au-dessus la rive d'égout de la couverture, une partie de la couverture est vue et une partie des murs de l'étage est cachée. Le report de la limite de hauteur à 1,80 m sur la vue en plan montre la diminution de la SHON

2a : Mur coupé

2b : Couverture vue

2c : Couverture au-dessus du plan de coupe

2d : Mur caché par la couverture

2e : Fenêtre de toit au-dessus du plan de coupe

2f : Réduction de la largeur où la hauteur est supérieure à 1,80 m

Figure 2.126 – Relations entre coupe verticale et vue en plan de l'étage (pour combles aménageables)

1.3.3 Projet ossature bois

Afin que la coupe verticale précise à la fois une baie de fenêtre et une baie de porte, le plan de coupe est brisé.

1.3.3.1 Principe

Il peut être résumé en 4 étapes

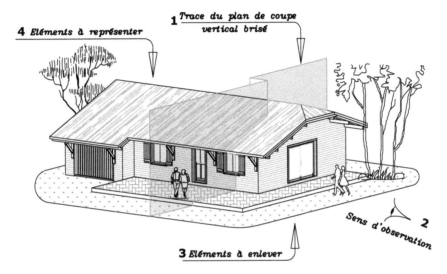

Figure 2.127 - Les 4 étapes de la coupe verticale

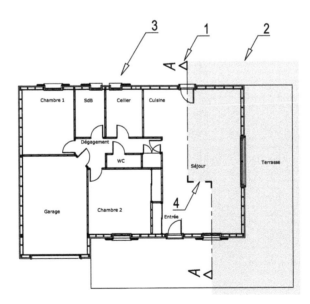

1 : désignation et sens d'observation du plan de coupe ; **2** : éléments supprimés ;
3 : éléments à représenter ; **4** : représentation de la brisure du plan de coupe vertical

Figure 2.128 - Représentation du plan de coupe vertical sur la vue en plan

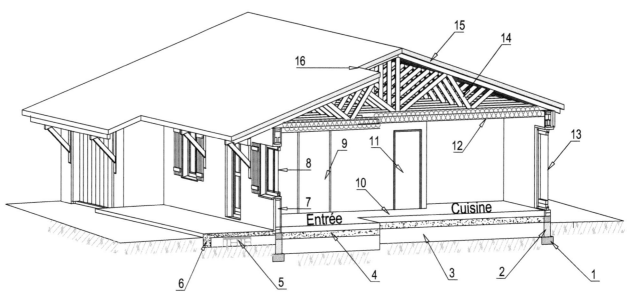

1 : semelle filante, **2** : mur de soubassement, **3** : vide sanitaire ventilé, **4** : plancher hourdis, **5** : hérisson ou blocage en pierres sèches, **6** : bêche en limite de la terrasse, **7** : mur d'allège, **8** : baie de fenêtre, **9** : porte de placard, **10** : niveau du plancher fini, **11** : porte d'accès au dégagement, **12** : plafond et isolation des combles, **13** : porte extérieure de la cuisine, **14** : fermette, **15** : couverture, **16** : brisure du plan coupe

Figure 2.129 - Perspective de la coupe verticale A-A

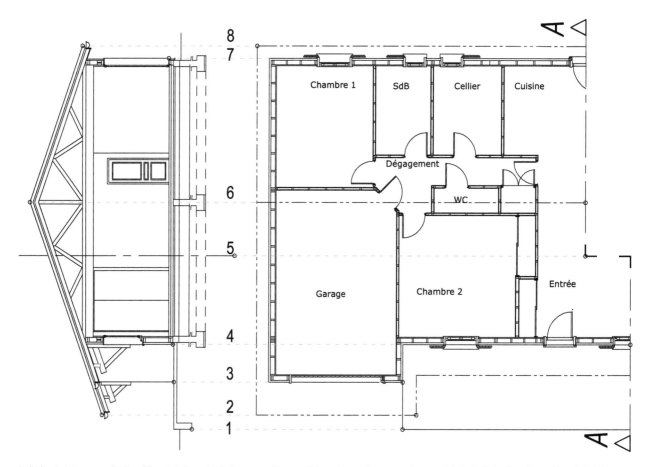

1 : limite de la terrasse, **2** : rive d'égout de l'avant toit du garage, **3** : nu extérieur du mur du garage, **4** : mur de la baie de fenêtre, **5** : position de la brisure du plan de coupe vertical, **6** : faitage, **7** : mur de la baie de porte, **8** : rive d'égout de l'avant toit coté cuisine

Figure 2.130 - Correspondances entre vue en plan du RDC et coupe verticale, repérage des principaux éléments coupés

1.3.3.2 Coupe verticale AA

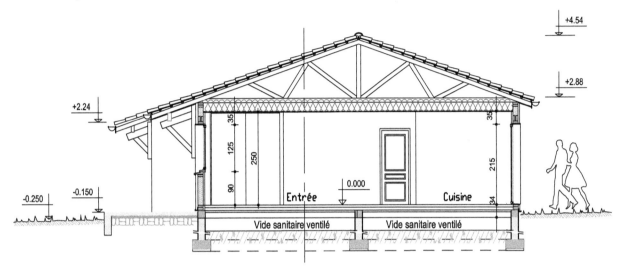

Figure 2.131 - Coupe verticale AA compris cotation et habillage

1.3.3.3 Détails

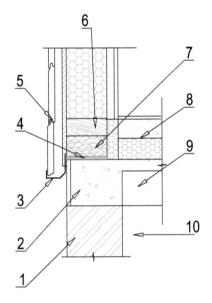

1 : mur de soubassement

2 : chainage

3 : grille anti rongeur ou anti insecte

4 : arase étanche

5 : bardage extérieur ventilé

6 : lisse basse de l'ossature

7 : lisse de pose

8 : plancher chauffant

9 : plancher hourdis

10 : vide sanitaire ventilé

Figure 2.132 - Liaison plancher bas et pied de l'ossature

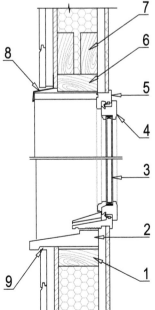

1 : pièce d'appui de l'ossature

2 : pièce d'appui de la menuiserie

3 : double vitrage

4 : ouvrant de la fenêtre

5 : dormant de la fenêtre

6 : section à plat du linteau

7 : montants posés de champ pour assurer la résistance du linteau

8 : bavette

9 : jeu permettant la ventilation de la paroi

Figure 2.133 - Liaison ossature et menuiserie

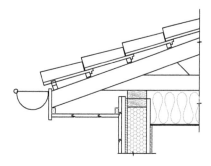

Figure 2.134 – Habillage horizontal de l'avant toit

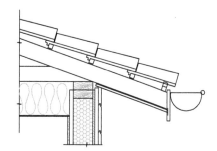

Figure 2.135 – Habillage en rampant sous chevron de l'avant toit

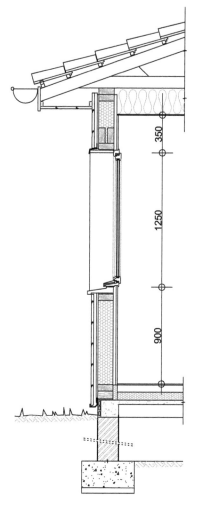

Figure 2.136 – Coupe de principe montrant l'assemblage des 3 détails

1.3.4 Projet à isolation répartie

1.3.4.1 Coupe 1-1

1.3.4.1.1 Principe

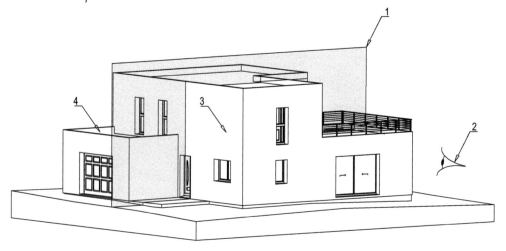

1 : plan de coupe vertical

2 : sens d'observation

3 : éléments à enlever

4 : éléments à représenter

*Figure 2.137
Position du plan de
coupe vertical 1-1
sur la perspective*

Figure 2.138 - Position du plan de coupe vertical 1-1 sur la vue en plan du RDC et sur la vue en plan de l'étage

1.3.4.1.2 Représentation

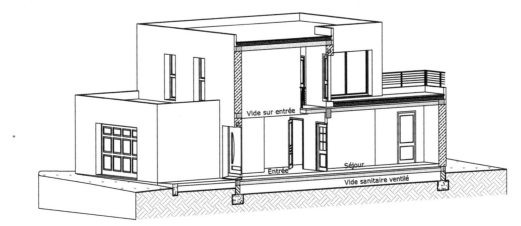

Figure 2.139 - Coupe verticale 1-1 en perspective

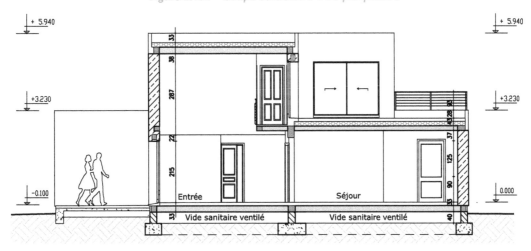

Figure 2.140 - Coupe verticale 1-1 en projection

1.3.4.2 Coupe 2-2

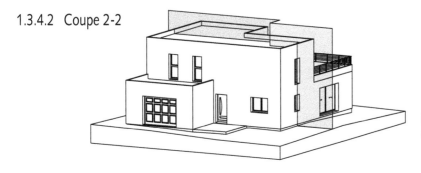

Figure 2.141 - Position du plan de coupe vertical 2-2 sur la perspective

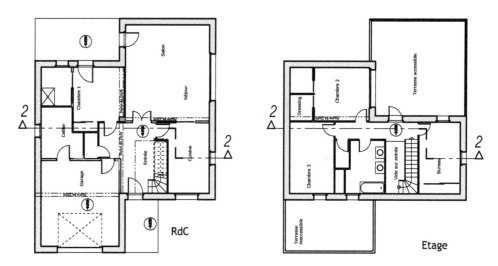

Figure 2.142 - Position du plan de coupe vertical 2-2 sur la vue en plan du RDC et sur la vue en plan de l'étage

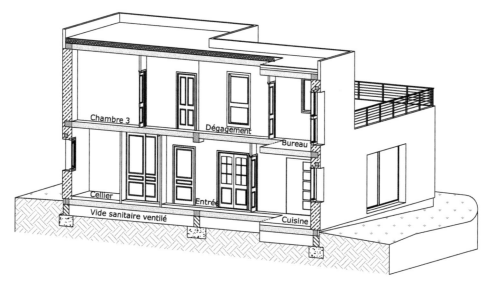

Figure 2.143 - Coupe verticale 2-2 en perspective

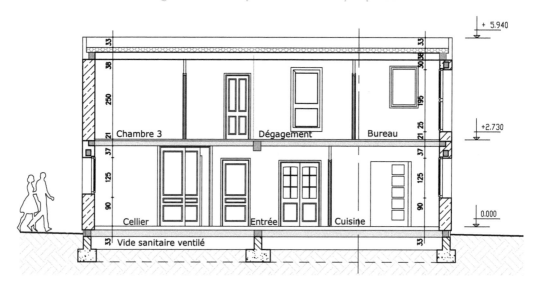

Figure 2.144 - Coupe verticale 2-2 en projection

REMARQUE : comme dans cette coupe verticale le plan coupe est brisé, le changement de plan est représenté par un trait d'axe passant dans la cuisine et le bureau

1.4   Façades

Les vues à réaliser correspondent aux projections orthogonales (vues de face, de gauche, de droite, d'arrière) décrites dans le paragraphe de la représentation des objets, à quelques exceptions près, comme la représentation des éléments cachés telles les cloisons, les portes intérieures…

1.4.1 Projet avec combles perdus

1.4.1.1 Principe

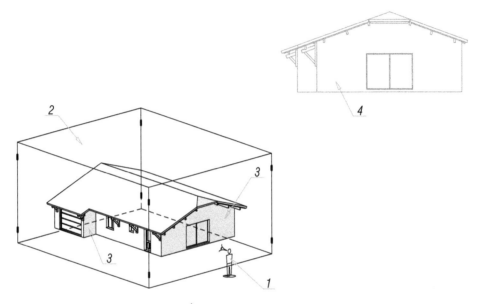

1 : Observateur ; **2** : Plan de projection du pignon ; **3** : Éléments vus par l'observateur, projetés sur le plan 2 ; **4** : Résultat de la projection

Figure 2.145 - Exemple du pignon gauche

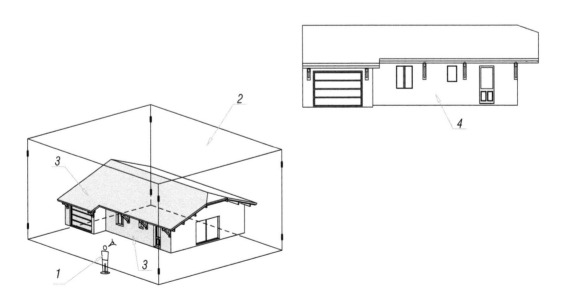

1 : Observateur ; **2** : Plan de projection de la façade ; **3** : Éléments vus par l'observateur, projetés sur le plan 2 ; **4** : Résultat de la projection

Figure 2.146 - Exemple de la façade arrière

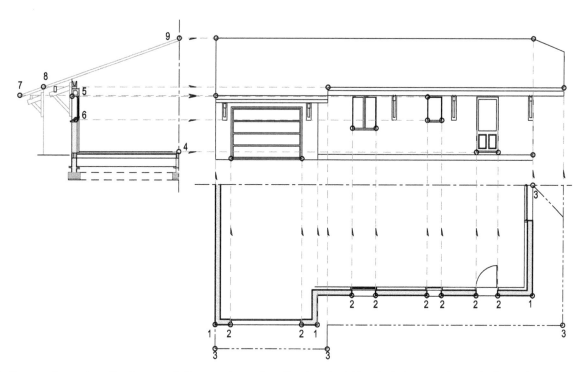

1 : Correspondances des arêtes des murs ; **2** : Correspondances des arêtes des baies (tableaux) ; **3** : Correspondances des limites de la couverture ; **4** : Correspondance du niveau 0,000 entre coupe et façade ; **5** : Correspondance des linteaux de la partie habitable (linteau plus bas pour la porte de garage) ; **6** : Correspondance de la hauteur des baies ; **7** : Correspondance de la couverture devant le garage ; **8** : Correspondance de la couverture devant la partie habitable ; **9** : Niveau du faîtage

Figure 2.147 - Façade arrière en correspondance avec la vue en plan et la coupe verticale

1.4.1.2 Façades brutes

Elles sont obtenues par rabattement ou par développement à partir des vues en plan et des coupes verticales.

Elles sont désignées à partir de l'orientation géographique de la vue en plan.

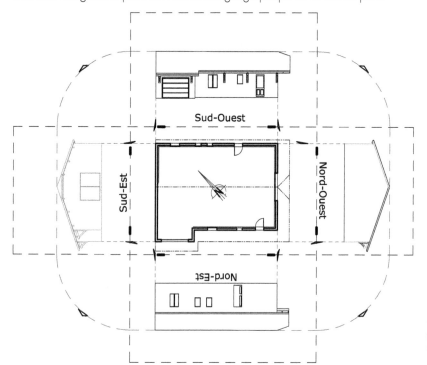

Figure 2.148 - Façades obtenues par rabattement des plans de projection sur un plan horizontal

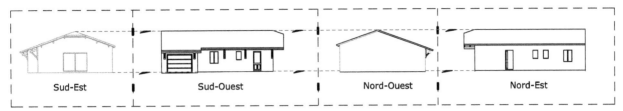

Le niveau 0,000 et le niveau du faîtage se trouvent en correspondance. De même tous les linteaux, à l'exception de celui du garage, sont sur une même horizontale.

1.4.1.3 Façades avec rendu et habillage

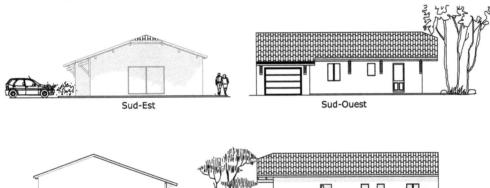

Figure 2.150
Façades avec rendu
et habillage

1.4.2 Projet avec combles aménageables

1.4.2.1 Façades brutes
Le principe est identique, mais moins immédiat que pour le projet précédent.

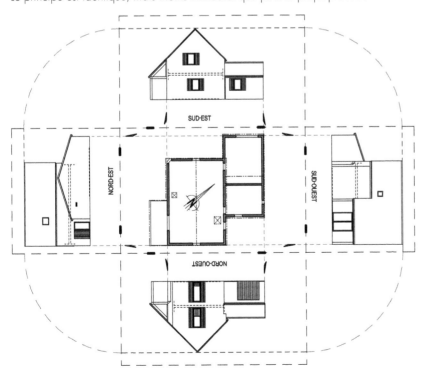

Figure 2.151 - Façades obtenues par
rabattement des plans de projection
sur un plan horizontal

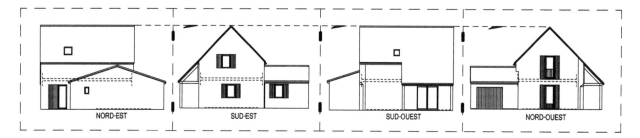

Figure 2.152 – Façades obtenues par développement des plans de projection autour d'axes verticaux

1.4.2.2 Façades avec rendu et habillage

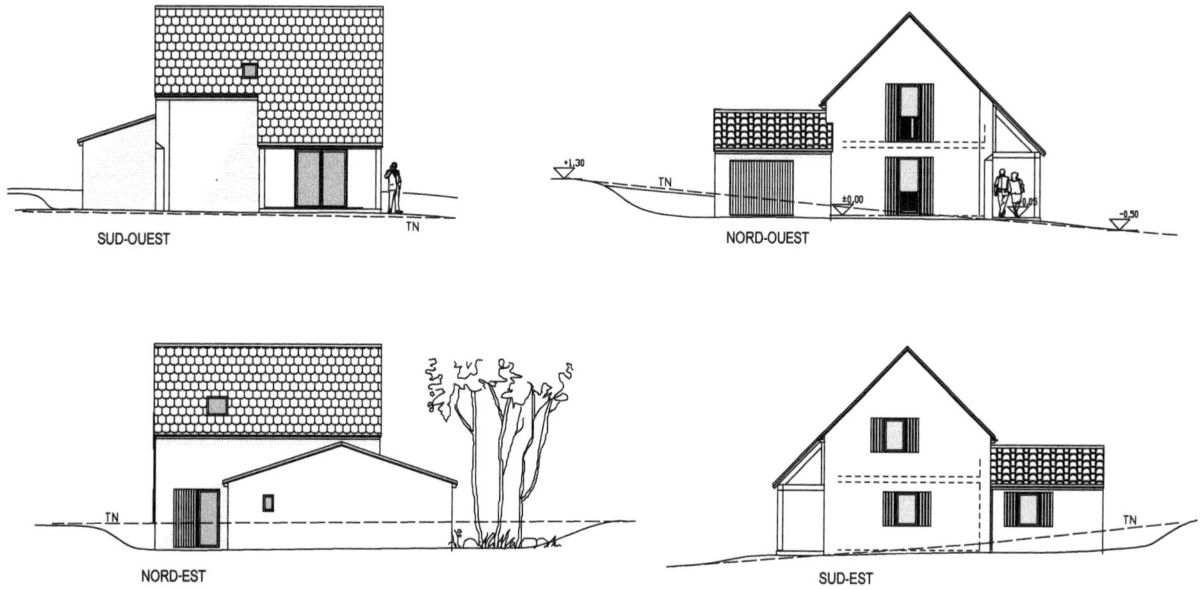

Figure 2.153 – Façades avec rendu ombre, habillage et adaptation au terrain naturel

1.4.3 Projet ossature bois

1.4.3.1 Façades obtenues par rabattement

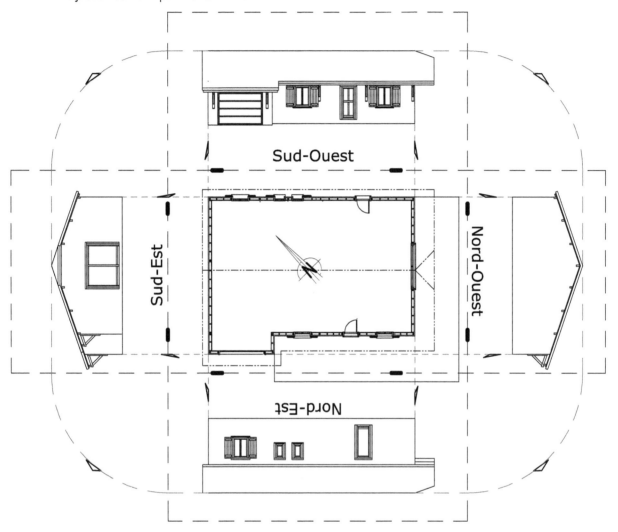

Figure 2.154 – Correspondances entre la vue en plan et les façades

1.4.3.2 Présentation conventionnelle

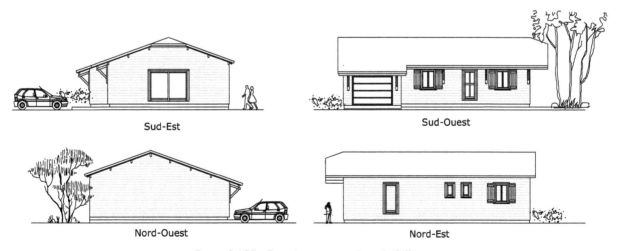

Figure 2.155 – Façades avec rendu et habillage

1.4.4 Projet à isolation répartie

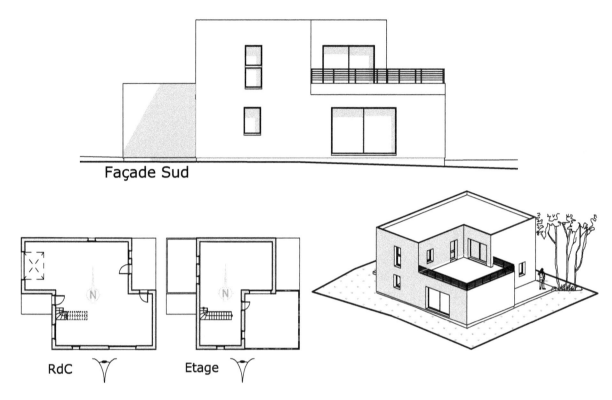

Figure 2.156 – Façade Sud avec sens d'observation sur les vues en plan et murs grisés sur la perspective

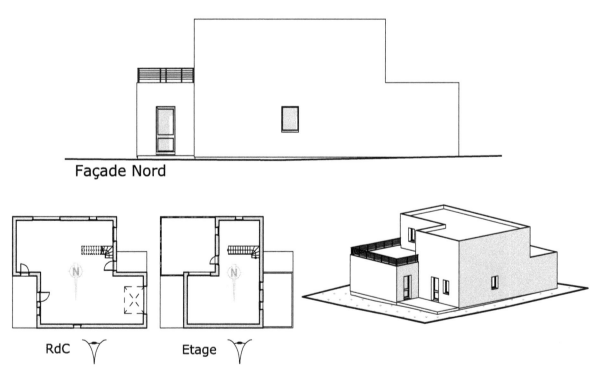

Figure 2.157 – Façade Nord avec sens d'observation sur les vues en plan et murs grisés sur la perspective

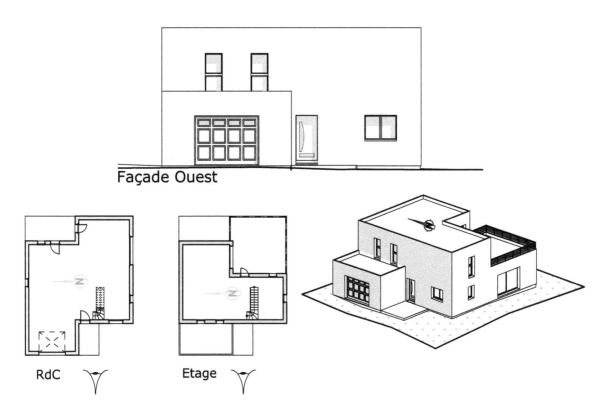

Façade Ouest

RdC   Etage

Figure 2.158 – Façade Ouest avec sens d'observation sur les vues en plan et murs grisés sur la perspective

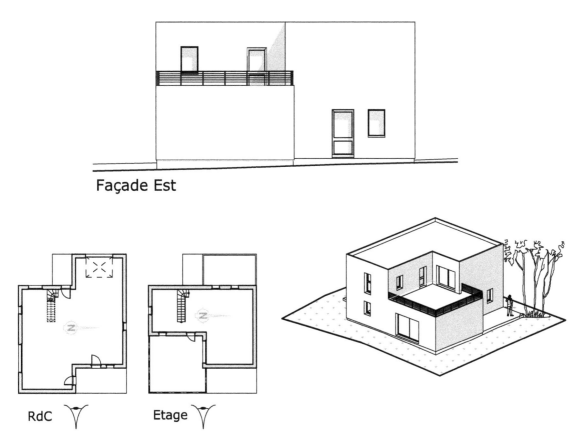

Façade Est

RdC   Etage

Figure 2.159 – Façade Est avec sens d'observation sur les vues en plan et murs grisés sur la perspective

1.5 Dossier du permis de construire[1]

Figure 2.160 - Perspective avant du projet

Figure 2.161 - Perspective arrière du projet

1.5.1 Introduction

Le permis de construire est une autorisation administrative obligatoire, délivrée sous réserve du droit des tiers[2] pour quiconque désire réaliser des travaux neufs ou modifier l'aspect extérieur, les volumes intérieurs ou la destination d'un bâtiment existant.

La demande, en 4 exemplaires signés du bénéficiaire et du demandeur s'ils sont différents, est déposée ou envoyée sous pli recommandé avec AR à la mairie de la commune où se situe le terrain.

Dans les 15 jours suivant le dépôt de la demande du permis de construire, le service instructeur :

▶ la mairie pour les communes disposant d'un PLU approuvé ou d'une carte communale

▶ ou la Direction Départementale de l'Equipement dans l'autre cas

envoie un courrier notifiant la date avant laquelle la décision est prise.

Le dossier est composé de pièces graphiques relatives au projet, de présentation libre, et d'un formulaire

Les pièces graphiques (plans, dessins ou photographies) à intégrer au dossier du PC sont désignés par PCMI (permis de construire pour maison individuelle) suivi d'un chiffre de 1 à 8.

---

1. Conception et réalisation du projet : Diamantino JORGE
2. Le projet doit respecter les droits privés éventuels des tiers intéressés : servitudes de mitoyenneté ou de passage et le cahier des charges pour un projet situé dans un lotissement.

Le tableau ci-dessous présente la liste des documents obligatoires.

N° DES PCMI	CONTENU	ÉCHELLE	ÉLABORATION
PCMI-1	plan de situation du terrain	1/20 000ᵉ ou[1] 1/25 000ᵉ	Image numérisée ou plan cadastral complétés par la localisation du terrain, le Nord et l'échelle
PCMI-2	plan masse	1/200ᵉ à 1/500ᵉ	Vue de dessus du projet complétée par un habillage : (VRD[2]...), du texte et des cotations
PCMI-3	plan en coupe[3] du terrain et de la construction	1/50ᵉ à 1/200ᵉ	Coupe verticale du projet
PCMI-4	notice décrivant le terrain et présentant le projet	Fichier texte	Texte organisé en 2 parties avec 6 questions pour la présentation du projet
PCMI-5	Les 4 façades avec leur orientation	1/50ᵉ ou 1/100ᵉ	Projections du projet sur les plans verticaux pour les façades, complétées par du texte et un habillage
PCMI-6	document graphique permettant d'apprécier l'insertion du projet de construction dans son environnement	Sans	Projection en perspective du projet insérée sur une photographie du terrain
PCMI-7	Une photographie permettant de situer le terrain dans le paysage proche	Sans	photographie numérique du terrain
PCMI-8	Une photographie permettant de situer le terrain dans le paysage lointain	Sans	photographie numérique du terrain

1.5.2 PCMI-1 plan de situation

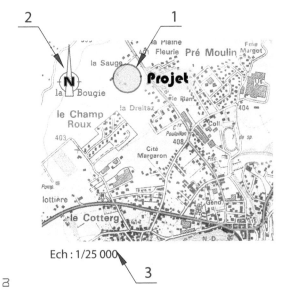

1 : localisation du projet

2 : orientation

3 : échelle

Les autres indications comme le maître d'ouvrage, adresse, date sont inclus dans un cartouche des mises en page.

source carte IGN au 1/25 000ᵉ

Figure 2.162 – Plan de situation du terrain

1.5.3 PCMI-2 plan masse

Pour ce PCMI-2, la construction est « vue d'avion ».

---

1. Pour un projet situé en zone rurale et de 1/2 000 à 1/5 000 pour un projet situé en ville
2. 4 VRD pour voiries et réseaux divers
3. Par «plan en coupe» il faut comprendre une projection selon une coupe verticale car, l'usage courant du bâtiment qui associe «plan « à «vue de dessus» ne permet pas une représentation du profil du terrain avant et après les travaux.

A ce dessin, il faut ajouter : les raccordements aux réseaux, les dimensions, emplacement et hauteurs des bâtiments à construire, l'organisation des accès à la voie publique, les arbres existants maintenus ou à planter, l'échelle et l'orientation, l'endroit à partir duquel les deux photos jointes (pièces PCMI 7 et PCMI 8) ont été prises.

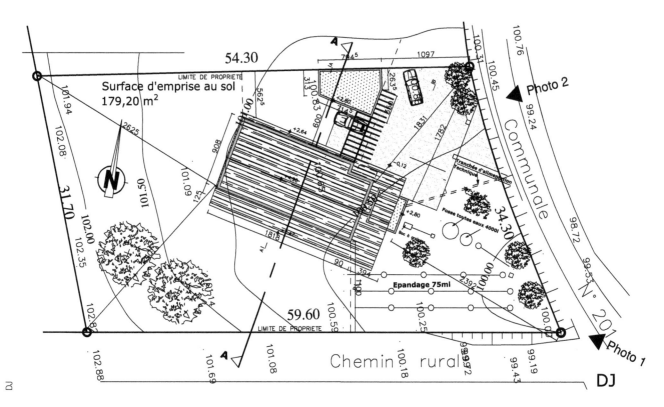

Figure 2.163 - Plan de masse des constructions à édifier

1.5.4 PCMI-3 plan de coupe

Le plan en coupe indique le volume extérieur des constructions et l'implantation de la ou des constructions par rapport au profil du terrain. C'est une coupe transversale repérée sur le PCMI2

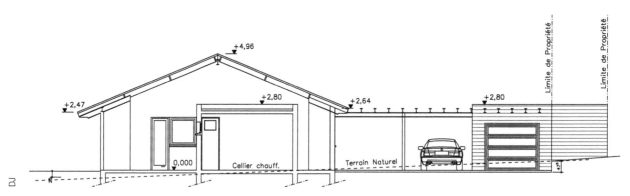

Figure 2.164 - Plan en coupe du terrain et de la construction

1.5.5 PCMI-4 notice descriptive

Elle présente la situation du terrain et du projet, afin de permettre au maire ou aux services concernés de comprendre la façon dont les constructions prévues s'insèrent dans leur environnement.

Ce document décrit le paysage et l'environnement existants, expose et justifie les dispositions prévues pour assurer l'insertion de la construction dans le paysage, compris l'accès et les abords.

La notice comprend deux parties :

1. La présentation de l'état initial du terrain et de ses abords indiquant, s'il y en a, des constructions, de la végétation et des éléments paysagers existants.

2. La présentation du projet, répondant aux six questions suivantes :

   - Quel aménagement est prévu pour le terrain ?
     Vous devez préciser ce qui sera modifié ou supprimé (végétation, murs...) ;

   - Comment sont prévus l'implantation, l'organisation, la composition et le volume des constructions nouvelles, notamment par rapport aux constructions ou paysages avoisinants ?
     Il faut, à cet endroit, expliquer le choix retenu pour l'implantation de la construction projetée.

   - Comment sont traités les constructions, clôtures, végétation ou aménagements situés en limite de terrain.
     Il faut, en réponse à cette question, indiquer plus précisément ce qui sera fait dans les parties du terrain les plus proches des terrains voisins et de la voie publique, et donc plus visibles de l'extérieur.

   - Quels sont les matériaux et les couleurs des constructions
     En indiquant la nature globale des matériaux utilisés pour le projet (ardoise, verre, bois...).
     Dans certains secteurs (secteurs sauvegardés, zone de protection du patrimoine architectural urbain et paysager, sites classés, des règles plus strictes peuvent être prévues, il faut préciser la nature des matériaux, leur couleur, et la façon exacte dont les travaux seront mis en œuvre (exemple : préciser s'il s'agit d'ardoise naturelle ou synthétique, de matériau collé, enduit ou agrafé...). Se renseigner-vous à la mairie.

   - Comment sont traités les espaces libres, notamment les plantations ?
     Décrivez ici comment sera aménagé le terrain. En effet, le permis de construire porte à la fois sur le projet de bâtiment et sur l'aménagement de son terrain.

   - Comment sont organisés et aménagés les accès au terrain, aux constructions et aux aires de stationnement.
     Décrivez sommairement ces accès

Exemple de notice :
La situation du terrain
Commune de Lunes 38830, lieu dit La Jolivie

Section	AS
Réf. cadastrale	1251
Superficie	1809.96 m²

Le terrain initial :
Le terrain, en pente régulière le long de la voie communale 205, est situé en zone péri urbaine. Il est dépourvu d'arbres de hautes tiges et entouré de quelques terrains non bâtis mais aussi de constructions anciennes et récentes présentes sur les PCMI 7 et 8.

L'objet du projet : Maison d'habitation
Le projet consiste à construire une maison d'habitation de 5 pièces principales, d'un garage et d'un local technique séparés. L'entrée de plain pied, coté route, donne accès au séjour à gauche, à la cuisine à droite et au dégagement qui mène à la partie nuit.
La façade principale est orientée Sud
La construction est recouverte d'un toit à 2 pentes identiques de 34% en tuiles romanes « canal », ton ocre mélangé
Sur la maçonnerie, en blocs de béton de gravillon, est projeté un enduit gratté ton ocre clair.
Les menuiseries en aluminium laqué à double vitrage seront de type coulissant ou oscilo-battant avec volets roulants intégrés à la maçonnerie.

1.5.6 PCMI-5 plan des façades

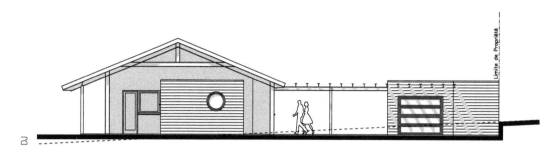

Figure 2.165 – Pignon Est

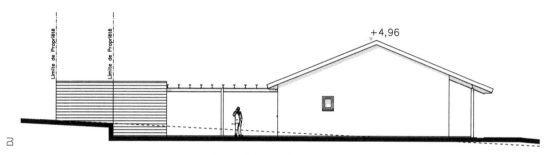

Figure 2.166 – Pignon Ouest

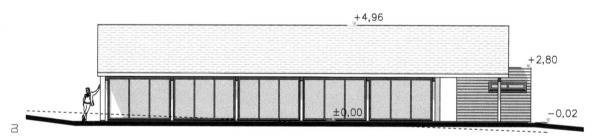

Figure 2.167 – Façade Sud

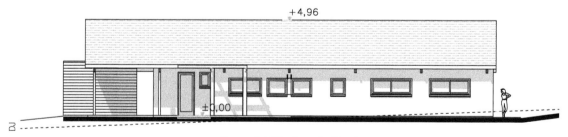

Figure 2.168 – Façade Nord

1.5.7 PCMI-6 insertion du projet

Figure 2.169 - Insertion du projet

1.5.8 PCMI-7 et 8 photographies du terrain

Figure 2.170 - Photographie du terrain (paysage lointain)

Figure 2.171 - Photographie du terrain (paysage proche)

1.5.9 Définition des surfaces

1.5.9.1 Surface de plancher

Pour une maison individuelle, la surface de plancher de la construction est égale à la somme des surfaces de planchers de chaque niveau clos et couvert, calculée à partir du nu intérieur des murs après déduction :

- ▶ des vides et des trémies pour escalier

- ▶ des surfaces de plancher dont la hauteur sous plafond est inférieure ou égale à 1,80 mètre

- ▶ des surfaces de stationnement des véhicules (compris rampes d'accès et les aires de manœuvres)

Les surfaces de plancher des caves, des celliers des locaux techniques ne pas sont déduites sauf si elles font partie d'un groupe de bâtiments ou d'un immeuble autre qu'une maison individuelle

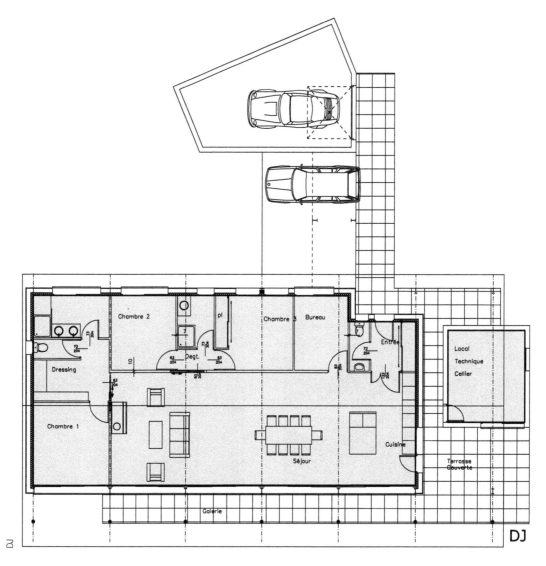

Figure 2.172 – Surface de plancher : 143.50 m²

1.5.9.2 Surface d'emprise au sol

L'emprise au sol correspond à une vue d'avion de la construction englobant tous débords-murs, couverture, terrasse couverte- et surplombs – modénature, balcon –.

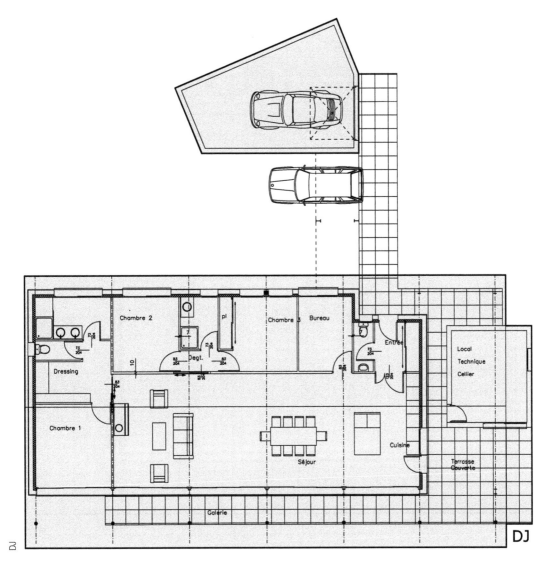

Figure 2.173 - Surface d'emprise au sol 309.93m²

Si l'avancée située devant la porte du garage et la transition entre la partie habitable et le garage sont couvertes, alors la surface d'emprise au sol s'en trouve augmentée d'autant, selon la figure suivante

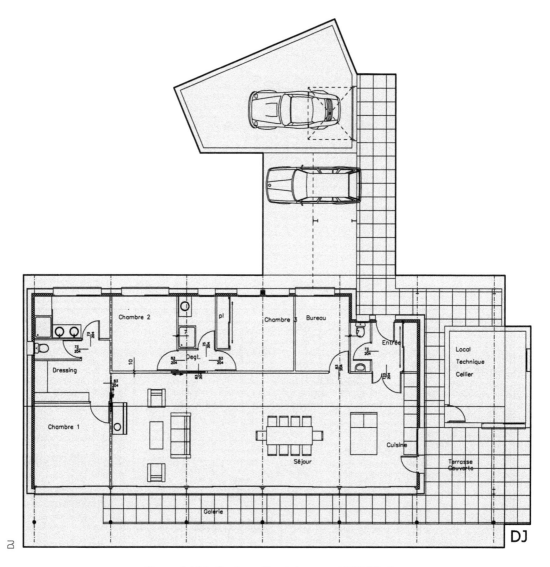

Figure 2.174 - Surface d'emprise au sol 348.80m²

1.5.10 Formulaire complété[1]

---

1. http://vosdroits.service-public.fr/F1986.xhtml ou https://www.formulaires.modernisation.gouv.fr/gf/cerfa_13406.do

Demande de
Permis de construire
pour une maison individuelle et / ou ses annexes
comprenant ou non des démolitions

cerfa
N° 13406*02

1/8

Vous pouvez utiliser ce formulaire si :

- Vous construisez une maison individuelle ou ses annexes.
- Vous agrandissez une maison individuelle ou ses annexes.
- Vous aménagez pour l'habitation tout ou partie d'une construction existante.
- Votre projet comprend des démolitions.

Pour savoir précisément à quelle formalité sont soumis vos travaux, vous pouvez vous reporter à la notice explicative ou vous renseigner auprès de la mairie du lieu de votre projet.

P. C.

| | | | | | | | | | | | | |
Dpt   Commune   Année   N° de dossier

La présente demande a été reçue à la mairie

le |_|_|_|_|_|_|_|_|

Cachet de la mairie et signature du receveur

Dossier transmis : ☐ à l'Architecte des Bâtiments de France
☐ au Directeur du Parc National

1 - Identité du ou des demandeurs

Le demandeur indiqué dans le cadre ci-dessous sera le titulaire de la future autorisation et le redevable des taxes d'urbanisme.
Si la demande est présentée par plusieurs personnes physiques, indiquez leurs coordonnées sur la fiche complémentaire.
Les décisions prises par l'administration seront notifiées au demandeur indiqué ci-dessous. Une copie sera adressée aux autres demandeurs, qui seront co-titulaires de l'autorisation et solidairement responsables du paiement des taxes.

Vous êtes un particulier   Madame ☐   Monsieur ☒

Nom : JORGE   Prénom : Diamantino

Date et lieu de naissance

Date : |1|2|.|0|9|.|1|9|8|4| Commune : ESTORIL (Portugal)

Département : |_|9|9|9| (Indiquez 999 si vous êtes né(e) à l'étranger)

Vous êtes une personne morale

Dénomination :   Raison sociale :

N° SIRET : |_|_|_|_|_|_|_|_|_|_|_|_|_|_| Catégorie juridique : |_|_|_|_|

Représentant de la personne morale :   Madame ☐   Monsieur ☐

Nom :   Prénom :

2 - Coordonnées du demandeur

Adresse : Numéro :   Voie :

Lieu-dit :   Localité :

Code postal : |_|_|_|_|_| BP : |_|_|_|_| Cedex : |_|_|

Si le demandeur habite à l'étranger : Pays :

Si vous souhaitez que les courriers de l'administration (autres que les décisions) soient adressés à une autre personne, veuillez préciser son nom et ses coordonnées :   Madame ☐   Monsieur ☐   Personne morale ☒

Nom :   Prénom :

OU raison sociale :

Adresse : Numéro :   Voie :

Lieu-dit :   Localité :

Code postal : |_|_|_|_|_| BP : |_|_|_|_| Cedex : |_|_| Division territoriale :

Si le demandeur habite à l'étranger : Pays :   indiquez l'indicatif pour le pays étranger :

Téléphone : |_|_|_|_|_|_|_|_|_|_|

☐ **J'accepte de recevoir par courrier électronique les documents transmis en cours d'instruction par l'admin l'adresse suivante :** @

J'ai pris bonne note que, dans un tel cas, la date de notification sera celle de la consultation du courrier électronique ou, au plus tard, celle de l'envoi de ce courrier électronique augmenté de huit jours.

2/8

3 - Le terrain

3.1 - Localisation du (ou des) terrain(s)

Les informations et plans (voir liste des pièces à joindre) que vous fournissez doivent permettre à l'administration de localiser précisément le (ou les) terrain(s) concerné(s) par votre projet.

Le terrain est constitué de l'ensemble des parcelles cadastrales d'un seul tenant appartenant à un même propriétaire.

Adresse du (ou des) terrain(s)

Numéro :   Voie :

Lieu-dit :   Localité :

Code postal : |_|_|_|_|_| BP : |_|_|_|_| Cedex : |_|_|

Références cadastrales : section et numéro [1] (si votre projet porte sur plusieurs parcelles cadastrales, veuillez indiquer les premières ci-dessous et les suivantes sur une feuille séparée) :

Superficie du (ou des) terrain(s) (en m²) :

3.2 - Situation juridique du terrain *(ces données, qui sont facultatives, peuvent toutefois vous permettre de faire valoir des droits à construire ou de bénéficier d'impositions plus favorables)*

	Oui	Non	Je ne sais pas
Êtes-vous titulaire d'un certificat d'urbanisme pour ce terrain ?	☒	☐	☐
Le terrain est-il situé dans un lotissement ?	☐	☒	☐
Le terrain est-il situé dans une Zone d'Aménagement Concertée (Z.A.C.) ?	☐	☒	☐
Le terrain fait-il partie d'un remembrement urbain (Association Foncière Urbaine) ?	☐	☒	☐
Le terrain est-il situé dans un périmètre ayant fait l'objet d'une convention de Projet Urbain Partenarial (P.U.P.) ?	☐	☒	☐
Le projet est-il situé dans le périmètre d'une Opération d'Intérêt National (O.I.N) ?	☐	☒	☐

Si votre terrain est concerné par l'un des cas ci-dessus, veuillez préciser, si vous les connaissez, les dates de décision ou d'autorisation, les numéros et les dénominations :
N° CU 30 161 11R8881 du 12 06 2011

3.3 - Terrain issu d'une division de propriété

Si votre terrain est issu de la division d'une propriété bâtie effectuée il y a moins de 10 ans, demandez à la mairie si le plan local d'urbanisme comporte une règle limitant vos droits à construire. Si cette règle existe, le vendeur doit vous avoir remis une attestation indiquant la surface des constructions déjà établies sur l'autre partie du terrain.

Indiquez cette surface (en m²) :   et la superficie du terrain avant division (en m²) :

ou joignez à votre demande une copie de l'attestation

4 - Caractéristiques du projet

4.1 - Architecte

Le recours à un architecte (ou un agréé en architecture) est obligatoire.
Toutefois, vous pouvez vous en dispenser si vous êtes un particulier et que vous déclarez vouloir édifier ou modifier pour vous-même :
- une construction qui n'excède pas 170 m² ;
- l'extension d'une construction existante soumise à permis de construire si cette extension n'a pas pour effet de porter l'ensemble après travaux au-delà de 170 m².

☐ Si votre projet correspond à l'un de ces cas de dispense et que vous n'avez pas eu recours à un architecte, cochez la case ci-dessous.
☒ Je déclare sur l'honneur que mon projet entre dans l'une des situations pour lesquelles le recours à l'architecte n'est pas obligatoire.

Si vous avez recours à un architecte, vous devez lui faire compléter les rubriques ci-dessous et lui faire apposer son cachet

Nom de l'architecte :   Prénom :

Numéro :   Voie :

Lieu-dit :   Localité :

Code postal : |_|_|_|_|_| BP : |_|_|_|_| Cedex : |_|_|

N° d'inscription sur le tableau de l'ordre :

Conseil Régional de :

Téléphone : |_|_|_|_|_|_|_|_|_|_| ou Télécopie : |_|_|_|_|_|_|_|_|_|_| ou

Adresse électronique :   @

En application de l'article R. 431-2 du code de l'urbanisme, j'ai pris connaissance des règles générales de construction prévues par le chapitre premier du titre premier du livre premier du code de la construction et de l'habitation et notamment, lorsque la construction y est soumise, les règles d'accessibilité fixées en application de l'article L. 111-7 de ce code.

Signature de l'architecte :   Cachet de l'architecte :

[1] En cas de besoin, vous pouvez vous renseigner auprès de la mairie

4/8

5 - À remplir lorsque le projet nécessite des démolitions

Tous les travaux de démolition ne sont pas soumis à permis. Il vous appartient de vous renseigner auprès de la mairie afin de savoir si votre projet de démolition nécessite une autorisation. Vous pouvez également demander un permis de démolir distinct de la présente demande.

Date(s) approximative(s) à laquelle le ou les bâtiments dont la démolition est envisagée ont été construits : _____

☐ Démolition totale
☐ Démolition partielle
En cas de démolition partielle, veuillez décrire les travaux qui seront, le cas échéant, effectués sur les constructions restantes :

_____
_____
_____
_____
_____
_____

Nombre de logement démolis : ☐☐

6 - Participation pour voirie et réseaux

Si votre projet se situe sur un terrain soumis à la participation pour voirie et réseaux (PVR), indiquez les coordonnées du propriétaire ou celles du bénéficiaire de la promesse de vente, s'il est différent du demandeur

Madame ☐ Monsieur ☐ Personne morale ☐

Nom : _____ Prénom : _____

OU raison sociale : _____

Adresse : Numéro : _____ Voie : _____

Lieu-dit : _____ Localité : _____

Code postal : ☐☐☐☐☐ BP : ☐☐☐ Cedex : ☐☐

Si le demandeur habite à l'étranger : Pays : _____ Division territoriale : _____

7 - Engagement du (ou des) demandeurs

J'atteste avoir qualité pour demander la présente autorisation. [7]
Je soussigné(e), auteur de la demande, certifie exacts les renseignements fournis.
J'ai pris connaissance des règles générales de construction prévues par le chapitre premier du titre premier du livre premier du code de la construction et de l'habitation et notamment, lorsque la construction y est soumise, les règles d'accessibilité fixées en application de l'article L. 111-7 de ce code.
Je suis informé(e) que les renseignements figurant dans cette demande serviront au calcul des impositions prévues par le Code de l'urbanisme.

Signature du (des) demandeur(s)

À PERIGUEUX
Le 7/09/2012

Votre demande doit être établie en quatre exemplaires et doit être déposée à la mairie du lieu de construction.
Vous devrez produire :
- un exemplaire supplémentaire, si votre projet se situe en périmètre protégé au titre des monuments historiques ;
- un exemplaire supplémentaire, si votre projet se situe dans un site classé, un site inscrit ou une réserve naturelle, par ailleurs;
- deux exemplaires supplémentaires, si votre projet se situe dans un coeur de parc national.

Si vous êtes un particulier : la loi n° 78 -17 du 6 janvier 1978 relative à l'informatique, aux fichiers et aux libertés s'applique aux réponses contenues dans ce formulaire pour les personnes physiques. Elle garantit un droit d'accès aux données nominatives les concernant et la possibilité de rectification. Ces droits peuvent être exercés à la mairie. Les données recueillies seront transmises aux services compétents pour l'instruction de votre demande.
Si vous souhaitez vous opposer à ce que les informations nominatives comprises dans ce formulaire soient utilisées à des fins commerciales, cochez la case ci-contre ☐

[7] Vous pouvez déposer une demande si vous êtes dans un des quatre cas suivants :
- vous êtes propriétaire du terrain ou mandataire du ou des propriétaires ;
- vous avez l'autorisation du ou des propriétaires ;
- vous êtes co-indivisaire du terrain en indivision ou son mandataire ;
- vous avez qualité pour bénéficier de l'expropriation du terrain pour cause d'utilité publique.

3/8

4.2 - Nature des travaux envisagés

☒ Nouvelle construction
☐ Travaux sur construction existante

Courte description de votre projet ou de vos travaux :
La toiture sera réalisé en tuiles Plates " Prestige" de chez Monier couverture(Grand moule) couleur superlauze (effet bardeaux de bois)

Les menuiseries seront en aluminium couleur anthracite (ral 7016)

Les murs de la maison seront en enduit graté fin de couleur blanche et en clins de bois sur les parties annexes de couleur ébène.

Si votre projet nécessite une puissance électrique supérieure à 12 KVA monophasé (ou 36 KVA triphasé), indiquez la puissance électrique nécessaire à votre projet : _____

4.3 - Informations complémentaires

Type d'annexes : Piscine ☐ Garage ☒ Véranda ☐ Abri de jardin ☐ Autres annexes à l'habitation ☐

Nombre de logements créés : ☐1 Nombre de pièces de la maison : 5 Nombre de niveaux de la maison : 1

Mode d'utilisation principale des logements :
Résidence principale ☒ Résidence secondaire ☐ Vente ☐ Location ☐

Mode de financement du projet :
Logement Locatif Social ☐ Accession Sociale (hors prêt à taux zéro) ☐ Prêt à taux zéro ☐

Autres financements : _____

Avez-vous souscrit un contrat de construction de maison individuelle ? Oui ☐ Non ☒

Répartition du nombre de logements créés selon le nombre de pièces :
1 pièce ☐ 2 pièces ☐ 3 pièces ☐ 4 pièces ☐ 5 pièces ☐ 6 pièces et plus ☐

Indiquez si vos travaux comprennent notamment :
Extension ☐ Surélévation ☐ Création de niveaux supplémentaires ☐

4.4 - Destination des constructions et tableau des surfaces

Destinations	Surface existante avant travaux (A)	Surface créée [3] (B)	Surface créée par changement de destination [4] (C)	Surface supprimée [5] (D)	Surface supprimée par changement de destination [4] (E)	Surface totale = (A) + (B) + (C) - (D) - (E)
Habitation		143,50				143,50
Hébergement hôtelier						
Bureaux						
Commerce						
Artisanat [6]						
Industrie						
Exploitation agricole ou forestière						
Entrepôt						
Service public ou d'intérêt collectif						
Surfaces totales (m²)		143,50				143,50

surfaces de plancher[2] en m²

[2] Vous pouvez vous aider de la fiche d'aide au calcul des surfaces.
La surface de plancher d'une construction est égale à la somme des surfaces de plancher closes et couvertes, sous une hauteur de plafond supérieure à 1,80 m, calculée à partir du nu intérieur des façades, après déduction, sous certaines conditions, des vides et des trémies, des aires de stationnement, des combles et des locaux techniques ainsi que, dans les immeubles collectifs, une part forfaitaire des surfaces de plancher affectées à l'habitation (voir article R.112-2 du Code de l'urbanisme).
[3] Il peut s'agir soit d'une surface nouvelle construite à l'occasion des travaux, soit d'une surface résultant de la transformation d'un local non constitutif de surface de plancher (ex : transformation du garage d'une habitation en chambre).
[4] Le changement de destination consiste à transformer une surface existante de l'une des neuf destinations mentionnées dans le tableau vers une autre de ces destinations. Par exemple : la transformation de surfaces de bureaux en hôtel ou la transformation d'une habitation en commerce.
[5] Il peut s'agir soit d'une surface démolie à l'occasion des travaux, soit d'une surface résultant de la transformation d'un local constitutif de surface de plancher (ex : transformation d'un commerce en local technique dans un immeuble commercial).
[6] L'activité d'artisan est définie par la loi n° 96-603 du 5 juillet 1996 dans ses articles 19 et suivants, « activités professionnelles indépendantes de production, de transformation, de réparation, ou prestation de service relevant de l'artisanat et figurant sur une liste annexée au décret N° 98-247 du 2 avril 1998 ».

Liberté · Égalité · Fraternité
RÉPUBLIQUE FRANÇAISE
MINISTÈRE CHARGÉ
DE L'URBANISME

Bordereau de dépôt des pièces jointes
à une demande de permis de construire
une maison individuelle et / ou ses annexes

Cochez les cases correspondant aux pièces jointes à votre demande et reportez le numéro correspondant sur la pièce jointe

Pour toute précision sur le contenu exact des pièces à joindre à votre demande, vous pouvez vous référer à la liste détaillée qui vous a été fournie avec le formulaire de demande et vous renseigner auprès de la mairie ou du service départemental de l'État chargé de l'urbanisme

Vous devez fournir quatre dossiers complets constitués chacun d'un exemplaire du formulaire de demande accompagné des pièces nécessaires à l'instruction de votre permis, parmi celles énumérées ci-dessous [art. R.423-2 b) du code de l'urbanisme]. Des exemplaires supplémentaires du dossier complet sont parfois nécessaires si vos travaux sont situés dans un secteur protégé (monument historique, site, réserve naturelle, parc national....).
Cinq exemplaires supplémentaires des pièces PCMI1, PCMI2 et PCMI3, en plus de ceux fournis dans chaque dossier, sont demandés afin d'être envoyés à d'autres services pour consultation et avis [art A. 431-9 du code de l'urbanisme]

Cette liste est exhaustive et aucune autre pièce ne peut vous être demandée.

1) Pièces obligatoires pour tous les dossiers :

Pièce	Nombre d'exemplaires à fournir
☒ PCMI1. Un plan de situation du terrain [Art. R. 431-7 a) du code de l'urbanisme]	1 exemplaire par dossier + 5 exemplaires supplémentaires
☒ PCMI2. Un plan de masse des constructions à édifier ou à modifier [Art. R. 431-9 du code de l'urbanisme]	1 exemplaire par dossier + 5 exemplaires supplémentaires
☒ PCMI3. Un plan en coupe du terrain et de la construction [Article R. 431-10 b) du code de l'urbanisme]	1 exemplaire par dossier + 5 exemplaires supplémentaires
☒ PCMI4. Une notice décrivant le terrain et présentant le projet [Art. R. 431-8 du code de l'urbanisme]	1 exemplaire par dossier
☒ PCMI5. Un plan des façades et des toitures [Art. R. 431-10 a) du code de l'urbanisme]	1 exemplaire par dossier
☒ PCMI6. Un document graphique permettant d'apprécier l'insertion du projet de construction dans son environnement [Art. R. 431-10 c) du code de l'urbanisme] [2]	1 exemplaire par dossier
☒ PCMI7. Une photographie permettant de situer le terrain dans l'environnement proche [Art. R.431-10 d) du code de l'urbanisme] [2]	1 exemplaire par dossier
☒ PCMI8. Une photographie permettant de situer le terrain dans le paysage lointain [Art. R. 431-10 d) du code de l'urbanisme] [2]	1 exemplaire par dossier

2) Pièces à joindre selon la nature ou la situation du projet :

Pièce	Nombre d'exemplaires à fournir
Si votre projet se situe dans un lotissement :	
☐ PCMI9. Le certificat indiquant la surface constructible attribuée à votre lot [Art. R. 442-11 1er al du code de l'urbanisme]	1 exemplaire par dossier
☐ PCMI10. Le certificat attestant l'achèvement des équipements desservant le lot [Art. R. 431-22-1 a) du code de l'urbanisme]	1 exemplaire par dossier
Si votre projet se situe dans une zone d'aménagement concerté (ZAC) :	
☐ PCMI11. Une copie des dispositions du cahier des charges de cession de terrain qui indiquent le nombre de m² constructibles sur la parcelle et, si elles existent, des dispositions du cahier des charges, qui fixent les prescriptions techniques, urbanistiques et architecturales [Art. R. 431-23 a) du code de l'urbanisme]	1 exemplaire par dossier
☐ PCMI12. Une copie de la convention de réalisation établissement public et qui fixe votre participation au coût des équipements de la zone [Art. R. 431-23 b) du code de l'urbanisme]	1 exemplaire par dossier

[1] Se renseigner auprès de la mairie
[2] Cette pièce n'est pas exigée si votre projet se situe dans un périmètre ayant fait l'objet d'un permis d'aménager.

Si votre projet est susceptible d'affecter de manière significative un site Natura 2000 :

☐ PCMI12-1. Le dossier d'évaluation des incidences prévu à l'art. R. 414-23 du code de l'environnement [Art. R.431-16 b) du code de l'urbanisme] — 1 exemplaire par dossier

Si votre projet est accompagné de la réalisation ou de la réhabilitation d'une installation d'assainissement non collectif :

☐ PCMI12-2. L'attestation de conformité du projet d'installation [Art. R.431-16 c) du code de l'urbanisme] — 1 exemplaire par dossier

Si votre projet est tenu de respecter les règles parasismiques et paracycloniques :

☐ PCMI13. L'attestation d'un contrôleur technique [Art. R. 431-16 d) du code de l'urbanisme] — 1 exemplaire par dossier

Si votre projet se situe dans une zone où un plan de prévention des risques impose la réalisation d'une étude :

☐ PCMI14. L'attestation de l'architecte ou de l'expert certifiant que l'étude a été réalisée et que le projet la prend en compte [Art. R. 431-16 e) du code de l'urbanisme] — 1 exemplaire par dossier

Si vous demandez un dépassement de COS (coefficient d'occupation des sols) en justifiant que vous remplissez certains critères de performance énergétique :

☐ PCMI15. Un document attestant que le projet respecte les critères de performance énergétique [Art. R. 431-18 du code de l'urbanisme] — 1 exemplaire par dossier

☐ PCMI16. Un engagement d'installer les équipements de production d'énergie renouvelable ou de pompe à chaleur [Art. R. 431-18 du code de l'urbanisme] — 1 exemplaire par dossier

Si votre projet nécessite un défrichement :

☐ PCMI17. La copie de la lettre du préfet qui vous fait savoir que votre demande d'autorisation de défrichement est complète, si le défrichement est ou non soumis à reconnaissance de la situation et de l'état des terrains et si la demande doit ou non faire l'objet d'une enquête publique [Art. R. 431-19 du code de l'urbanisme] — 1 exemplaire par dossier

Si votre projet nécessite un permis de démolir :

☐ PCMI18. La justification du dépôt de la demande de permis de démolir [Art. R. 431-21 a) du code de l'urbanisme] — 1 exemplaire par dossier

OU, si la demande de permis de construire vaut demande de permis de démolir :

☐ PCMI19. Les pièces à joindre à une demande de permis de démolir, selon l'Annexe ci-jointe [Art. R. 431-21 b) du code de l'urbanisme] — 1 exemplaire par dossier

Si votre projet se situe sur le domaine public ou en surplomb du domaine public :

☐ PCMI20. L'accord du gestionnaire du domaine pour engager la procédure d'autorisation d'occupation temporaire du domaine public [Art. R. 431-13 du code de l'urbanisme] — 1 exemplaire par dossier

Si votre projet porte sur des travaux dans un monument historique inscrit, dans un immeuble adossé à un monument historique classé, dans un immeuble situé en secteur sauvegardé, en abords de monument historique ou en zone de protection du patrimoine architectural, urbain ou paysager :

☐ PCMI21. Une notice faisant apparaître les matériaux utilisés et les modalités d'exécution des travaux [Art. R. 431-14 du code de l'urbanisme] — 1 exemplaire par dossier

Si le terrain ne peut comporter les emplacements de stationnement imposés par le document d'urbanisme :

☐ PCMI22. Le plan de situation du terrain sur lequel seront réalisées les aires de stationnement et le plan des constructions et des aménagements correspondants [Art. R. 431-26 a) du code de l'urbanisme] — 1 exemplaire par dossier

OU

☐ PCMI23. La promesse synallagmatique de concession ou d'acquisition [Art. R. 431-26 b) du code de l'urbanisme] — 1 exemplaire par dossier

Si vous demandez une dérogation à une ou plusieurs règles du plan local d'urbanisme ou du document en tenant lieu pour réaliser des travaux nécessaires à l'accessibilité des personnes handicapées à un logement existant :

☐ PCMI23 bis. Une note précisant la nature des travaux pour lesquels une dérogation est sollicitée et justifiant que ces travaux sont nécessaires pour permettre l'accessibilité du logement à des personnes handicapées [Art. R. 431-31 du code de l'urbanisme] — 1 exemplaire par dossier

Si votre projet est subordonné à une servitude dite « de cours communes » :

☐ PCMI24. Une copie du contrat ou de la décision judiciaire relatifs à l'institution de ces servitudes [Art. R. 431-32 du code de l'urbanisme] — 1 exemplaire par dossier

Si votre projet est subordonné à un transfert des possibilités de construction :

☐ PCMI25. Une copie du contrat ayant procédé au transfert des possibilités de construction résultant du COS [Art. R. 431-33 du code de l'urbanisme] — 1 exemplaire par dossier

8/8

2.2 - Plafond légal de densité (PLD) (18)

Demandez à la mairie si un plafond légal de densité des constructions est institué dans la commune et si les constructions prévues sur votre terrain dépassent ce plafond. Si oui, indiquez ici la valeur du m² de terrain nu et libre : €/m²

Pour bénéficier le cas échéant de droits acquis, précisez si des constructions existant sur votre terrain avant le 1ᵉʳ avril 1976 ont été démolies : Oui ☐ Non ☐

si oui, indiquez ici la surface de plancher démolie (19) : m²

3 - Pièces à joindre selon la nature ou la situation du projet :

Pièces	Nombre d'exemplaires à fournir
Si votre projet se situe dans une commune ayant instauré un seuil minimal de densité et si votre terrain est un lot de lotissement : ☐ F1. Le certificat fourni par le lotisseur [Art. R. 442-11 2° alinéa du code de l'urbanisme]	1 exemplaire par dossier
Si votre projet se situe dans une commune ayant instauré un seuil minimal de densité et si vous avez bénéficié d'un rescrit fiscal : ☐ F2. Le rescrit fiscal [article R. 331-23 du code de l'urbanisme]	1 exemplaire par dossier
Si votre projet se situe dans une commune ayant instauré un plafond légal de densité et si votre projet dépasse ce plafond : ☐ F3. Un extrait de la matrice cadastrale [Ancien art. R. 333-3 du code de l'urbanisme] ☐ F4. Un extrait du plan cadastral [Ancien art. R. 333-3 du code de l'urbanisme]	1 exemplaire par dossier 1 exemplaire par dossier

4 - Documents pouvant vous permettre de bénéficier d'impositions plus favorables

Pièces	Nombre d'exemplaires à fournir
Si votre projet se situe dans une opération d'intérêt national et que vous pensez bénéficier de l'exonération prévue à l'article L. 331-7 4° (opération d'intérêt national) du code de l'urbanisme	1 exemplaire par dossier
☐ L'attestation de l'aménageur certifiant que ce dernier a réalisé ou réalisera l'intégralité des travaux mis à sa charge (article R. 331-5 du code de l'urbanisme)	1 exemplaire par dossier
Si votre projet se situe dans un périmètre de projet urbain partenarial et que vous pensez bénéficier de l'exonération prévue à l'article L. 331-7 6° (projet urbain partenarial) du code de l'urbanisme ☐ Copie de la convention de projet urbain partenarial (article L. 332-11-3 du code de l'urbanisme)	1 exemplaire par dossier
Si vous faites une reconstruction suite à une destruction ou suite à une démolition ou suite à un sinistre et que vous pensez bénéficier de l'exonération prévue à l'article L. 331-7 8° du code de l'urbanisme ☐ La justification de la date de la destruction, de la démolition ou du sinistre	1 exemplaire par dossier
☐ En cas de sinistre, l'attestation de l'assureur, que les indemnités versées en réparation des dommages ne comprennent pas le montant des taxes d'urbanisme	1 exemplaire par dossier
Si votre projet affecte le sous-sol et que vous pensez bénéficier de l'exonération prévue à l'article L. 524-6 du code du patrimoine (20) : ☐ L'attestation de paiement d'une redevance d'archéologie préventive au titre de la réalisation d'un diagnostic suite une demande volontaire de fouilles, ou au titre de la loi du 1ᵉʳ août 2003	1 exemplaire par dossier

(Informations complémentaires et justificatifs éventuels (notamment l'attestation bancaire au prêt à taux zéro +) pouvant vous permettre de bénéficier d'impositions plus favorables)

Date 07/09/2012
Nom et Signature du déclarant

7/8

Déclaration des éléments nécessaires au calcul des impositions
pour un permis de construire une maison individuelle

Informations nécessaires en application de l'article R. 431-5 du code de l'urbanisme

Cette déclaration sert de base au calcul des impositions dont vous êtes éventuellement redevable au titre de votre projet. Remplissez soigneusement les cadres ci-dessous et si voulez pas de joindre le cas échéant les documents complémentaires figurant au cadre 4. Cela peut vous permettre de bénéficier d'impositions plus favorables. Conservez soigneusement les justificatifs afférents à vos déclarations. Ils pourront vous être demandés ultérieurement.

P C |_|_| |_|_| |_|_|_|_|_| |_|_|_|_| |_|_|_|_|_|_|
Dpt   Commune   Année   N° de dossier

1 - Renseignements concernant les constructions ou les aménagements

1.1 Ce cadre est à remplir obligatoirement, quelle que soit la nature de la construction, si vous créez de la surface taxable :
Surface taxable (1) totale créée de la ou des construction(s) : 143,50 m²

1.2 - Destination des constructions et tableau des surfaces taxables (1)
1.2.1 - Création de locaux destinés à l'habitation

Dont :		Nombre de logements	Surfaces créées (1)
Locaux à usage d'habitation principale et leurs annexes (2)	Ne bénéficiant pas de prêt aidé (3)	01	143,50
	Bénéficiant d'un prêt à taux zéro plus (PTZ+) (6)		
	Logement évolutif social (LES) dans les DOM (5)		
Locaux à usage d'habitation secondaire et leurs annexes (2)			

1.2.2 - Extension (8) de l'habitation principale ou création d'un bâtiment annexe à cette habitation

Pour la réalisation de ces travaux, bénéficiez-vous d'un prêt aidé (5)(6) ?
Oui ☐ Non ☐ Si oui, lequel ?

Quelle est la surface taxable (1) existante conservée ? m².

1.3 - Autres éléments soumis à la taxe d'aménagement

Nombre de places de stationnement situées à l'extérieur de la construction :

Superficie du bassin de la piscine créée par le projet : m²

1.4 - Cas particuliers

Les travaux projetés sont-ils réalisés suite à des prescriptions résultant d'un Plan de Prévention des Risques naturels, technologiques ou miniers ? Oui ☐ Non ☐

La construction projetée concerne t-elle un immeuble classé parmi les monuments historiques ou inscrit à l'inventaire des monuments historiques ? Oui ☐ Non ☐

2 - Autres renseignements

2.1 - Versement pour sous-densité (VSD) (13)

Demandez à la mairie si un seuil minimal de densité (SMD) est institué dans le secteur de la commune où vous construisez.
Si oui, la surface de plancher de la construction projetée est-elle égale ou supérieure au seuil minimalde densité (14) ?
Oui ☐ Non ☐

Dans le cas où la surface de plancher de votre projet est inférieure au seuil minimal de densité indiquez ici :

La superficie de votre unité foncière : m²

La superficie de l'unité foncière effectivement constructible (15) : m²

La valeur du m² de terrain nu et libre : €/m²

Les surfaces de planchers des constructions existantes non destinées à être démolies (en m²) (16) : m²

Si vous avez bénéficié avant le dépôt de votre demande d'un rescrit fiscal (17), indiquez sa date :

MINISTÈRE CHARGÉ
DE L'URBANISME

Récépissé de dépôt d'une demande
de permis de construire une maison individuelle
et/ou ses annexes

Madame, Monsieur,

Vous avez déposé une demande de permis de construire. **Le délai d'instruction de votre dossier est de DEUX MOIS** et, si vous ne recevez pas de courrier de l'administration dans ce délai, vous bénéficierez d'un permis tacite.

· **Toutefois, dans le mois qui suit le dépôt de votre dossier, l'administration peut vous écrire :**

  - soit pour vous avertir qu'un autre délai est applicable, lorsque le code de l'urbanisme l'a prévu pour permettre les consultations nécessaires (si votre projet nécessite la consultation d'autres services…) ;

  - soit pour vous indiquer qu'il manque une ou plusieurs pièces à votre dossier ;

  - soit pour vous informer que votre projet correspond à un des cas où un permis tacite n'est pas possible.

· **Si vous recevez une telle lettre avant la fin du premier mois, celle-ci remplacera le présent récépissé.**

· **Si vous n'avez rien reçu à la fin du premier mois suivant le dépôt, le délai de deux mois ne pourra plus être modifié. Si aucun courrier de l'administration ne vous est parvenu à l'issue de ce délai de deux mois, vous pourrez commencer les travaux [1] après avoir :**

  - adressé au maire, en trois exemplaires, une déclaration d'ouverture de chantier (vous trouverez un modèle de déclaration CERFA n° 13407 à la mairie ou sur le site officiel de l'administration française : *http://www.service-public.fr*) ;

  - affiché sur le terrain ce récépissé sur lequel la mairie a mis son cachet pour attester la date de dépôt ;

  - installé sur le terrain, pendant toute la durée du chantier, un panneau visible de la voie publique décrivant le projet. Vous trouverez le modèle de panneau à la mairie, sur le site officiel de l'administration française : *http://www.service-public.fr*, ainsi que dans la plupart des magasins de matériaux.

· **Attention : le permis n'est définitif qu'en l'absence de recours ou de retrait :**

  - dans le délai de deux mois à compter de son affichage sur le terrain, sa légalité peut être contestée par un tiers. Dans ce cas, l'auteur du recours est tenu de vous en informer au plus tard quinze jours après le dépôt du recours.

  - dans le délai de trois mois après la date du permis, l'autorité compétente peut le retirer, si elle l'estime illégal. Elle est tenue de vous en informer préalablement et de vous permettre de répondre à ses observations.

[1] Certains travaux ne peuvent pas être commencés dès la délivrance du permis et doivent être différés ; c'est le cas notamment des travaux situés dans un site classé. Vous pouvez vérifier auprès de la mairie que votre projet n'entre pas dans ces cas.

(à remplir par la mairie)

Le projet ayant fait l'objet d'une demande de permis n° └─┴─┴─┴─┴─┴─┴─┴─┴─┴─┴─┴─┘ ,

déposée à la mairie le : └─┴─┘ └─┴─┘ └─┴─┴─┴─┘ ,

par :

fera l'objet d'un permis tacite [2] à défaut de réponse de l'administration deux mois après cette date. Les travaux pourront alors être exécutés après affichage sur le terrain du présent récépissé et d'un panneau décrivant le projet conforme au modèle réglementaire.

[2] Le maire ou le préfet en délivre certificat sur simple demande.

Cachet de la mairie :

Délais et voies de recours : Le permis peut faire l'objet d'un recours gracieux ou d'un recours contentieux dans un délai de deux mois à compter du premier jour d'une période continue de deux mois d'affichage sur le terrain d'un panneau décrivant le projet et visible de la voie publique (article R. 600-2 du code de l'urbanisme).

L'auteur du recours est tenu, à peine d'irrecevabilité, de notifier copie de celui-ci à l'auteur de la décision et au titulaire de l'autorisation (article R. 600-1 du code de l'urbanisme).

Le permis est délivré sous réserve du droit des tiers : il vérifie la conformité du projet aux règles et servitudes d'urbanisme. Il ne vérifie pas si le projet respecte les autres réglementations et les règles de droit privé. Toute personne s'estimant lésée par la méconnaissance du droit de propriété ou d'autres dispositions de droit privé peut donc faire valoir ses droits en saisissant les tribunaux civils, même si le permis de construire respecte les règles d'urbanisme.

137

2. PLANS D'EXÉCUTION

2.1 Plans de béton armé

2.1.1 Introduction

Tous les plans précédents représentent le projet fini mais de par leur représentation et leur cotation, ils ne conviennent pas à la réalisation du gros œuvre. Sur les plans de béton armé, épurés de tout le second œuvre comme les cloisonnements, les menuiseries..., il faut ajouter :

▶ le repérage des éléments de structure

▶ les réservations pour le passage de tous les fluides (eau froide, eau chaude, eaux usées, gaz, courant fort, courant faible, ventilation)

▶ déduire les cotes brutes à partir des cotes finies

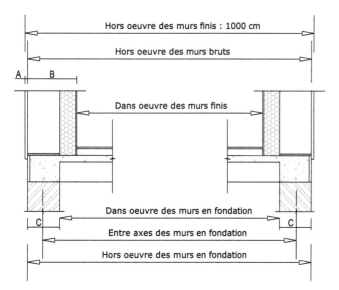

A = 2 cm (enduit extérieur)

B = 32 cm (20+12) mur + doublage

C = 20 cm (mur de soubassement)

Hors œuvre des murs bruts = 1 000 cm -2 fois 2 cm = 996 cm

Dans œuvre des murs finis = 996 cm -2 fois 32 cm = 932 cm

Hors œuvre des murs en fondations = Hors œuvre des murs bruts (car ils sont alignés verticalement)

Entre axes des murs en fondations = 996 cm -2 fois 10 cm = 976 cm

Dans œuvre des murs en fondations = 996 cm -2 fois 20 cm = 956 cm

Figure 2.175 - Relations entre les cotes d'un projet à isolation intérieure

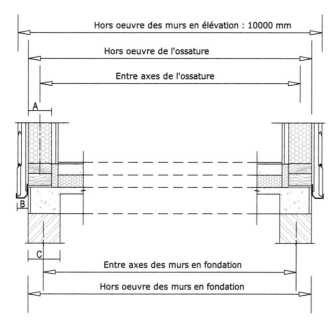

A = 145 mm (largeur de l'ossature)

B = 52 mm bardage extérieur

C = 20 cm (mur de soubassement)

Hors œuvre de l'ossature = 10 000 mm -2 fois 52 mm = 9 896 mm

Entre axes de l'ossature = 9 896 cm -2 fois 145/2 mm = 9 751 mm

Hors œuvre des murs en fondations = Hors œuvre des murs de l'ossature (car ils sont alignés verticalement[1])

Entre axes des murs en fondations = 9 896 mm - 2 fois 100 mm = 9 696 mm

Dans œuvre des murs en fondations = 9 896 mm - 2 fois 20 cm = 9 496 cm

Figure 2.176 - Relations entre les cotes d'un projet à ossature bois

---

1. Si l'on considère que ce n'est pas le panneau de contreventement mais les lisses et les montants qui sont alignés avec le nu extérieur des murs en fondations

2.1.2 Plans des fondations

C'est une coupe horizontale, située sous le 1er plancher.

Parmi toutes les solutions des fondations, les 2 types les plus courants seront présentés : les fondations par semelles filantes et les fondations par plots et longrines.

2.1.2.1 Principe des semelles filantes

Ce sont des éléments en béton armé situés sous les murs du niveau supérieur, avec parfois des murs supplémentaires lorsque la portée des planchers l'imposent.

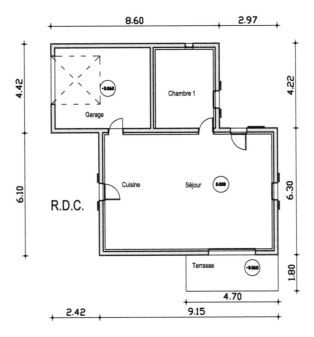

Figure 2.177 - Vue en plan de la maçonnerie du rez de chaussée

De cette vue en plan sont déduits les ouvrages en fondation, leur représentation et leur cotation.

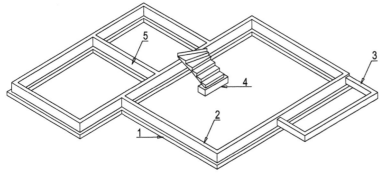

1 : semelles filantes

2 : mur de soubassement

3 : bêche en limite de la terrasse

4 : massif sous le départ de l'escalier en béton armé

5 : mur de refend

Figure 2.178 - Fondations à réaliser selon la vue en plan du pavillon ci dessus

2.1.2.1.1 Vue en plan

C'est une projection orthogonale de la perspective ci-dessus.

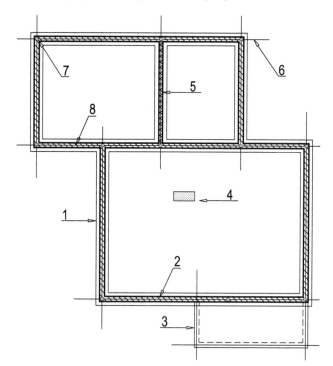

1 : semelles filantes, en traits forts (0.35mm)

2 : mur de soubassement en traits renforcés (0.5mm)

3 : bêche en limite de la terrasse en traits forts (0.35mm)

4 : massif sous le départ de l'escalier en béton armé en traits forts

5 : mur de refend en traits renforcés

6 : axe des murs en traits fins (0.20mm)

7 : chainage ou raidisseur verticaux dans les angles

8 : hachures en traits fins symbolisant les murs coupés

Figure 2.179 - Résultat de la projection

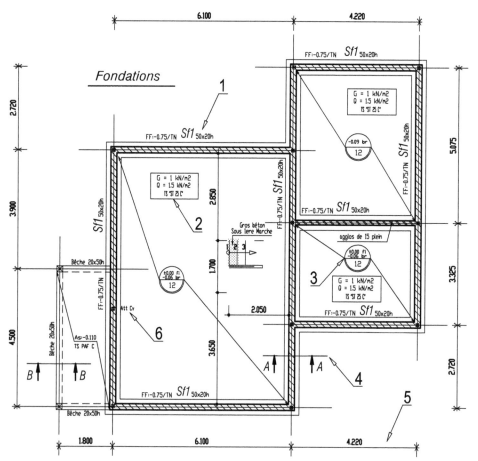

1 : repérage des semelles filantes, FF pour fon de fouilles et 50x20h pour la section de la semelle filante (h pour hauteur)

2 : charges sur le plancher (G pour charges permanentes et Q pour charges d'exploitation) et nature du treillis soudé

3 : niveau brut, niveau fini et épaisseur de la dalle en béton armé

4 : sections pour repérer des détails représentés sur la fig suivante

5 : cotation entre axes

6 : raidisseur vertical

Figure 2.180 - Cotation de la vue en plan

2.1.2.1.2 Sections

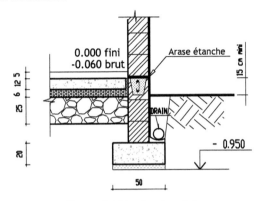

Figure 2.181 - Section A-A

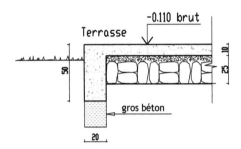

Figure 2.182 - Section B-B

2.1.2.2 Principe des plots et longrines

Lorsque la nature du sol ne le permet pas (impossibilité de creuser des fouilles en rigoles, bon sol trop profond, nature du sol hétérogène) on a recours au système de plots et longrines. Ce sont des appuis ponctuels dont la hauteur est variable, couronnés par des plots sur les lesquels reposent des poutres appelés longrines

2.1.2.2.1 Perspectives

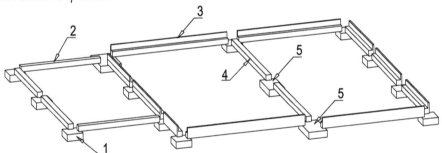

1 : plot

2 : longrine de rive du garage (plancher sur terre plein)

3 : longrine de rive à becquet (partie habitable sur vide sanitaire)

4 : longrine intérieure

5 : espace pour le clavetage des longrines (béton armé coulé sur place)

Figure 2.183 - Principe des plots longrines

R<small>EMARQUE</small> : les plots reposent sur des puits de base rectangulaire ou circulaire dont la hauteur varie selon le niveau du bon sol (résistance souhaitée).

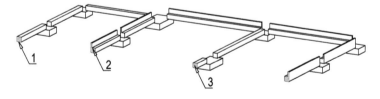

1 : longrine de rive de section rectangulaire

2 : longrine à becquet (pour le coffrage du plancher)

3 : longrine intérieure de section rectangulaire pour réduire la portée du plancher

Figure 2.184 - Sections des longrines

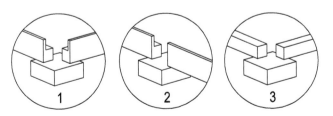

1 : clavetage d'angle pour les longrines à becquet

2 : clavetage de jonction pour les longrines à becquet

3 : clavetage d'angle pour les longrines rectangulaires (angles du garage)

Figure 2.185 - Détails des clavetages

2.1.2.2.2 Vue en plan

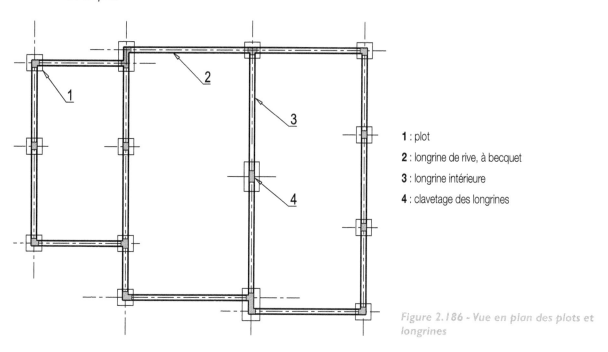

1 : plot

2 : longrine de rive, à becquet

3 : longrine intérieure

4 : clavetage des longrines

Figure 2.186 - Vue en plan des plots et longrines

Comme pour la vue en plan des fondations par semelles filantes, une cotation spécifique complète la fig précédente.

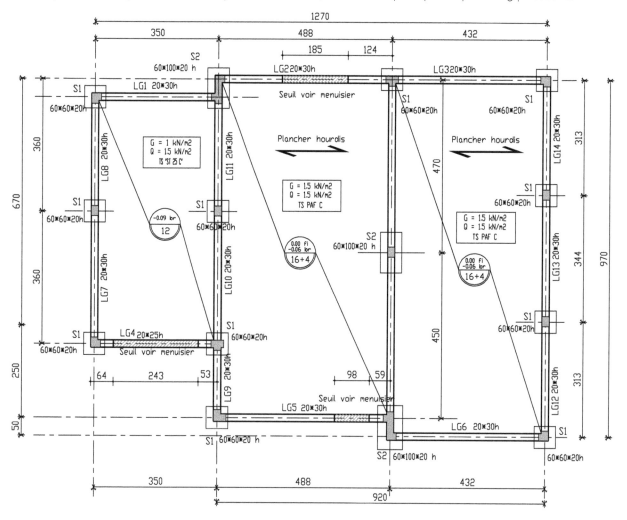

Figure 2.187 - Vue en plan cotée

2.1.2.2.3 Réalisation du plancher

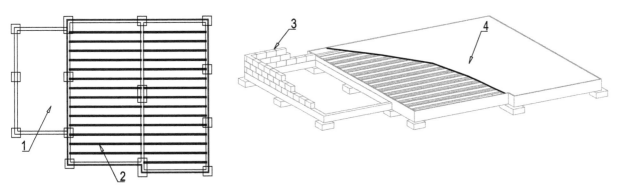

1 : plancher sur terre plein pour le garage, **2** : poutrelles du plancher hourdis, **3** : mur du garage en briques ou en BBM, **4** : dalle de compression du plancher hourdis

Figure 2.188 - Étapes suivants la pose des longrines

2.1.2.3 Représentations des armatures des fondations

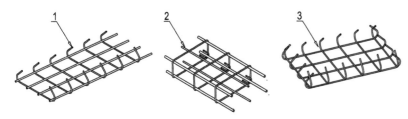

1 : armatures composées de barres de répartition et de filants

2 : armatures composées de cadres et de filants

3 : armature pour plot ou pour semelle isolée

Figure 2.189 - Différents types d'armatures

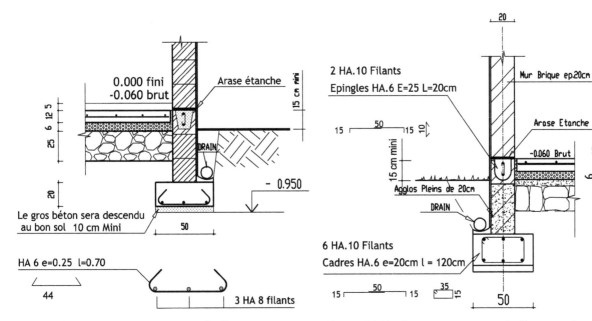

Figure 2.190 - Armature pour semelle filante courante   *Figure 2.191 - Armature pour semelle filante renforcée*

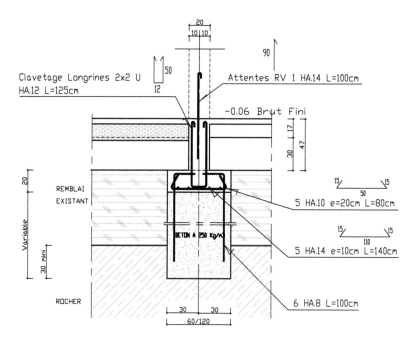

Figure 2.192 - Armature pour plots sur puits, compris clavetage des longrines

2.1.3 Plans de coffrage

Par convention, une vue en plan est une coupe horizontale vue de dessus. Pour les plans de coffrage des planchers, il faut considérer le béton non coulé…

Une autre approche est de considérer le plan de coffrage comme une coupe horizontale mais vue de dessous, une fois les ouvrages réalisés (béton coulé et décoffré).

Cette vue en plan est nommée "plancher haut" suivie de nom de l'étage où a lieu la coupe.

2.1.3.1 Application au projet Plazac

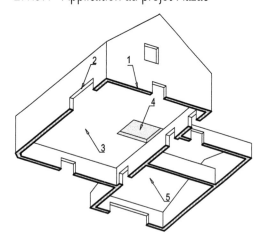

1 : mur coupé (trait de 0.5 ou 0.7)

2 : arêtes du linteau, en arrière du plan de coupe (trait de 0.3 ou 0.35)

3 : plancher

4 : trémie d'escalier contour en traits continus et pochage particulier pour indiquer que c'est une réservation de l'épaisseur totale du plancher (voir fig suivant)

5 : vide sous charpente (absence de plancher)

Figure 2.193 - Éléments coupés et vus sur la vue en plan du coffrage pour la représentation du plancher haut du RdC

A la stricte représentation des éléments ci-dessus, sont ajoutés :

▶ Des éléments de renforcement de structure non visible sur la perspective comme le doublement des poutrelles, le chevêtre, le sens de portée du plancher, les chainages ou raidisseurs verticaux

▶ Des cotations spécifiques comme le repérage des linteaux, poutres et poteaux, chevêtre, raidisseurs, niveau et épaisseur des planchers

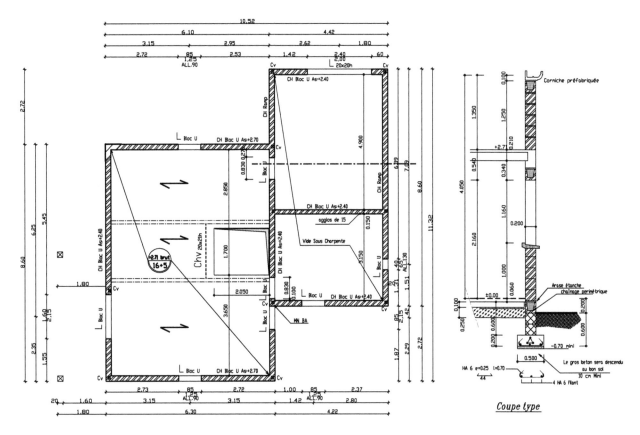

Figure 2.194 - Plancher haut du RdC et coupe verticale type

2.1.3.2 Exemple partiel d'un immeuble

Pour un projet plus grand, d'autres éléments sont à considérer

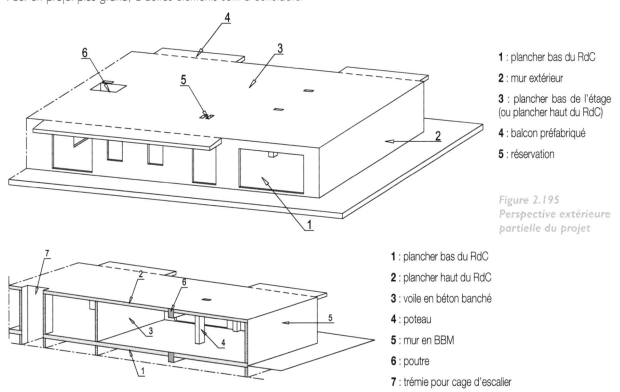

1 : plancher bas du RdC

2 : mur extérieur

3 : plancher bas de l'étage
(ou plancher haut du RdC)

4 : balcon préfabriqué

5 : réservation

*Figure 2.195
Perspective extérieure
partielle du projet*

1 : plancher bas du RdC

2 : plancher haut du RdC

3 : voile en béton banché

4 : poteau

5 : mur en BBM

6 : poutre

7 : trémie pour cage d'escalier

Figure 2.196 - Perspective d'une coupe longitudinale

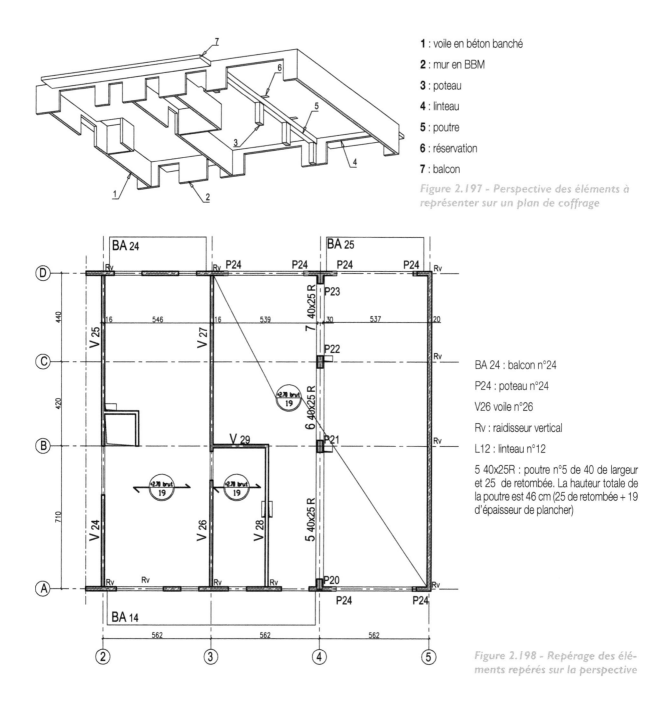

1 : voile en béton banché

2 : mur en BBM

3 : poteau

4 : linteau

5 : poutre

6 : réservation

7 : balcon

Figure 2.197 - Perspective des éléments à représenter sur un plan de coffrage

BA 24 : balcon n°24

P24 : poteau n°24

V26 voile n°26

Rv : raidisseur vertical

L12 : linteau n°12

5 40x25R : poutre n°5 de 40 de largeur et 25 de retombée. La hauteur totale de la poutre est 46 cm (25 de retombée + 19 d'épaisseur de plancher)

Figure 2.198 - Repérage des éléments repérés sur la perspective

2.1.4 Plans d'armatures

2.1.4.1 Etude de cas

Pour le béton armé[1], les armatures en barres ou en treillis sont positionnées dans un coffrage qui définit la forme des éléments

Pour présenter les éléments de base, une structure simple est détaillée.

---

1. Pour le béton précontraint, le principe est différent. Les aciers sont sollicités (tendus) selon 2 techniques : par pré tension (avant le coulage du béton), ou par post tension (après durcissement du béton)

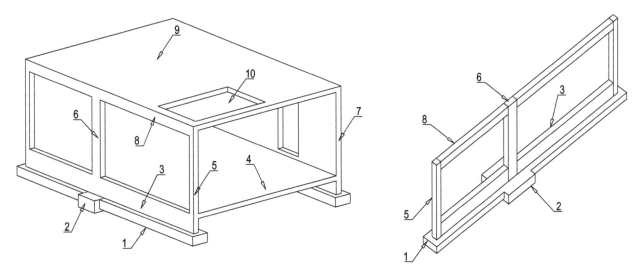

1 : semelle filante, **2** : semelle isolée, **3** : libage, **4** : plancher bas, **5** : poteau d'angle, **6** : poteau intermédiaire, **7** : mur (ou voile selon sa composition), **8** : poutre, **9** : plancher haut, **10** : trémie

Figure 2.199 - Présentation de la structure

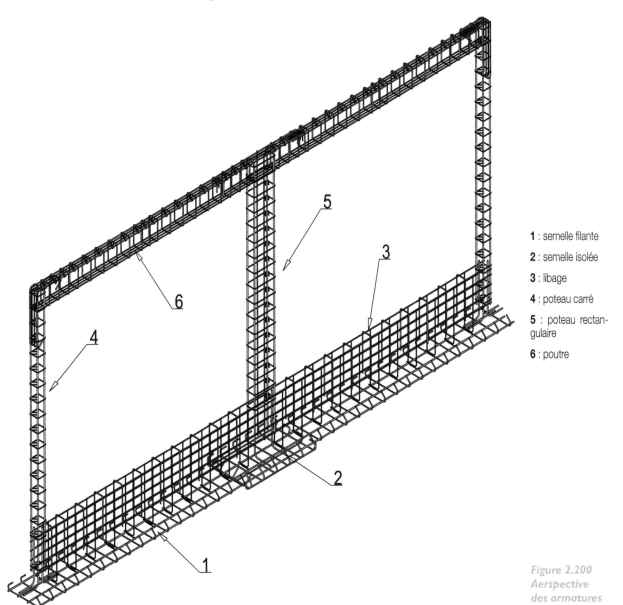

1 : semelle filante

2 : semelle isolée

3 : libage

4 : poteau carré

5 : poteau rectan-gulaire

6 : poutre

*Figure 2.200
Aerspective
des armatures*

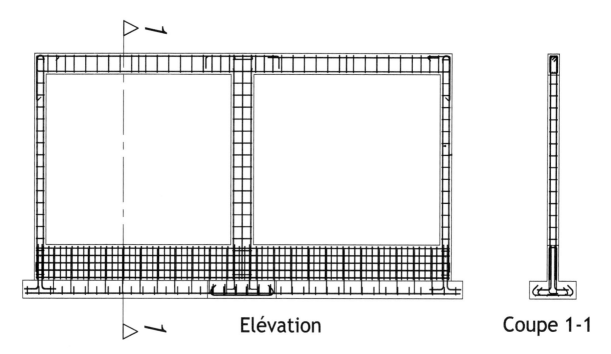

Figure 2.201 - Armatures en élévation et en coupe

2.1.4.2 Semelle isolée

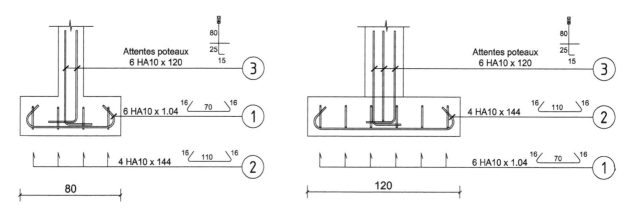

Figure 2.202 - Armatures de la semelle isolée et des attentes du poteau, selon 2 vues (une seule suffit)

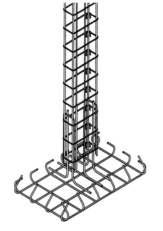

N°	Nombre	Nuance	∅	Longueur dev. (m)	Poids (kg)	Total Long. (m)	Schéma
1	6	HA	10	1.04	0.64	6.24	70
2	4	HA	10	1.44	0.89	5.76	110
3	6	HA	10	1.20	0.74	7.20	105

Figure 2.203 - Perspective des armatures de la semelle et du poteau

Figure 2.204 - Nomenclature des aciers de la semelle isolée

2.1.4.3 Poteau

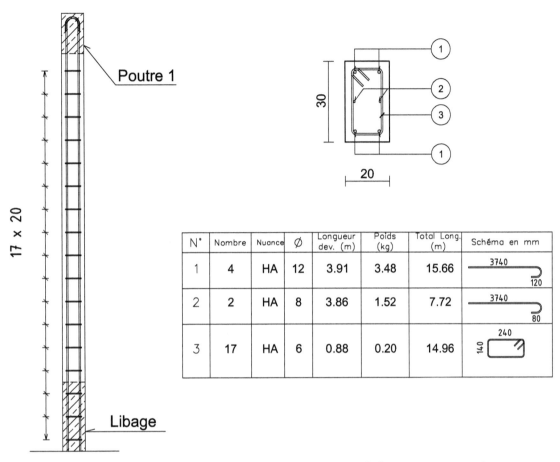

N°	Nombre	Nuance	Ø	Longueur dev. (m)	Poids (kg)	Total Long. (m)	Schéma en mm
1	4	HA	12	3.91	3.48	15.66	3740 / 120
2	2	HA	8	3.86	1.52	7.72	3740 / 80
3	17	HA	6	0.88	0.20	14.96	240 / 140

Figure 2.205 - Armatures (élévation, section et nomenclature) d'un poteau rectangulaire

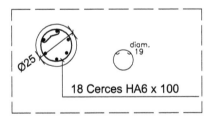

Figure 2.206 - Représentation d'une section d'un poteau circulaire

2.1.4.4 Poutre

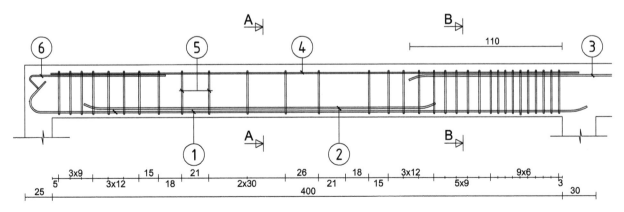

Figure 2.207 - Armatures de la poutre en élévation

REMARQUE : en règle générale, les cadres ne sont pas représentés sur l'élévation, mais dans cet exemple ils montrent la correspondance entre l'élévation et les sections.

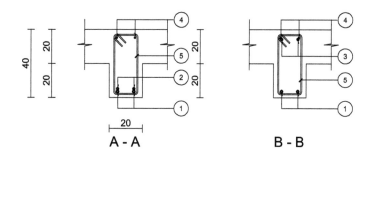

	Barre	Lg	Schéma
1	2HA14	465	135° 440
2	2HA12	264	264
3	2HA16	250	250
4	2HA8	425	425
5	33HA6	104	14 32
6	2HA12	134	14 120

A - A   B - B

Figure 2.208 - Sections et nomenclature de la poutre

2.1.4.5 Chevêtre

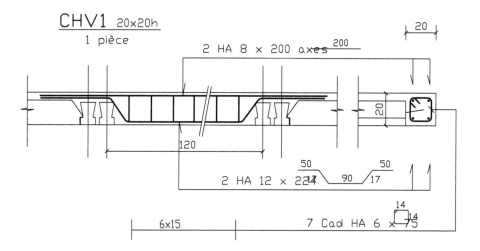

Figure 2.209 - Armatures d'un chevêtre

2.1.4.6 Dalle en porte à faux

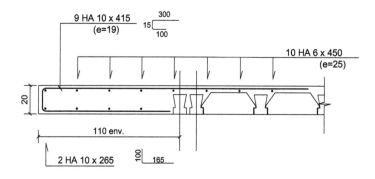

Figure 2.210 - Armatures du porte à faux, compris ancrage situé en partie supérieure

2.2   Plans d'électricité

2.2.1 Introduction

La norme NF C 15 100 du 5 décembre 2002, régulièrement mise à jour, impose : un appareil général de coupure et de protection (AGCP)[1], des dispositifs de protection différentiels pour tous les circuits dans l'habitat, des dispositifs différentiels sur les circuits spécialisés, la réserve de 20% du tableau électrique dans l'habitat, le repérage et la présentation d'un schéma (dossier électrique), un conducteur de protection équipotentielle (masse) dans tous les circuits, le respect du calibre de protection et de l'appareillage, une gaine technique logement (GTL) de 600mm par 200mm minimum

Le câble de raccordement entre le coffret et la maison passe dans une gaine enterrée dans une tranchée profonde de 60 cm si la zone n'est pas accessible aux véhicules et 1m dans l'autre cas. Autant que possible, cette tranchée, représentée sur le plan de masse, est rectiligne. Si ce n'est pas possible, il faut prévoir un regard de changement de direction. Ce regard est obligatoire tous les 30m si la longueur de la tranchée y est supérieure.

2.2.2 Prise de terre

Tout local ou bâtiment doit être équipé d'une prise de terre[2] qui, associée à une protection différentielle, protège les biens et les personnes des courants de défaut pouvant entraîner une électrocution. Cette prise de terre est mise en œuvre soit, et de préférence, par une câble enterré en cuivre nu de 25 mm²ou 95 mm² en acier galvanisé, posé tout autour de la maison, soit par un ou plusieurs piquets enfoncés verticalement dans un sol toujours humide, à une profondeur minimale de 2 m.

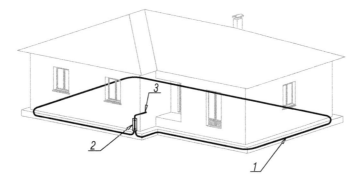

1 : conducteur en cuivre (nu) ou feuillard en acier galvanisé ; **2** : barrette de coupure ; **3** : vers le tableau de répartition

Figure 2.211 - Prise de terre en fond de fouille

2.2.3 Gaine technique logement GTL

La liaison entre l'adduction d'électricité provenant du compteur et la distribution vers les divers appareillages de la construction est réalisée dans une gaine technique de 600mm x 200mm, appelée GTL, comparable à un conduit ou goulotte, allant du sol au plafond et directement accessible sur sa façade.

Elle regroupe les arrivées et les départs des circuits électriques avec les systèmes de protection[3] et de répartition, mais aussi l'ensemble des réseaux de communication désigné par VDI (voix, données, images) pour le téléphone, l'internet, la télévision. Elle est installée à l'intérieur du logement.

---

1.   Dans certains cas, un dispositif parafoudre
2.   Mesurée en ohm Ω, (valeurs sur le site www.promotelec.fr)
3.   Compris le panneau de contrôle, s'il est placé à l'intérieur du logement

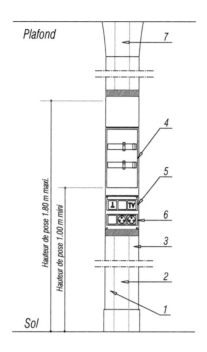

1 : adduction électricité

2 : distribution basse tension

3 : raccordements courants faibles

4 : tableau de répartition

5 : tableau de communication (téléphone, RJ45, télévision),

6 : deux socles de prises de courant 10/16 A 2P+T,

7 : cône de finition et raccordement de la GTL au plafond

Figure 2.212 - GTL en façade

2.2.4 Tableau électrique

Même si sa composition est fonction du nombre de pièces et des équipements (avec ou sans chauffage électrique, etc.), il faut considérer 3 types de circuits : les circuits « lumière », les circuits « prise de courant » et les circuits spécialisés.

LIEUX	ECLAIRAGE OU POINTS LUMINEUX	PRISES 16A+T	PRISES SPÉCIALISÉES	COMMUNICATION[1]
Entrée	1 au plafond ou applique	1 socle		
Cuisine	1 au plafond[2] et 1 en applique	6 socles (4 sur plan de travail)	1 socle pour le four (32A+T) 1 socle pour le lave-vaisselle (en règle générale, 1 par appareil)	1 socle T
Séjour	1 au plafond	1 socle par tranche de 4 m² de surface, avec un minimum de 5 socles		1 socle T
Salon	1 au plafond et (ou) appliques			1 socle T 1 socle TV[3]
Chambre (par)	1 au plafond et (ou) appliques	3 socles		1 socle T ou RJ45
S. de bains	1 au plafond et 1 applique	2 socles		
WC	1 au plafond			
Dégagement	2 au plafond et (ou) appliques	2 socles		
Cellier	1 au plafond	2 socles 2 socles dans la GTL	1 socle (20A+T) pour le lave-linge, 1 socle (20A+T) pour le sèche-linge, 1 socle pour le congélateur	
Extérieur[4]	1 pour l'entrée principale 1 pour le cellier	1 socle[5]		

1. Une prise de communication par pièce principale et dans la cuisine, 3 prises télévision dans les logements de surface > 100 m²
2. Point lumineux équipé d'un DCL : Dispositif de Connexion pour Luminaire, composé d'un socle fixe et d'un boîtier amovible muni de broches (2 pôles + T). La connexion se fait par simple emboîtement de ces 2éléments, sans aucun outil et sans risque de contact avec le circuit électrique.
3. Située à proximité d'un socle de prise de courant
4. Les point lumineux et les prises de courant étanches sont différenciés par des hachures sur la vue en plan
5. Dans ce cas, placer à l'intérieur du logement un dispositif de mise hors tension, couplé à un voyant de présence tension

D'autres circuits spécialisés, fonction de l'équipement de la maison, comme pour la chaudière ou la pompe à chaleur, la VMC, la climatisation, le chauffe-eau électrique, le portail télécommandé, la piscine, la protection anti-intrusion, Parafoudre, etc. sont à prévoir.

La section minimale des conducteurs est de :

- 1,5 mm² : pour l'éclairage, les prises commandées et pour les prises de courant 16A (dans ce cas 5 socles maximum) protégé par un disjoncteur 10 A maxi
- 2,5 mm² avec 8 socles maxi par circuit protégé par un disjoncteur de 16 ou 20 A
- 6 mm² pour le four et les plaques de cuisson électriques[1] protégés par un disjoncteur 32 A maxi

2.2.5 Dispositions particulières (Salle de bains)

De part son utilisation, le risque d'électrocution dans cette pièce est bien supérieur aux autres. Aussi, en plus de la liaison équipotentielle locale LEL, l'installation des différents appareils électriques est règlementé, selon 4 volumes :

▶ Volume 0 : aucun appareillage.

▶ Volume 1 : seuls sont autorisés des interrupteurs de circuit TBTS (Très Basse Tension de Sécurité), dont la source est placée en dehors des volumes 0, 1, et 2.

▶ Volume 2 : un socle de prise de courant alimenté par un transformateur de séparation pour rasoir d'une puissance comprise entre 20 et 50 VA, interrupteur pour circuit TBTS

▶ Volume 3 : sont autorisés les socles de prise de courant, interrupteurs et autres appareillages à condition d'être protégés par un DDR au plus égal à 30 mA

Dans les salles d'eau les prises de courant installées dans le sol sont interdites.

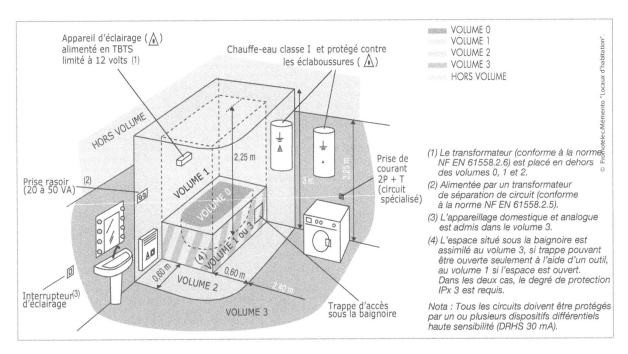

Figure 2.213 - Définition des volumes

2.2.6 Plans des installations électriques et légende de l'appareillage

La position des appareillages électriques résulte de l'aménagement intérieur : position des prises adaptée à l'agencement et aux équipements de la cuisine, à la position des lits, etc.

Bien que dans la pratique, un seul plan suffise à tout représenter, pour plus de clarté, deux plans, un pour les prises et un pour l'éclairage sont détaillés.

---

1. Inutiles dans le cas d'un équipement au gaz

2.2.6.1 Plan des prises

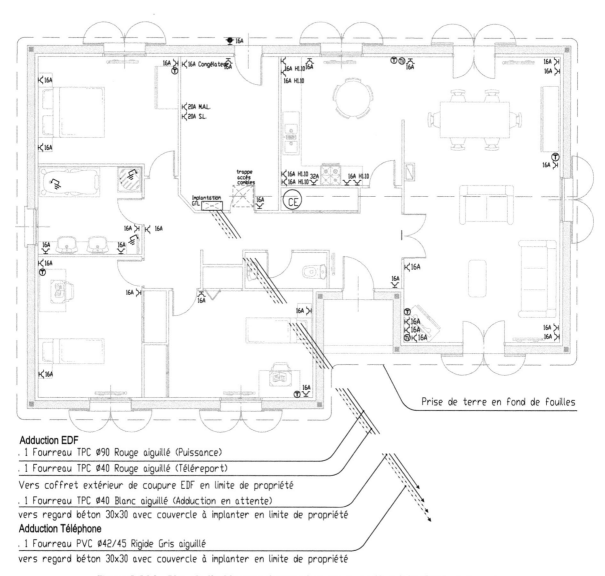

Adduction EDF

. 1 Fourreau TPC Ø90 Rouge aiguillé (Puissance)

. 1 Fourreau TPC Ø40 Rouge aiguillé (Téléreport)

Vers coffret extérieur de coupure EDF en limite de propriété

. 1 Fourreau TPC Ø40 Blanc aiguillé (Adduction en attente)

vers regard béton 30x30 avec couvercle à implanter en limite de propriété

Adduction Téléphone

. 1 Fourreau PVC Ø42/45 Rigide Gris aiguillé

vers regard béton 30x30 avec couvercle à implanter en limite de propriété

Figure 2.214 - Plan de l'adduction (raccordement du coffret à la GTL) et des prises

16A	Prise de courant 2P+T à éclipse 16A, en plinthe		16A	Prise de courant 2P+T à éclipse 16A, étanche
16A H1.10	Prise de courant 2P+T à éclipse 16A, hauteur 1.10m			Liaison équipotentielle
16A-Dou	Prise de courant 2P+T à éclipse 16A, double		TV	Prise télévision
16A-Com	Prise de courant 2P+T à éclipse 16A, commandée		T	Prise télécommunication en T
20A-Sp1	Prise de courant 2P+T à éclipse 20A, circuit spécialisé 1		RJ 45	Prise réseau type RJ 45

Figure 2.215 - Légende des prises (ou socles)

2.2.6.2 Plan de l'éclairage

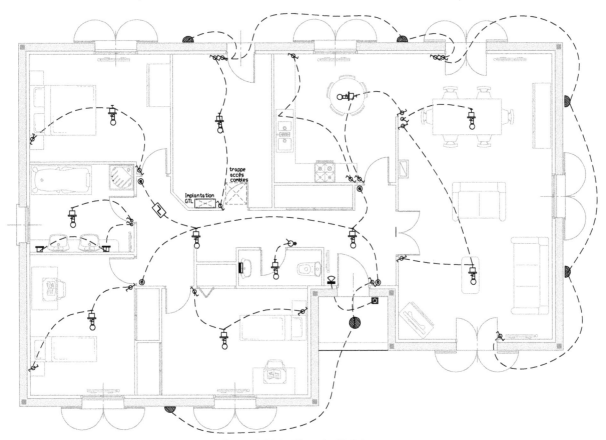

Figure 2.216 - Plan de l'éclairage

	Point lumineux de centre avec boîtier DCL		Interrupteur simple allumage
	Point lumineux en applique avec boîtier DCL		Interrupteur simple avec variateur
	Applique en polycarbonate Classe II - lampe fluorescente 18W		Interrupteur simple allumage avec voyant
	Spot en plafond		Interrupteur double allumage
	Applique murale		Va et vient
	Hublot extérieur étanche -Classe II- en plafond		Bouton poussoir
	Hublot extérieur étanche -Classe II- en applique		Télérupteur
	Carillon (sonnette)		Bouton poussoir étanche pour carillon

Figure 2.217 - Légende de l'éclairage

2.3   Plans de plomberie

2.3.1 Alimentations AEP, EF, EC

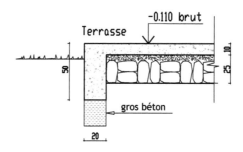

Figure 2.218 - Arrivée et départ du compteur d'eau froide (AEP pour adduction d'eau potable)

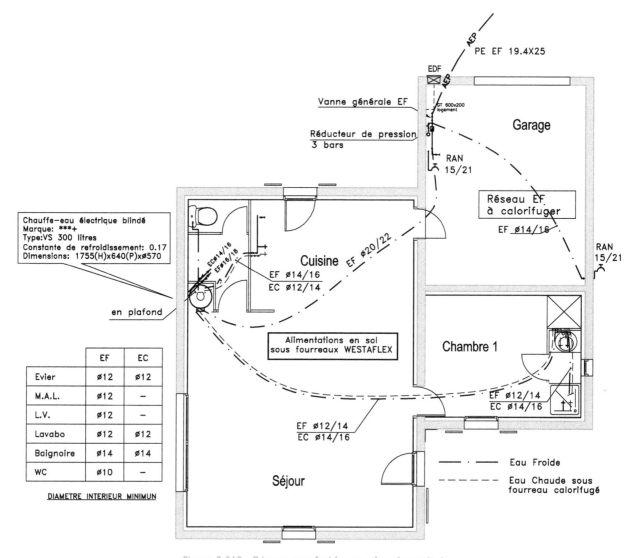

Figure 2.219 - Réseau eau froide eau chaude sanitaire

2.3.2 Evacuations EU, EV

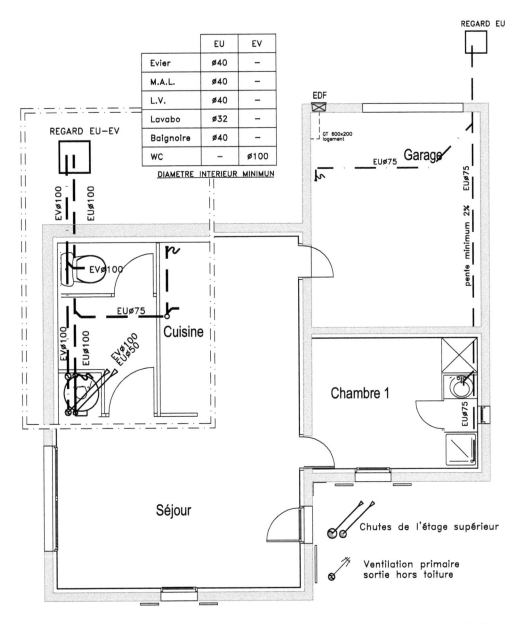

	EU	EV
Evier	ø40	–
M.A.L.	ø40	–
L.V.	ø40	–
Lavabo	ø32	–
Baignoire	ø40	–
WC	–	ø100

DIAMETRE INTERIEUR MINIMUN

Figure 2.220 - Réseau des évacuations EU pour eaux usées et EV pour eaux vannes (WC), avec agrandissement de la zone encadrée

PARTIE 3

Activités

Même si tous les dessins sont prévus pour être réalisés à l'échelle il est envisageable :
- de les tracer à main levée, en respectant, à l'oeil, les directions et les proportions
- d'utiliser un logiciel de DAO

1. REPORT À L'ÉCHELLE

1.1 Terrain de handball

1.1.1 Énoncé

Il s'agit de représenter, sur le fond de plan de la page de droite, le terrain de handball, en vue de dessus, à l'échelle 1/200.

REMARQUES : afin d'utiliser un format vertical, le terrain sera orienté de telle sorte que sa largeur soit représentée horizontalement.

À l'échelle 1/200, 1 cm sur le dessin représente 200 cm en réel – ou 2 m (200 cm) en réel sont représentés par 1 cm sur le dessin.

1.1.2 Description

Les dimensions sont définies par la perspective et la nomenclature suivantes.

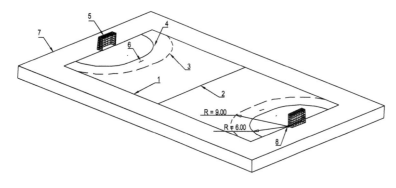

1 : Limites du terrain[1] : rectangle de 40 m par 20 m

2 : Ligne de milieu

3 : Ligne de coup-franc : ligne discontinue d'une longueur de 3 m, terminée de part et d'autre par un arc de cercle de 9 m de rayon

4 : Ligne de la zone de but : ligne continue d'une longueur de 3 m, terminée de part et d'autre par un arc de cercle de 6 m de rayon

5 : Cage de but : rectangle de 3 m par 1 m situé dans la zone de dégagement

6 : Marque du jet de 7 m (pénalty) : ligne de 1 m de long, située à 7 m de la largeur du terrain

7 : Zone de dégagement : rectangle décalé de 3 m par rapport aux limites du terrain

8 : Centre des cercles de rayons 6 m et 9 m

9 : Symétrie des éléments tracés par rapport à la ligne de milieu

Figure 3.1 - Nomenclature du terrain de handball

1.1.3 Procédure

REMARQUES : la ligne de base AB de la page de droite correspond à la largeur des limites du terrain.

Les repères 5, 10, 15, etc. représentent les distances de 5 m, 10 m, 15 m mises à l'échelle.

1. À partir du segment AB, terminer le rectangle des limites du terrain.
2. Tracer la ligne médiane.
3. Représenter la cage de but.
4. Tracer la ligne de coup-franc (arc de cercle de centre : repère 8, puis segment reliant ces 2 arcs).
5. Tracer la ligne de la zone de but (procédure identique à la précédente).
6. Tracer la ligne de penalty.
7. Tracer le rectangle des limites de la zone de dégagement.

---

1. Toutes les dimensions données sont réelles. Elles doivent donc être mises à l'échelle pour le dessin de la page de droite.

40

35

30

25

20

15

10

5

0

A——————————————————————————————— B

0   5   10   15   20   25

Techniques des dessins du bâtiment - Tome 1	Terrain de handball	J-P Gousset
Éch.: 1/200 (0.005)		Éditions EYROLLES

1.2 Terrain de basket-ball

1.2.1 Énoncé

Il s'agit de représenter, sur le fond de plan de la page de droite, le terrain de basket-ball, en vue de dessus, à l'échelle 1/200.

REMARQUE : comme pour la mise en page du terrain de handball, sa largeur est représentée horizontalement.

1.2.2 Description

Les dimensions sont définies par la perspective et la nomenclature suivantes.

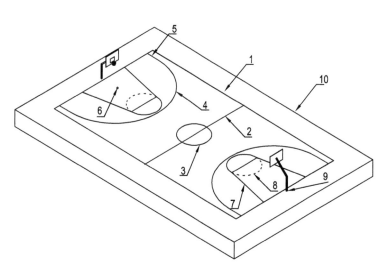

1 : Limites du terrain : rectangle de 28 m par 15 m

2 : Ligne du milieu du terrain

3 : Cercle central : rayon 1,80 m

4 : Demi-cercle de la ligne des 3 points : de rayon 6,25 m et de centre situé sur la médiatrice de AB à 1,25 m

5 : Segment de la ligne des 3 points reliant le demi-cercle aux limites du terrain

6 : Centre du panier, projeté au sol, point situé à 1,575 m

7 : Trapèze isocèle de la raquette : grande base : 6 m ; petite base : 1,80 m ; hauteur : 5,80 m

8 : Demi-cercle de rayon 1,80 m, un en trait continu, un en trait interrompu

9 : Pied du poteau supportant le panneau

10 : Limites de la zone de dégagement distante de 2 m des limites du terrain

Figure 3.2 - Nomenclature du terrain de basket-ball

1.2.3 Procédure

REMARQUES : la ligne de base AB du fond de plan de la page de droite correspond à la largeur des limites du terrain.

Le terrain n'est pas centré par rapport à la feuille, afin de pouvoir positionner la cotation.

Les repères 5, 10, 15, etc. représentent les distances de 5 m, 10 m, 15 m mises à l'échelle.

1. Terminer le rectangle des limites du terrain.
2. Tracer la ligne médiane.
3. Représenter la limite des 3 points.
4. Tracer le trapèze de la raquette.
5. Tracer les 2 demi-cercles de la raquette.
6. Positionner le centre du panier.
7. Effectuer la symétrie des éléments tracés par rapport à la ligne de milieu.
8. Tracer le cercle central.
9. Tracer le rectangle des limites de la zone de dégagement.
10. Coter le dessin (échelle réelle).

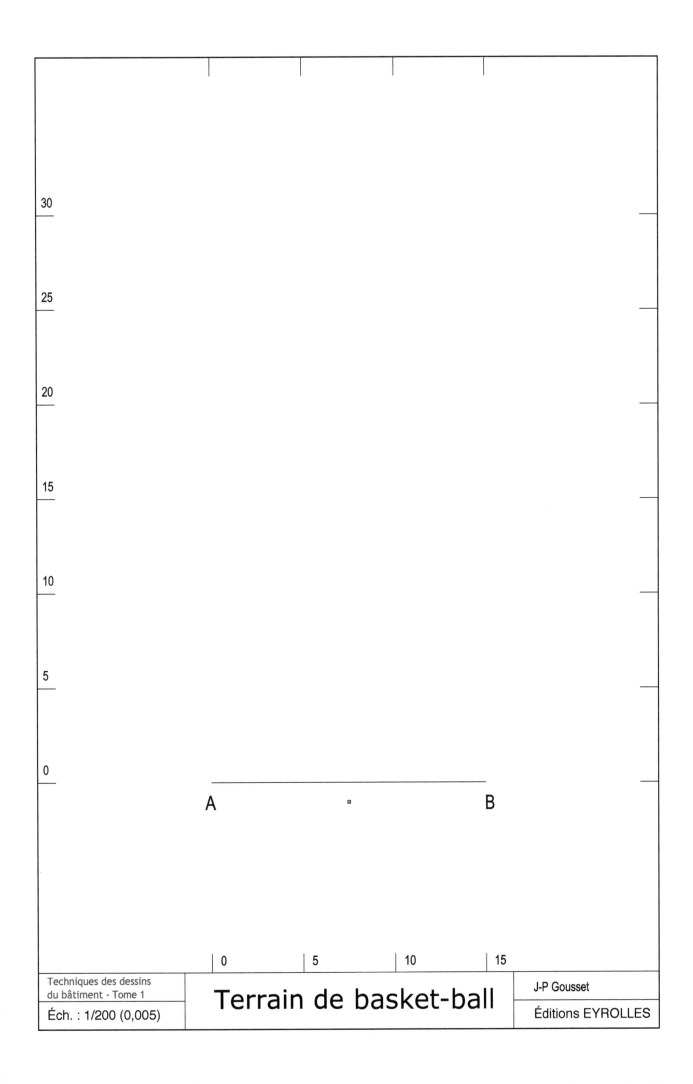

30

25

20

15

10

5

0

A   B

| 0 | 5 | 10 | 15 |

Techniques des dessins du bâtiment - Tome 1	**Terrain de basket-ball**	J-P Gousset
Éch. : 1/200 (0,005)		Éditions EYROLLES

1.3 Plan masse 1

1.3.1 Énoncé

Il s'agit de représenter, sur le fond de plan de la page de droite, la parcelle ABCDE définie par la figure 3.3, puis d'y implanter la construction de la figure 3.4, le tout à l'échelle 1/250.

> REMARQUE : selon l'usage, la représentation à produire correspond au nord orienté verticalement.

1.3.2 Description

La parcelle est décomposée en triangles à construire de proche en proche à partir du 1er triangle ABC de base AB tracée sur le fond de plan de la page de droite.

La construction à représenter est définie :
▶ par le contour extérieur (aussi désigné par « hors œuvre ») des murs, d'une épaisseur de 20 cm, à représenter en traits interrompus, parce que cachés par la couverture ;
▶ par les lignes de couverture, en traits continus, décalées de 40 cm par rapport aux murs extérieurs.

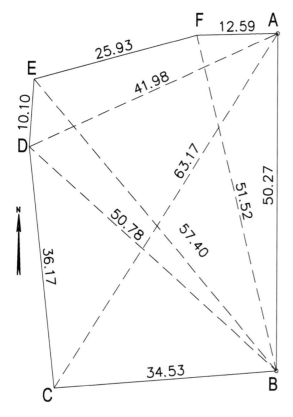

Figure 3.3 - Cotes définissant la parcelle

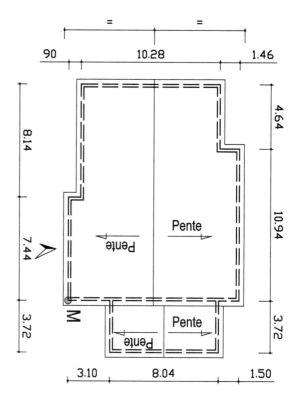

Figure 3.4 - Cotes définissant la construction (hors œuvre des murs)

1.3.3 Procédure

> REMARQUE : le point C est à la fois à une distance AC du point A et à une distance BC du point B.

Ainsi un arc de cercle de centre A et de rayon 63,17 m et un arc de cercle de centre B et de rayon 34,53 m se coupent en C, point cherché.

1. Tracer un arc de cercle de centre A et de rayon[1] 63,17 m.
2. Tracer un arc de cercle de centre B et de rayon 34,53 m.
3. L'intersection des 2 arcs détermine le point C.
4. Selon le même principe, est positionné le point D à partir de la base AC du triangle ACD.
5. Positionner les points E et F, les autres dimensions permettant une vérification des points déjà tracés.
6. À partir de l'angle M de la construction, repéré à la fois sur la figure 3.4 et sur le fond de plan de la page de droite, tracer le contour extérieur des murs de la maison.
7. Tracer l'épaisseur des murs en décalant les lignes précédentes de 20 cm.
8. Tracer le contour de la couverture par des lignes situées à 40 cm des murs.
9. Tracer les faîtages situés au milieu de la partie habitable et au milieu du garage.

---

1. Toutes les dimensions données sont réelles. Elles doivent donc être mises à l'échelle.

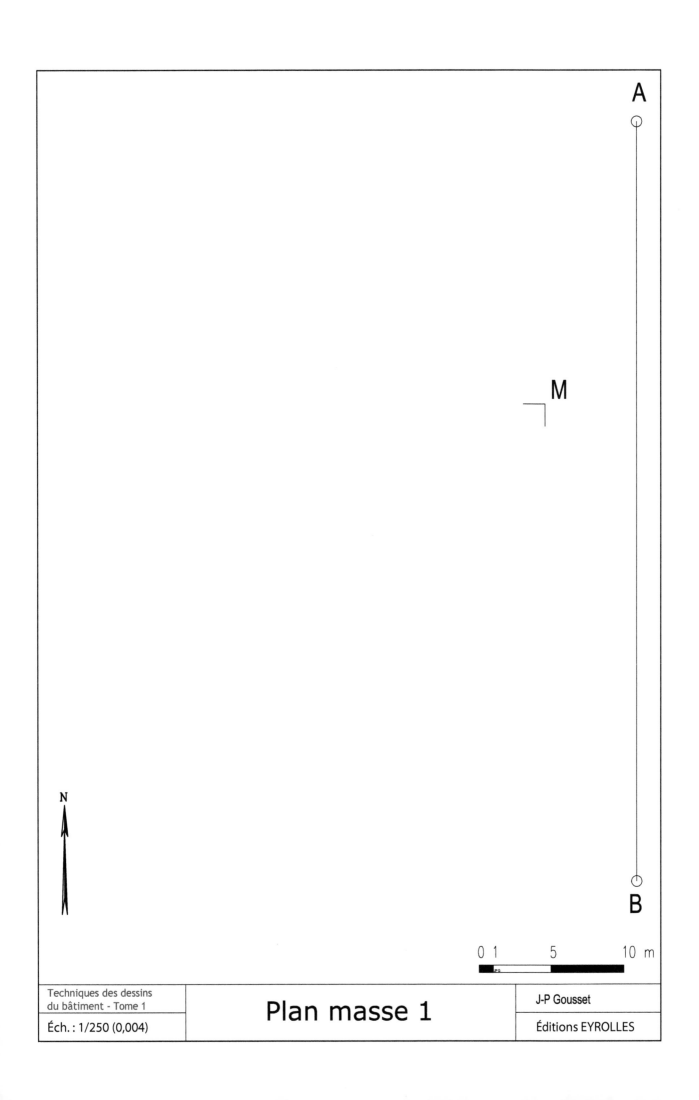

A

M

B

N

0 1   5   10 m

Plan masse 1

1.4   Plan masse 2

1.4.1 Énoncé

Il s'agit de représenter, sur le fond de plan de la page de droite, la parcelle ABCDE définie par la figure 3.5, puis d'y implanter la construction de la figure 3.6, à l'échelle 1/250.

1.4.2 Description

La parcelle est délimitée par des segments et des arcs de cercle. Le fond de plan de la page de droite est complété par la voirie, les réseaux publics, et une légende.

La construction à représenter est définie selon le même principe que l'énoncé précédent, à la seule différence de 2 terrasses couvertes en alignement des murs extérieurs.

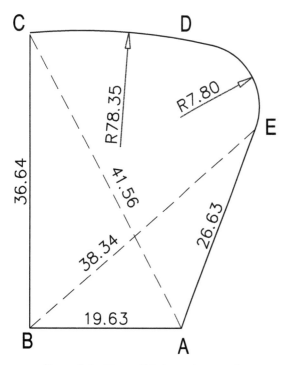

Figure 3.5 - Cotes définissant la parcelle

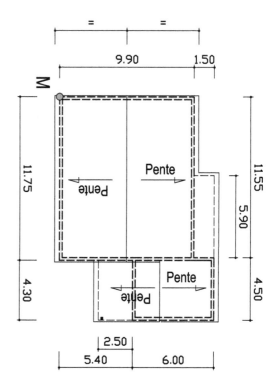

Figure 3.6 - Cotes définissant la construction (hors œuvre des murs)

1.4.3 Procédure

REMARQUE : le point C est à la fois à une distance AC du point A et à une distance BC du point B.

Ainsi un arc de cercle de centre A et de rayon 63,17 m et un arc de cercle de centre B et de rayon 34,53 m se coupent en C, point cherché.

1. Tracer un arc de cercle de centre B et de rayon 19,63 m.
2. Tracer un arc de cercle de centre C et de rayon 41,5 m.
3. L'intersection des 2 arcs détermine le point A.
4. Selon le même principe, est positionné le point E à partir de la base AB du triangle ABE.
5. Tracer 2 arcs de cercle de rayon 7,80 m, l'un de centre E et l'autre de centre D pour déterminer le centre de l'arc

de cercle de rayon 7,80 m qui raccorde les points E et D.

6. À partir de l'angle M de la construction, repéré à la fois sur la figure 3.6 et sur le fond de plan de la page de droite, tracer le contour des murs extérieurs de la maison.
7. Tracer l'épaisseur des murs en décalant les lignes précédentes de 20 cm.
8. Tracer le contour des terrasses couvertes.
9. Tracer le contour de la couverture par des lignes situées à 40 cm des murs pour les rives d'égout (lignes perpendiculaires à la pente) et à 10 cm des murs pour les rives latérales (lignes parallèles à la pente).
10. Tracer les faîtages selon les indications de la figure 3.6.

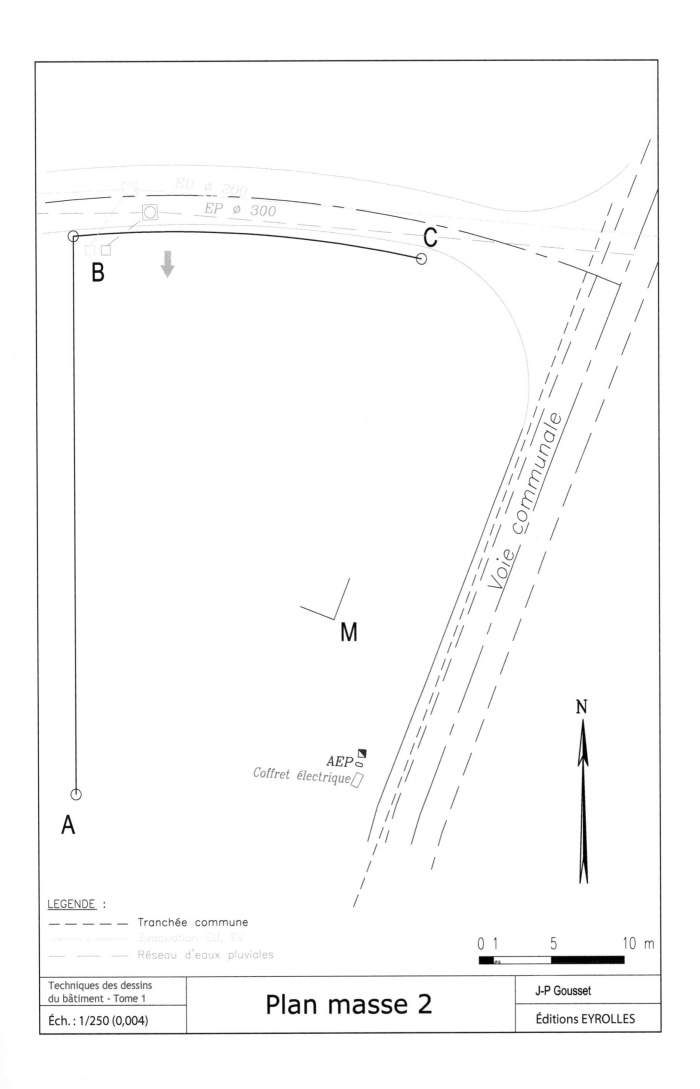

EU ø 200

EP ø 300

B

C

M

Voie communale

N

AEP

Coffret électrique

A

LEGENDE :

— — — — Tranchée commune

Évacuation EU, EV

— — — — Réseau d'eaux pluviales

0 1   5   10 m

Techniques des dessins
du bâtiment - Tome 1

Éch. : 1/250 (0,004)

Plan masse 2

J-P Gousset

Éditions EYROLLES

2. Projections orthogonales

2.1 Encadrement de baies

2.1.1 Énoncé

Il s'agit de représenter, sur le fond de plan de la page de droite, dans un format paysage, la vue de face d'une partie de façade de l'échelle 1/25.

2.1.2 Description

Cette partie de façade, limitée à 5 m de long et 3,70 m de haut, est composée :

▲ d'une baie de porte de 0,90 m de large par 2,25 m de hauteur avec un encadrement en pierres de taille sciées de dimensions détaillées dans la figure 3.8 ;

▲ d'un escalier d'accès, centré par rapport à la baie de porte, de 1,60 m de large ;

▲ d'une baie de fenêtre de 1,20 m de large par 1,35 m de hauteur.

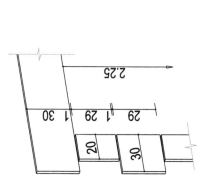

Figure 3.8 - Cotes définissant les moellons de l'encadrement

Figure 3.9 - Cotes définissant l'appui de fenêtre

2.1.3 Procédure

<u>Remarque</u> : sur le fond de plan de la page de droite sont représentés le niveau 0,00 et les axes de la baie de porte et de la baie de fenêtre.

1. Tracer un rectangle de 0,90 m de large par 2,25 m de haut, en prenant pour référence le niveau 0,00 et l'axe de la baie de porte.

2. Tracer un rectangle de 1,20 m de large par 1,35 m de haut, en prenant pour référence le niveau du linteau[1] de la baie de porte et l'axe de la baie de fenêtre.

3. Tracer le niveau du sol extérieur à − 0,35 m et l'escalier de 1,60 m de large, centré sur la porte d'entrée.

4. Tracer l'appui de fenêtre selon les cotes de la figure 3.9.

5. Tracer le calepinage des moellons de 30 cm de haut séparés par des joints de 1 cm, en commençant par les linteaux et en respectant l'alternance des largeurs de 20 et 30 cm. Compte tenu de l'épaisseur des joints entre chaque moellon, qui ne peuvent être représentés à l'échelle (épaisseur du trait de crayon), prendre 30 cm pour la hauteur de chaque moellon.

6. Tracer en traits interrompus l'épaisseur du plancher.

7. Terminer le tracé par le contour extérieur et les hachures du sol.

8. Coter le dessin.

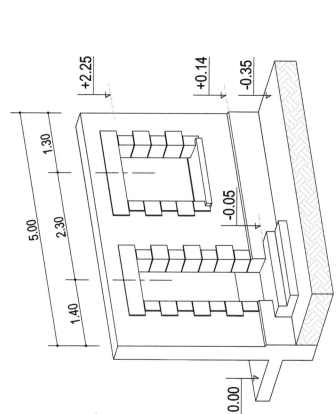

Figure 3.7 - Cotes définissant les éléments de la façade

Baies, porte et fenêtre

0,00

0   25   50   100

J-P GOUSSET

Éditions EYROLLES

Techniques des dessins
du bâtiment - Tome 1

Éch.: 1/25 (0,04)

2.2 Massif de fondation

2.2.1 Énoncé

Il s'agit de représenter, sur le fond de plan de la page de droite, la vue de face (partie grisée de la figure ci-dessous) et la vue de dessus du massif de fondation, à l'échelle 0,02 ou 1/50.

2.2.2 Description

Ce massif, fondé sur des micropieux, est composé de 4 plots (ou dés) reliés par des longrines. Plots et longrines sont réalisés sur un béton de propreté de 10 cm d'épaisseur avec un débord de 10 cm en tous sens.

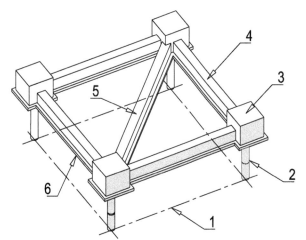

1 : Axes d'implantation formant un carré de 6 m de côté

2 : Micropieux[1] Ø 180 mm. La longueur représentée est réduite à 1,50 m. Elle ne correspond pas à la longueur réelle (≈ 10 m) afin ne pas changer l'échelle et réduire ainsi la dimension des autres éléments

3 : Plots en béton armé de 0,90 × 0,90 × 0,80^{ht}

4 : Longrines périmétriques 0,30 × 0,40^{ht} , reliant les plots

5 : Longrine en diagonale de section 0,30 × 0,40^h

6 : Béton de propreté épaisseur moyenne 10 cm, débord 10 cm

Figure 3.10 - Terminologie du massif de fondation

2.2.3 Procédure

R<small>EMARQUE</small> : sur le fond de plan de la page de droite sont représentés sur la vue en plan (ou vue de dessus) les 3 axes d'implantation et sur la vue de face (ou vue en élévation) le niveau inférieur des longrines.

Sur la vue en plan :
1. Terminer le tracé des axes d'implantation.
2. Tracer les 4 plots (0,90 × 0,90) centrés sur les points d'intersection des axes.
3. Tracer les longrines (0,30 de large en vue de dessus).
4. Tracer le béton de propreté avec un débord de 10 cm en tous sens.
5. Tracer les micropieux en traits interrompus.

Sur la vue en élévation :
6. Tracer les plots (0,90 × 0,80) en correspondance avec la vue en plan.
7. Tracer la longrine vue et les longrines cachées.
8. Terminer avec le béton de propreté et les micropieux (hauteur réduite à 1,50 m).
9. Coter le dessin.

---

1. Les micropieux, constitués de tubes métalliques injectés d'un coulis de ciment, sont des fondations profondes.

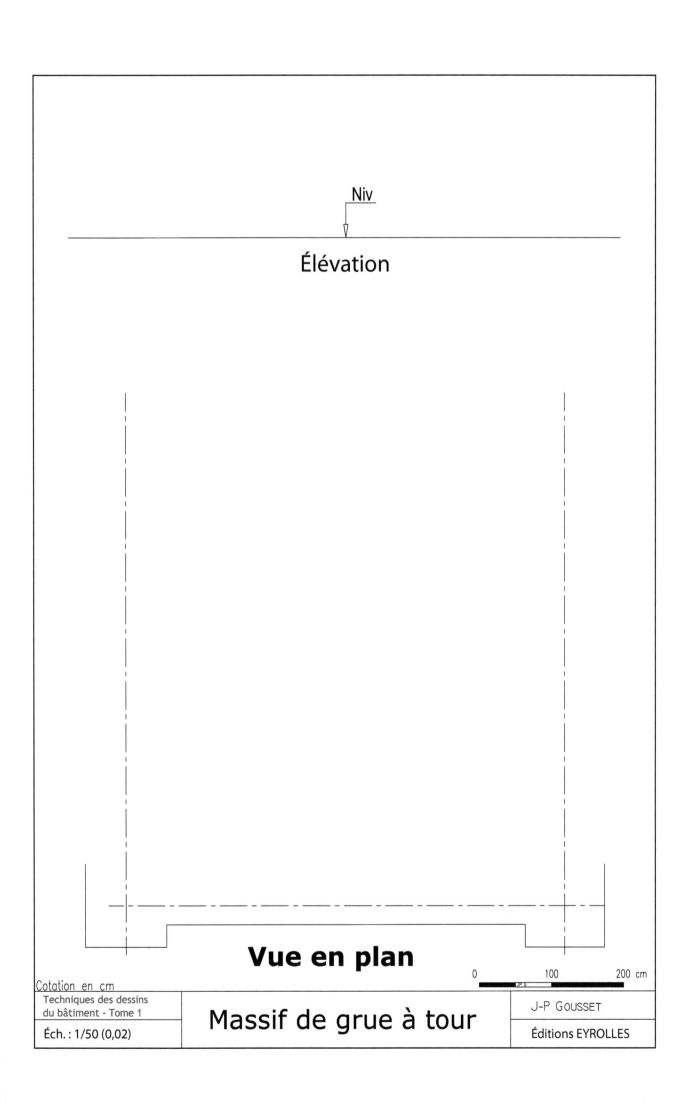

Niv

Élévation

Vue en plan

0   100   200 cm

Cotation en cm
Techniques des dessins
du bâtiment - Tome 1

Éch. : 1/50 (0,02)

Massif de grue à tour

J-P GOUSSET

Éditions EYROLLES

2.3 Balcon préfabriqué

2.3.1 Énoncé

Il s'agit de représenter, sur le fond de plan de la page de droite, les 3 vues du balcon préfabriqué (vue de face en grisé de la figure ci-dessous), à l'échelle 0,04 ou 1/25. Une droite à 45° permet de retrouver les correspondances entre vue de dessus et vue de gauche.

2.3.2 Description

Ce balcon préfabriqué en béton armé est complété par un garde-corps fixé ultérieurement. Jusqu'au moment de la pose du garde-corps définitif, un garde-corps de chantier est mis en place afin d'éviter les chutes de hauteur.

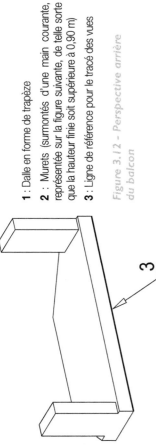

1 : Dalle en forme de trapèze

2 : Murets (surmontés d'une main courante, représentée sur la figure suivante, de telle sorte que la hauteur finie soit supérieure à 0,90 m)

3 : Ligne de référence pour le tracé des vues

Figure 3.12 – Perspective arrière du balcon

2.3.3 Procédure

1. Sur la vue de dessus, représenter la dalle par un trapèze.

2. Sur la vue de face, représenter la dalle par un rectangle complété par 2 segments figurant le pan coupé.

3. Sur la vue de gauche, représenter la dalle par un rectangle (de même hauteur mais de longueur différente) complété aussi par 2 segments. Mais pour ce rectangle, une partie de la longueur est en traits interrompus car elle est cachée par le muret.

4. La même démarche est utilisée pour le tracé des murets.

5. Pour vérification, en utilisant les lignes de la droite à 45°, une arête de la vue de gauche doit se trouver en correspondance avec la vue de dessus.

Ce dessin peut être complété par le tracé du baraudage du garde-corps en se rapportant au paragraphe de la partie II « 3.2 Division d'un segment en n segments égaux » pour répartir les barreaux.

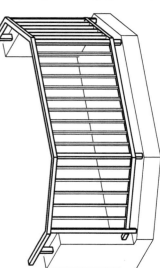

- Potelets de 20 par 40 mm à chaque angle
- Barreaux de 20 par 40 mm dont l'espacement maximal doit être inférieur à 110 mm
- Lisse basse de 20 par 40
- Main courante de 25 par 50 mm de façon à obtenir une hauteur finie du garde-corps de 1 m

Figure 3.13 – Perspective du balcon après la pose du garde-corps

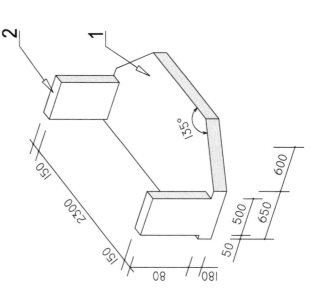

Figure 3.11 – Dimensions du balcon

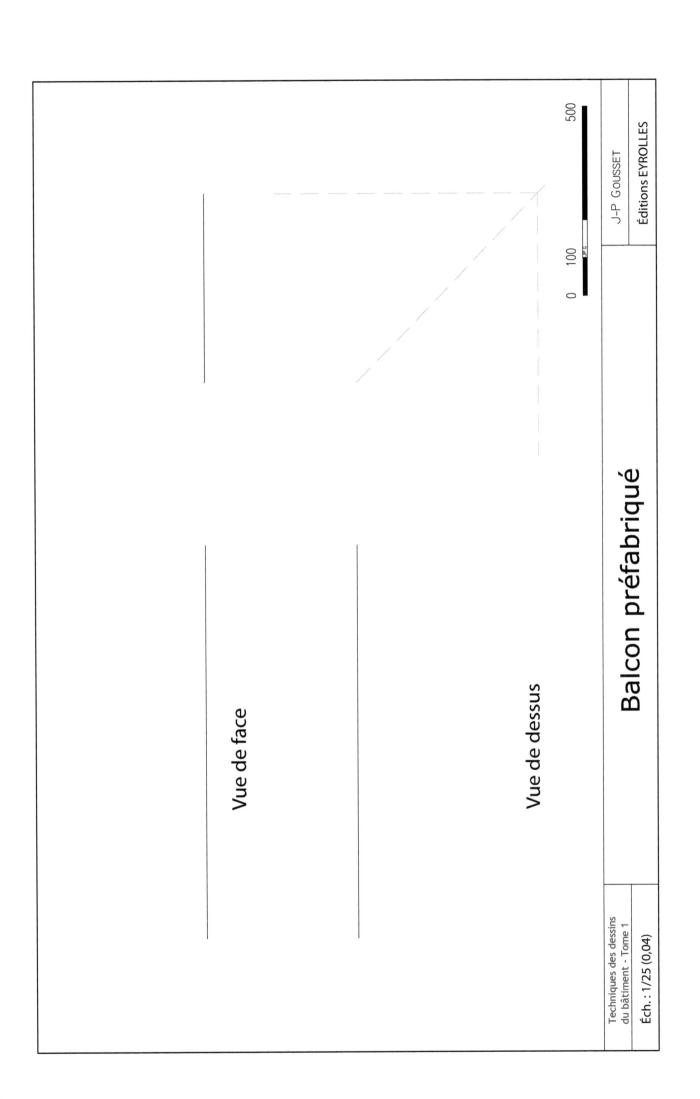

Vue de face

Vue de dessus

0   100   500

Balcon préfabriqué

J-P GOUSSET

Éditions EYROLLES

Techniques des dessins
du bâtiment - Tome 1

Éch. : 1/25 (0,04)

2.4 Maison, toit 2 pans

2.4.1 Énoncé

Il s'agit de représenter, sur le fond de plan de la page de droite, les 3 vues extérieures de la maison, en représentation simplifiée à l'échelle 0,01 ou 1/100. Une droite à 45° permet de retrouver les correspondances entre vue de dessus et vue de gauche.

2.4.2 Description

Cette maison de base rectangulaire, avec un décrochement pour la terrasse, est recouverte d'un toit à 2 pentes.

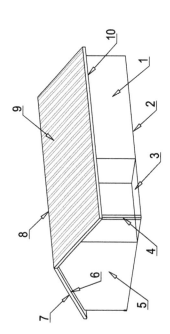

1 : Mur gouttereau ; 2 : Arase inférieure et ligne de base du fond de plan ; 3 : Terrasse couverte ; 4 : Poteau ; 5 : Mur pignon ; 6 : Débord de toit ; 7 : Rive latérale ; 8 : Faîtage ; 9 : Pan de toit ; 10 : Rive d'égout

Figure 3.14 – Perspective et nomenclature de la maison

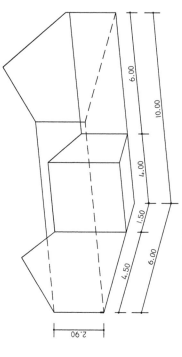

Figure 3.15 – Cotation extérieure des murs

2.4.3 Procédure

1. Sur la vue de dessus, représenter le contour extérieur de la maison, le décrochement pour la terrasse et le poteau carré de 18 cm de section.

2. Sur la façade avant, tracer les arêtes des murs en correspondance avec la vue de dessus, mais de hauteurs quelconques car elles ne sont pas connues. Elles seront déterminées par le pignon gauche.

3. Sur le pignon gauche, pour les 2 murs gouttereaux extrêmes, la hauteur est connue : 2,90 m.

4. À partir de cette hauteur, tracer le toit, des 2 côtés, selon une pente de 40 % (soit 4 cm selon la verticale pour 10 cm selon l'horizontale – ou respectivement 2 cm et 5 cm).

5. L'intersection des 2 pentes (côté gauche et côté droit) donne le faîtage.

6. Tracer un débord de 40 cm, puis l'épaisseur du toit de 20 cm.

7. Ainsi la hauteur de la rive d'égout est déterminée.

8. Reporter, par correspondance, ces hauteurs sur la façade avant.

9. Compléter la vue de dessus par des traits continus pour les arêtes de la couverture par des traits interrompus pour les arêtes des murs et du poteau.

10. La droite à 45° permet de vérifier qu'une arête de la vue de gauche est en correspondance avec la vue de dessus.

REMARQUE : compte tenu du débord de couverture, l'arase supérieure des murs est parfois cachée par la couverture.

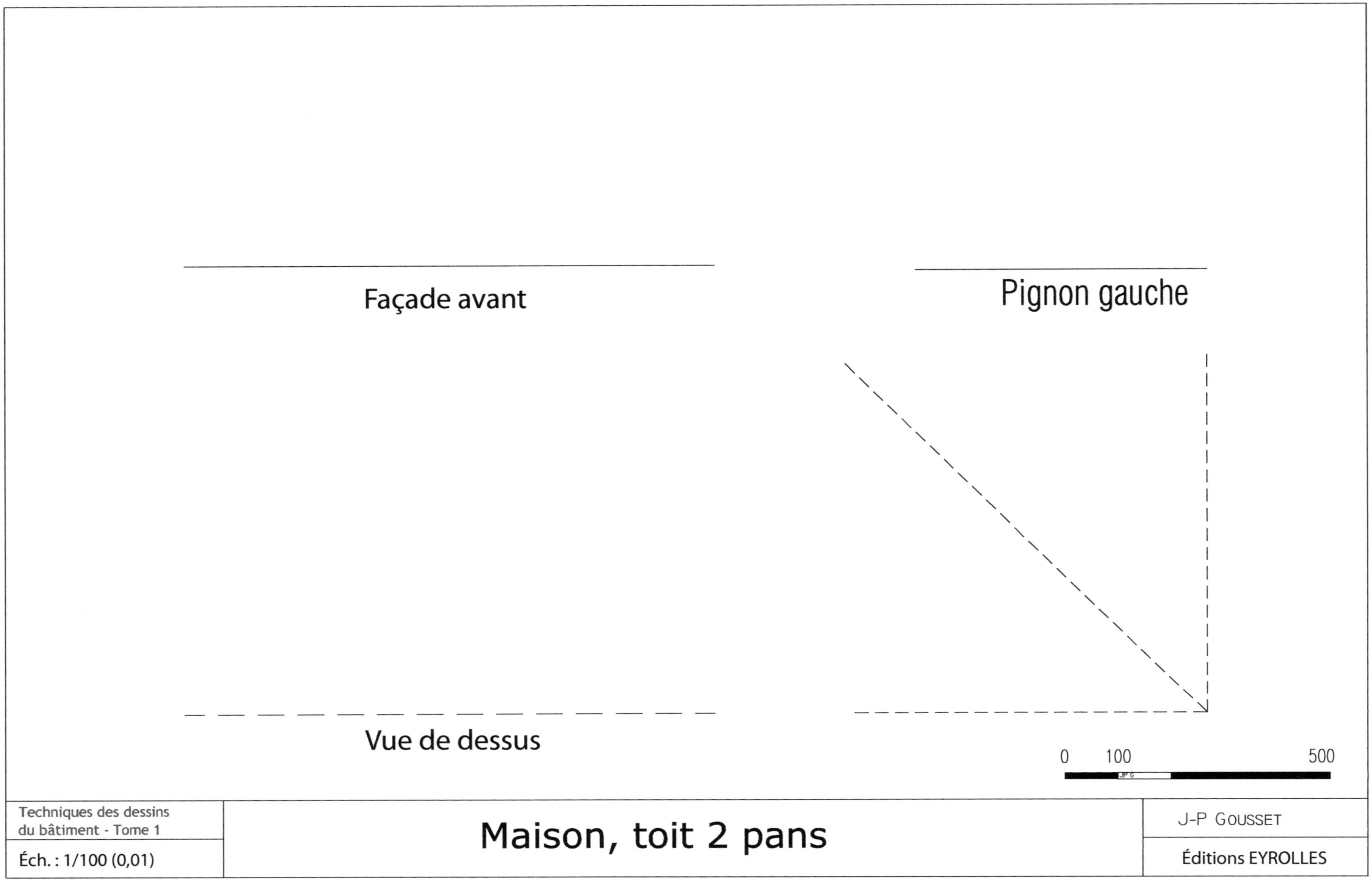

Pignon gauche

Façade avant

Vue de dessus

0   100   500
JPG

Maison, toit 2 pans

J-P GOUSSET

Éditions EYROLLES

Techniques des dessins
du bâtiment - Tome 1

Éch. : 1/100 (0,01)

2.5 Maison, toit 2 pans, pan de mur coupé

2.5.1 Énoncé

Il s'agit de représenter, sur le fond de plan de la page de droite, selon le même principe que le dessin précédent, les 3 vues extérieures de la maison, à l'échelle 0,01 ou 1/100. Comme précédemment, la façade avant ne peut être représentée qu'après avoir trouvé les hauteurs définies par le pignon.

2.5.2 Description

Cette maison, recouverte d'un toit à 2 pentes, peut être considérée de base rectangulaire, avec 2 décrochements :
▲ celui de la terrasse avant délimitée par des murs perpendiculaires et un mur à 45° ;
▲ celui de la terrasse arrière formant un simple rectangle.

Dans un premier temps, la couverture sera considérée comme arasée en tous sens (c'est-à-dire sans débord de toit) afin de simplifier la procédure.

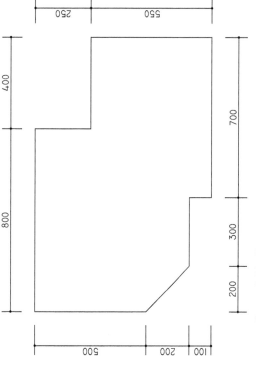

Figure 3.18 - Vue en plan du contour extérieur des murs

2.5.3 Procédure

1. Sur la vue de dessus, représenter le contour extérieur de la maison, avec les décrochements pour les terrasses.
2. Sur la façade avant, tracer les arêtes des murs en correspondance avec la vue de dessus, de hauteur quelconque.
3. Sur le pignon gauche, pour les 2 murs gouttereaux extrêmes, la hauteur est connue : 2,90 m.
4. À partir de cette hauteur, tracer le toit, des 2 côtés, selon une pente de 40 %.
5. L'intersection des 2 pentes (côté gauche et côté droit) donne la hauteur du faîtage et les hauteurs des murs gouttereaux intermédiaires (vus et caché).
6. Ainsi la rive d'égout est déterminée.
7. Ainsi les hauteurs sont reportées, par correspondance, sur la façade avant.
8. La vue de dessus est complétée par les arêtes de la couverture.
9. La droite à 45° permet de vérifier la correspondance de position des arêtes de la vue de gauche avec celles de la vue de dessus.

REMARQUE : pour prolonger cet exercice, les terrasses peuvent être couvertes selon le même principe que précédemment, avec un débord de toit de 10 cm pour les rives latérales et 50 cm pour les rives d'égout.

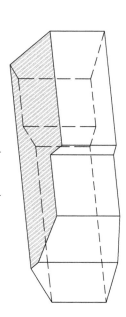

Figure 3.16 - Perspective des murs et du toit

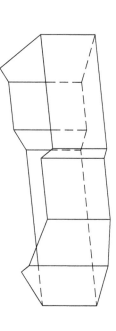

Figure 3.17 - Perspective du contour extérieur des murs seuls

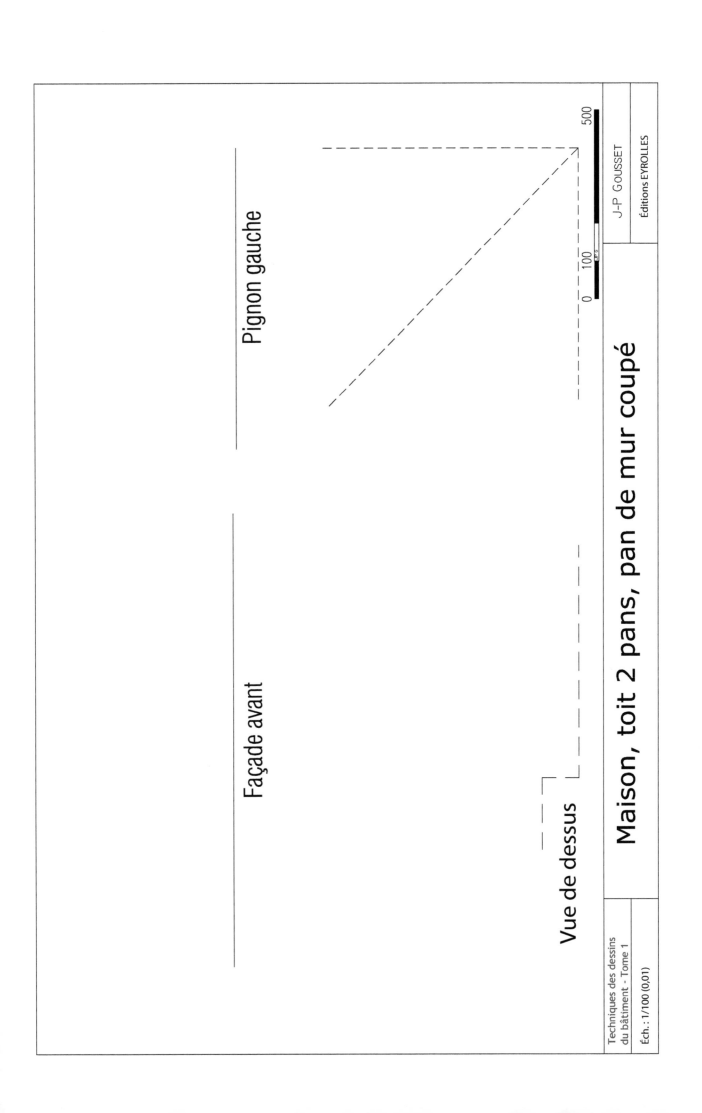

Pignon gauche

Façade avant

Vue de dessus

500

0   100

J-P GOUSSET

Éditions EYROLLES

Maison, toit 2 pans, pan de mur coupé

Techniques des dessins
du bâtiment - Tome 1

Éch. : 1/100 (0,01)

2.6 Mur de soutènement préfabriqué

2.6.1 Énoncé

Il s'agit de représenter, sur le fond de plan de la page de droite, les 3 vues extérieures de ce mur de soutènement préfabriqué, à l'échelle 0,02 ou 1/50.

La vue de face choisie correspond aux zones grisées de la perspective.

Comme ce mur possède un axe de symétrie, les vues de droite et de dessus ne seront que des demi-vues, afin de pouvoir utiliser l'échelle 0,02.

2.6.2 Description

Ainsi juxtaposés, ces éléments préfabriqués, dont la hauteur peut être variable, assurent la stabilité des terrains entre des zones d'altitudes différentes.

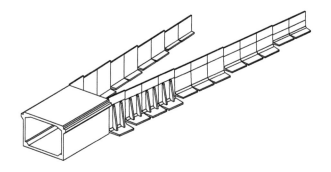

Figure 3.21 - Exemple d'utilisation des murs de hauteurs variables

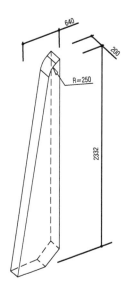

1 : Voile, de section variable (trapèze en pied, rectangle en tête)

2 : Semelle avant, de section variable

3 : Semelle arrière, de section variable, reliée au voile par un gousset

4 : Nervure rigidifiant la liaison voile-semelle arrière

Figure 3.22- Détail d'une nervure

<u>REMARQUE</u> : les barbacanes pour évacuer l'eau et les broches pour le levage du mur ne sont pas représentées.

2.6.3 Procédure

1. Sur la vue de face, représenter les contours des zones grisées de la perspective.

2. Compléter la demi-vue de dessus et la demi-vue de droite par correspondances (lignes horizontales, verticales, droite à 45°).

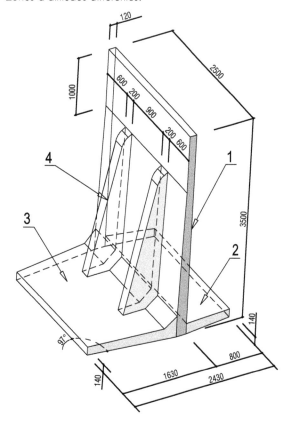

Figure 3.19 - Cotation et nomenclature du mur

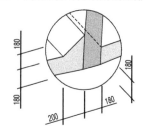

Figure 3.20 - Détail du raccordement entre le voile et les semelles

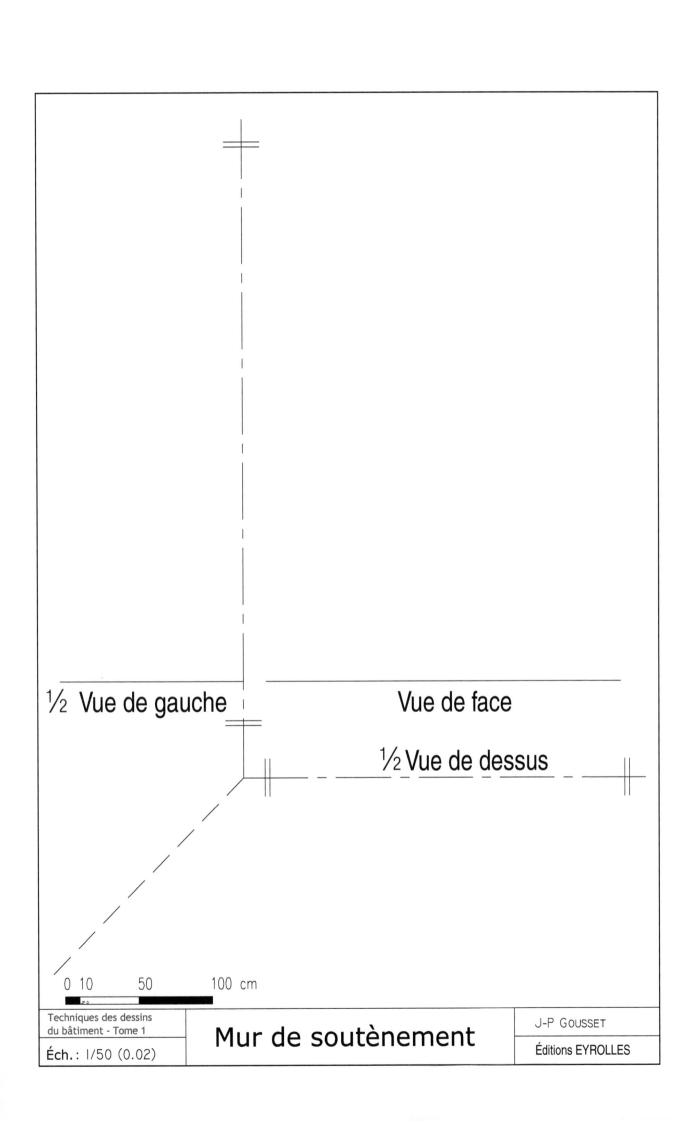

½ Vue de gauche

Vue de face

½ Vue de dessus

0 10   50   100 cm

Techniques des dessins
du bâtiment - Tome 1

Éch.: I/50 (0.02)

Mur de soutènement

J-P GOUSSET

Éditions EYROLLES

3. INTERSECTIONS DE PLANS ET VRAIES GRANDEURS

3.1 Toit de même pente

3.1.1 Énoncé

Il s'agit de représenter, à l'échelle 1/100, sur le fond de plan de la page de droite, la vue en plan et l'élévation de la couverture. Puis les vraies grandeurs des arêtes et des surfaces seront obtenues par rabattement sur le plan horizontal.

3.1.2 Description

Le bâtiment en forme de T est couvert en tuiles à emboitement selon une pente à 50 %, sans croupe aux extrémités.

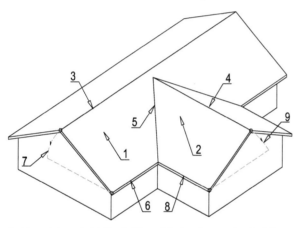

1 : Versant 1, pente 50 % ; **2** : Versant 2, de même pente ; **3** : Faîtage du versant 1 ; **4** : Faîtage du versant 2 ; **5** : Noue (ligne d'intersection des 2 versants) ; **6** : Axe de rotation du versant 1 ; **7** : Arc de cercle du rabattement du plan du versant 1 sur le plan horizontal ; **8** : Axe de rotation du versant 2 ; **9** : Arc de cercle du rabattement du plan du versant 2 sur le plan horizontal

Figure 3.23 - Perspective et nomenclature de la couverture

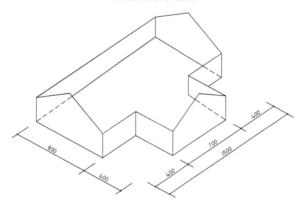

Figure 3.24 - Cotation extérieure des murs

Sur le fond de plan, le contour extérieur et l'épaisseur des murs sont représentés en traits interrompus, car cachés par la couverture à dessiner.

La forme de la couverture définit les murs gouttereaux et les murs pignons.

3.1.3 Procédure

1. Sur la vue en plan de la couverture, représenter les contours de la couverture pour un débord de 50 cm.

2. Tracer les faîtages, positionnés aux milieux des corps du bâtiment. La longueur du faîtage repéré 4 n'est pas connue. Elle est déterminée soit par l'élévation, soit par le tracé des noues.

3. Sur la vue en plan de la couverture, tracer les noues avec : pour point de départ le sommet de l'angle formé par les lignes 6 et 8 ; pour direction la bissectrice de cet angle (270°/2 = 135°) car les pentes sont égales.

4. Ainsi la longueur du faîtage 4 est définie.

5. Sur l'élévation, à partir de la ligne horizontale du bas du mur et de la ligne verticale correspondant à la hauteur du mur, tracer la couverture en projection soit sans épaisseur, soit avec une épaisseur de 20 cm (cela ne modifie en rien le principe des rabattements et des vraies grandeurs).

6. Sur l'élévation, la pente du versant 1 est rabattue sur le plan horizontal. C'est la vraie grandeur (« en largeur ») du versant 1, ramenée à l'horizontale.

7. De même, la noue est rabattue sur le plan horizontal, mais ce n'est pas sa vraie grandeur car la noue n'est pas parallèle au plan vertical de la vue en élévation.

8. Le report sur la vue en plan de la couverture des longueurs de ces segments, précédemment rabattus à l'horizontale, en correspondance avec les lignes de la vue en plan donne la vraie grandeur du versant 1.

9. Ainsi est trouvée la vraie grandeur de la noue qui, reportée par un arc de cercle, permet le tracé du versant 2.

10. Autrement, la vraie grandeur du versant 2 est trouvée par une section rabattue de l'aile du versant 2 sur la vue en plan de la couverture.

11. Pour différencier les vraies grandeurs, les surfaces sont coloriées différemment.

Élévation

Vue en plan de la couverture

Techniques des dessins
du bâtiment - Tome 1

Couverture, pentes égales

J-P GOUSSET

Éditions EYROLLES

Éch.: 1/100 (0.01)

3.2   Toit de pentes différentes

3.2.1 Énoncé

Il s'agit de représenter, à l'échelle 1/100, la vue en plan de la couverture, son élévation puis de trouver les vraies grandeurs des arêtes et des surfaces par rabattement sur le plan horizontal.

3.2.2 Description

Le bâtiment en forme de T est couvert en tuiles à emboîtement selon une pente à 50 %, avec des croupes aux extrémités de la grande longueur du bâtiment.

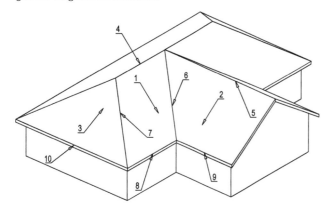

1 : Versant 1, pente 50 %

2 : Versant 2, de pente différente, afin que les 2 faîtages soient au même niveau

3 : Croupe redressée (de même pente que le versant 2)

4 : Faîtage du versant 1

5 : Faîtage du versant 2

6 : Noue (qui n'est plus à 45° en plan, car les pentes sont différentes)

7 : Arêtier (qui n'est plus à 45° en plan, car les pentes sont différentes)

8 : Axe de rotation du versant 1

9 : Axe de rotation du versant 2

10 : Axe de rotation de la croupe

Figure 3.25 - Perspective et nomenclature de la couverture

3.2.3 Procédure

Sur le fond de plan, le contour extérieur et l'épaisseur des murs sont représentés en traits interrompus, car cachés par la couverture à dessiner.

La forme de la couverture définit les murs gouttereaux et les murs pignons.

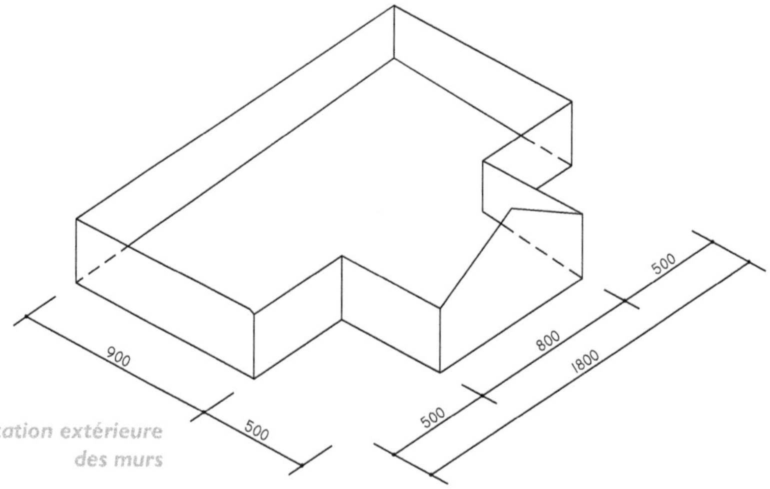

Figure 3.26 - Cotation extérieure
des murs

1. Sur la vue en plan de la couverture, représenter les contours de la couverture pour un débord de 50 cm en tous sens.
2. Tracer les faîtages positionnés aux milieux des corps du bâtiment (la longueur du faîtage repéré 4 est trouvée ultérieurement).
3. Tracer les noues qui joignent les intersections des lignes d'égout et l'intersection des faîtages. Avec des pentes de toit différentes, ces lignes ne sont pas à 45°.
4. Tracer les arêtiers en utilisant l'angle des noues (intersection des plans de même pente que pour les noues).
5. Ainsi est déterminée la longueur du faîtage repéré 4.
6. Des lignes de rappel verticales déterminent la couverture en élévation.
7. Selon un procédé identique au sujet précédent, les rabattements des versants repérés 1, 2 et 3 donnent les vraies grandeurs. Comme une vérification, la longueur de la noue du versant 1 doit être identique à la longueur de la noue du versant 2. Il en va de même pour les arêtiers.

Élévation

Plan de la couverture

Techniques des dessins
du bâtiment - Tome 1

Éch. : 1/100 (0,01)

Couverture, pentes inégales

J-P GOUSSET

Éditions EYROLLES

3.3   Couverture, coyaux et lucarnes

3.3.1 Énoncé

Il s'agit de terminer les éléments de la couverture ébauchée sur le fond de plan de la page de droite, à l'échelle 1/100. Compte tenu des éléments fournis, le tracé de lignes horizontales et verticales permet de :

▶ trouver les pentes du versant de long pan, du versant de croupe, des versants de la lucarne ;

▶ tracer les lignes de couverture selon les 3 vues ;

▶ trouver les vraies grandeurs des arêtiers, des noulets (pour la lucarne), du versant 1, de la couverture de la lucarne.

3.3.2 Description

La maison rectangulaire est couverte de tuiles plates selon différentes pentes définies sur le fond de plan.

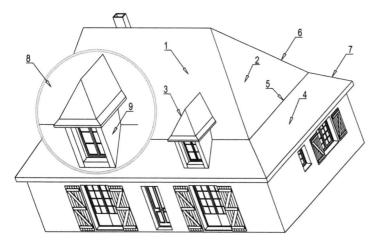

1 : Versant de long pan
2 : Versant de croupe
3 : Lucarne
4 : Coyaux (pente inférieure à la partie courante)
5 : Ligne de brisure entre les 2 pentes
6 : Arêtier courant
7 : Arêtier du coyau
8 : Détail de la lucarne
9 : Jouée de lucarne

Figure 3.27 - Repérage des éléments de la couverture

3.3.3 Procédure

Sur le fond de plan, sont représentées l'élévation d'une partie de la couverture (l'angle et la lucarne) et les ébauches de la vue de gauche et de la vue en plan (ou vue de dessus).

1. Sur la vue de gauche les lignes de rappel avec la vue de face permettent de représenter la lucarne.

2. D'autres lignes permettent de trouver les pentes (mesure de la hauteur pour 10 cm selon l'horizontale, à exprimer en pourcentage).

3. De la même manière, la vue en plan est complétée.

4. Sur cette vue en plan, peuvent être rabattus les versants de long pan, du coyau, de la couverture de la demi-lucarne.

Techniques des dessins
du bâtiment - Tome 1

Éch. : 1/50 (0,02)

Couverture, coyaux et lucarnes

J-P GOUSSET

Éditions EYROLLES

4. INTERSECTIONS DE CYLINDRES ET DÉVELOPPEMENTS

4.1 Intersection de cylindres de même diamètre

4.1.1 Énoncé

Il s'agit de déterminer, sur le fond de plan de la page de droite, l'intersection des 2 cylindres de même diamètre, sur la vue de face et sur la vue de dessus, à l'échelle 1/1.

4.1.2 Description

Les 2 cylindres forment un angle de 45°. L'intersection cherchée est relative à l'enveloppe extérieure[1].

4.1.3 Procédure

Les 2 cylindres sont représentés selon 3 vues.

La section du cylindre incliné à 45° est représentée par une ellipse sur la vue de gauche et la vue de dessus.

Quant aux intersections à déterminer, elles ne sont visibles qu'en vue de face et vue de dessus. Sur la vue de gauche, cette intersection est confondue avec l'enveloppe extérieure du cylindre horizontal.

1. Sur la vue de face, terminer le partage du cercle[2] de la section rabattue en 12 arcs égaux, en prenant pour ouverture de compas le rayon du cercle, et pour point de départ le point O. Ainsi sont positionnés les points 2, 4, 6... les points impairs sont déterminés par la même méthode, mais commençant par le point 3 situé sur un axe perpendiculaire à celui passant par le point O.

2. Effectuer la même opération sur une section rabattue du cylindre horizontal. Le repérage des génératrices est tel que la génératrice O du cylindre incliné se trouve en accord avec la génératrice O du cylindre horizontal.

3. Les points de l'intersection[3] cherchée sont positionnés aux points de concours des génératrices, comme esquissé sur le fond de plan.

4. Joindre les points pour tracer l'intersection.

5. Le principe est identique pour la vue de dessus, avec une courbe en traits continus (intersection vue) et une courbe en traits interrompus (intersection cachée).

6. Représenter la section rabattue du cylindre incliné à 45° sur la vue de gauche afin d'en tracer l'ellipse, qui correspond à la projection du cercle.

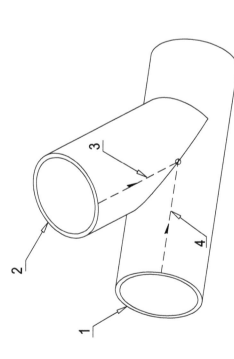

1 : Cylindre horizontal de 35 mm de diamètre ; **2 :** Cylindre incliné à 45°, dont la section rabattue est représentée sur la vue de face du fond de plan ; **3 :** Génératrice du cylindre 2 ; **4 :** Génératrice du cylindre 1

Figure 3.28 – Perspective de l'intersection des 2 cylindres

---

1. Selon que l'on s'intéresse à la fibre moyenne ou à l'enveloppe extérieure, le résultat est légèrement différent.
2. Même si en pratique le partage du demi-cercle suffit.
3. Les points issus des génératrices O, 3, 6 existent déjà sur le fond de plan.

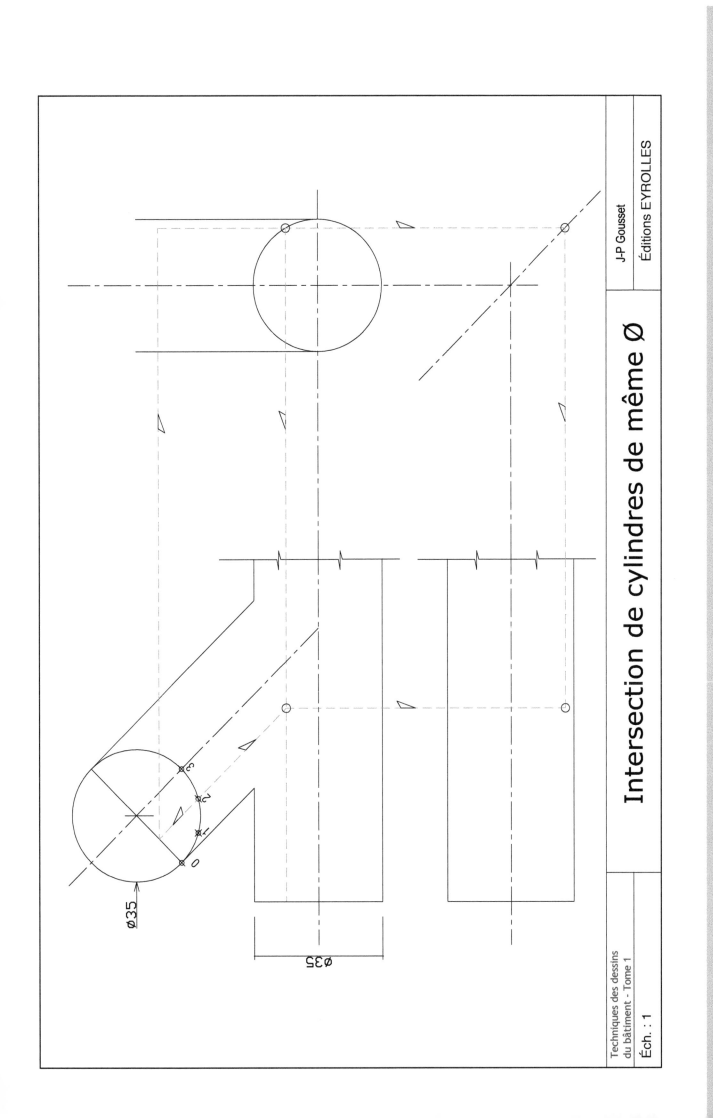

Ø35

Ø35

Techniques des dessins
du bâtiment - Tome 1

J-P Gousset

Intersection de cylindres de même Ø

Éditions EYROLLES

Éch. : 1

4.2 Développement du cylindre incliné à 45°

4.2.1 Énoncé

Il s'agit de déterminer, sur le fond de plan de la page de droite, le développement du cylindre incliné à 45°, à l'échelle 1/1.

4.2.2 Description

Une fois l'intersection trouvée en projection, il s'agit de définir le développement du cylindre sur une feuille. Ainsi, la feuille repliée sur le cylindre détermine sa découpe afin que l'assemblage, en général par soudure, puisse être effectué.

4.2.3 Procédure

Sur le fond de plan sont représentés :

▲ le cylindre incliné à 45° en projection ;
▲ la section rabattue à diviser en 12 parties égales ;
▲ la génératrice 0, origine du développement, extérieure au cylindre.

1. Diviser la section rabattue en 12 parties égales puis numéroter les génératrices.
2. Tracer les parallèles à la génératrice 0 issues du cercle divisé.
3. Perpendiculairement à la génératrice 0, origine du développement, tracer un segment égal à πD.
4. Diviser ce segment en 12 parties égales[1].
5. Reporter chronologiquement les longueurs des génératrices du cylindre en projection sur les génératrices du segment de longueur πD.
6. Joindre les points pour tracer le développement.

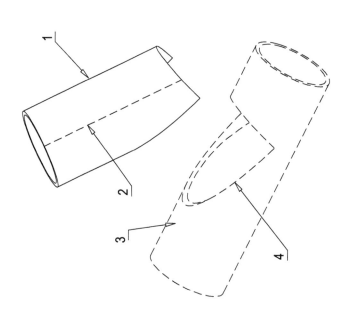

1 : Cylindre incliné à développer ; **2 :** Génératrice du cylindre ; **3 :** Cylindre horizontal à développer dans l'exercice suivant ; **4 :** Perspective de l'intersection

Figure 3.29 - Perspective éclatée de l'intersection

---

1. Voir dans la partie II le paragraphe « Division d'un segment en n segments égaux ».

188

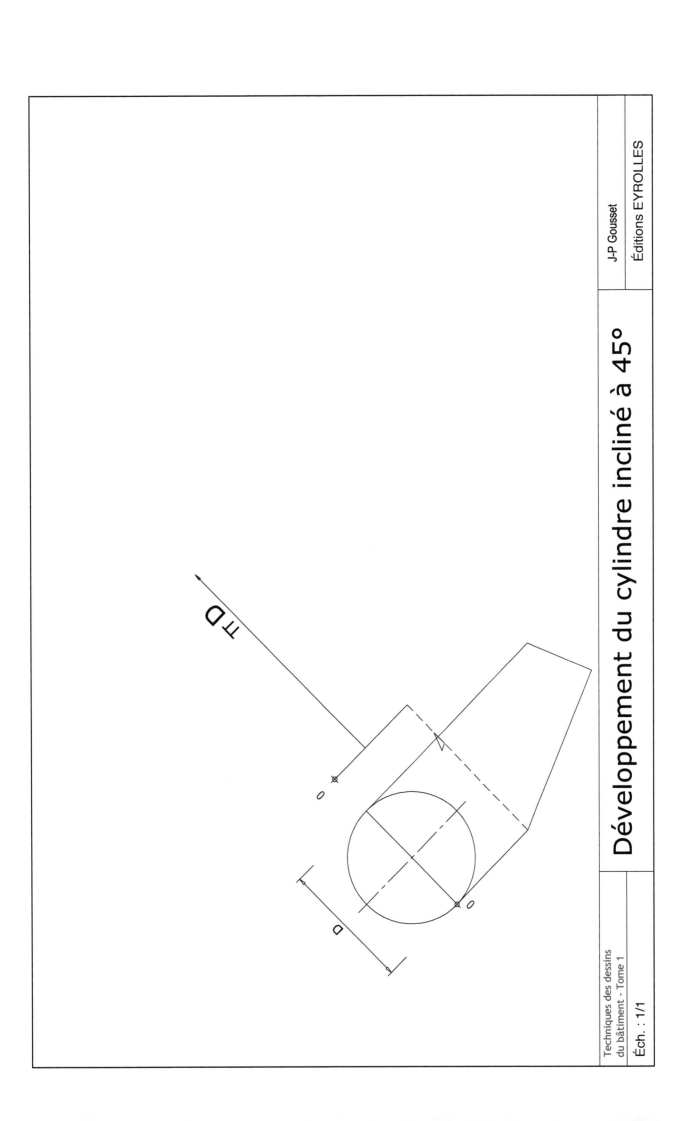

Techniques des dessins
du bâtiment - Tome 1

Éch. : 1/1

Développement du cylindre incliné à 45°

J-P Gousset

Éditions EYROLLES

4.3 Développement du cylindre horizontal

4.3.1 Énoncé

Il s'agit de déterminer, sur le fond de plan de la page de droite, le développement du cylindre horizontal, à l'échelle 1/1.

4.3.2 Description

Comme pour le cylindre incliné, le tracé de la découpe du cercle horizontal s'effectue d'après son développement sur un plan.

4.3.3 Procédure

Le principe est identique à l'exercice précédent : section rabattue, division du cercle, report des longueurs des génératrices.

Le développement proposé est relatif à un piquage à 45° et à un piquage à 90°.

Sur le fond de plan sont représentés :

▲ le cylindre horizontal, y compris la représentation des intersections en vue de dessus ;
▲ la section rabattue à diviser en 12 parties égales ;
▲ la génératrice 3, origine du développement, extérieure au cylindre.

Compte tenu de la place disponible, seule la partie supérieure[1] (demi-cylindre) est développée.

1. Diviser la section rabattue en 12 parties égales puis numéroter les génératrices.
2. Tracer les parallèles à la génératrice 3 issues du cercle divisé.
3. À partir de l'origine de la génératrice 3, repérée sur le développement, tracer un segment égal à $\pi D/2$.
4. Diviser ce segment en 6 parties égales[2].
5. Reporter chronologiquement les longueurs des génératrices de l'intersection en projection vers le demi-cylindre développé.
6. Joindre les points pour tracer les développements des intersections.

---

1. Il n'y a aucun tracé, car pas d'intersection, sur la partie inférieure.
2. Car c'est un demi-cylindre.

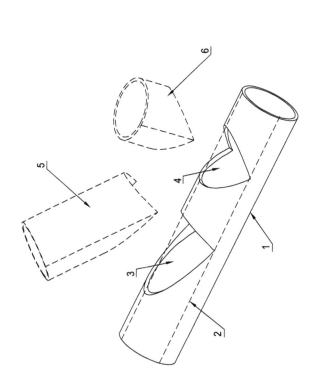

Figure 3.30 - Perspective éclatée des intersections

1 : Cylindre horizontal à développer ; **2 :** Génératrice origine du développement ; **3 :** Matière à enlever pour le piquage à 45° ; **4 :** Matière à enlever pour le piquage à 90° ; **5 :** Cylindre incliné à 45° ; **6 :** Cylindre vertical

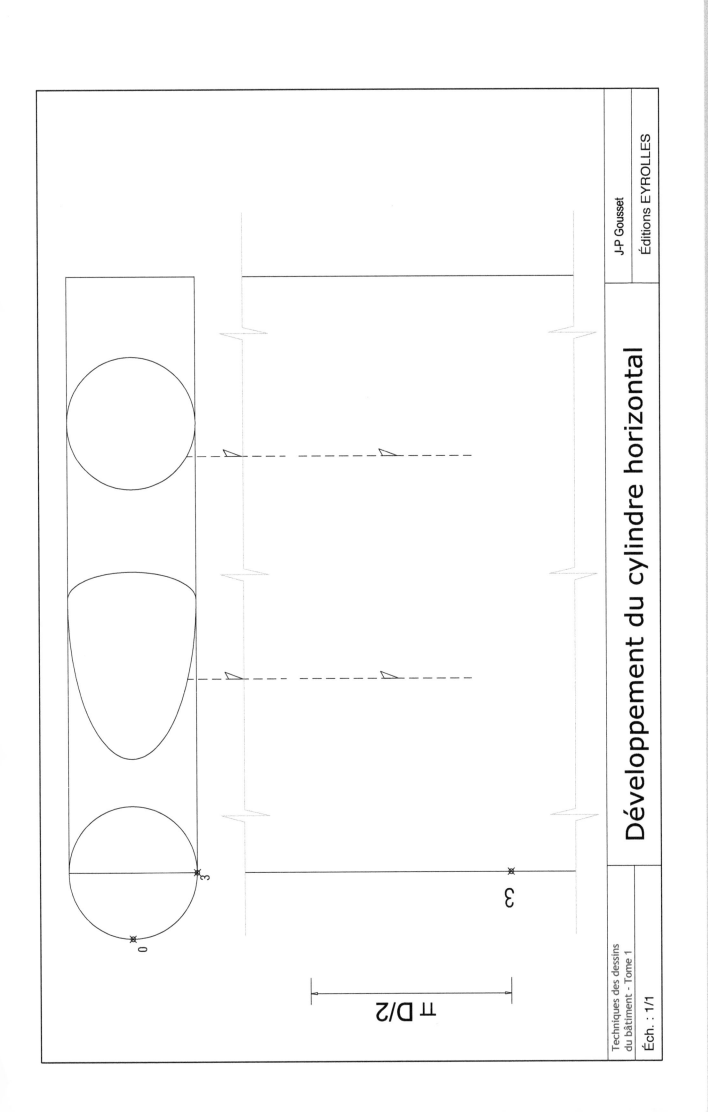

Développement du cylindre horizontal

π D/2

3

0

3

Techniques des dessins
du bâtiment - Tome 1

Éch. : 1/1

J-P Gousset

Éditions EYROLLES

4.4 Intersection de cylindres de diamètres différents

4.4.1 Énoncé

Il s'agit de déterminer, sur le fond de plan de la page de droite, l'intersection et la projection des cylindres de diamètres différents, sur les 3 vues, à l'échelle 1/1.

4.4.2 Description

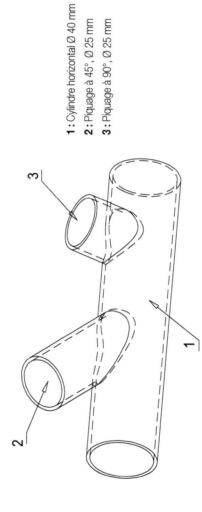

1 : Cylindre horizontal Ø 40 mm
2 : Piquage à 45°, Ø 25 mm
3 : Piquage à 90°, Ø 25 mm

Figure 3.31 – Perspective des intersections des cylindres

4.4.3 Procédure

Il suffit de reprendre celle décrite au paragraphe 4.1, « Intersection de cylindres de même diamètre », en utilisant les diamètres indiqués dans la légende de la figure.

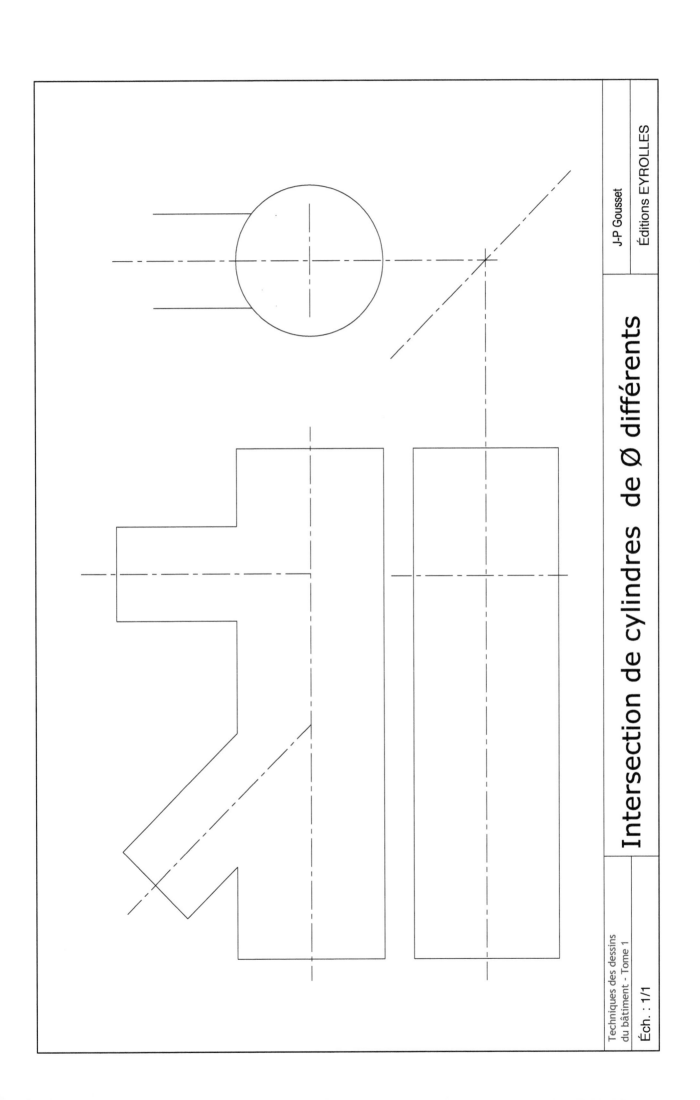

Techniques des dessins
du bâtiment - Tome 1

Éch. : 1/1

J-P Gousset

Éditions EYROLLES

Intersection de cylindres de Ø différents

5. COUPES ET SECTIONS

5.1 Élément de canalisation en béton

5.1.1 Énoncé

Il s'agit de représenter, sur le fond de plan de la page de droite, sur la même vue : la demi-coupe et la demi-vue de face, puis la vue de gauche, à l'échelle 1/25.

5.1.2 Description

Les eaux de ruissellement, ou d'autres types, sont collectées puis acheminées par des canalisations formées par des tuyaux modulaires assemblés. Pour être emboîtés, les tuyaux sont fabriqués avec une partie mâle chanfreinée (arête vive remplacée par un quart de rond, variation progressive du diamètre) et une partie femelle (collet ou tulipe) munie d'un joint d'étanchéité.

1 : Fût, ø nominal (intérieur) : 1 400 mm, Ø extérieur : 1 680 mm

2 : Partie femelle ou collet : cylindre, Ø extérieur 1 740 mm ; longueur 300 mm puis partie conique pour raccorder ce Ø : Ø extérieur 1 680 mm ; longueur 130 mm

3 : Partie mâle chanfreinée[1] : cylindre, Ø extérieur : 1 540 mm ; longueur 50 mm puis partie conique pour raccorder ce Ø : Ø 1 500 mm ; longueur 100 mm

4 : Ø nominal (intérieur) : 1 400 mm

5 : Gorge pour l'emboîtement, Ø 1 540 mm ; longueur 150 mm

6 : Longueur utile Lu : 2 350 mm, longueur hors tout : 2 550 mm

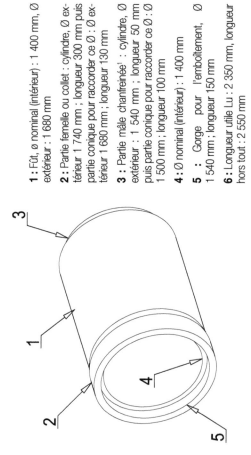

Figure 3.32 – Repérage d'un élément de canalisation

1. Gorge pour le joint d'étanchéité non représentée.

5.1.3 Procédure

Afin de représenter à la fois les formes intérieures et extérieures du tuyau, la partie supérieure de la vue de face est supposée coupée et la partie inférieure de la vue de face est une vue extérieure.

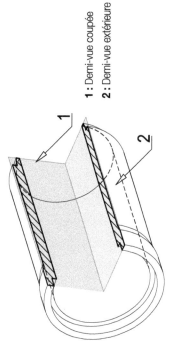

1 : Demi-vue coupée
2 : Demi-vue extérieure

Figure 3.33 – Perspective de l'élément à représenter

1. En prenant pour référence l'axe horizontal du fond de plan, tracer les contours de la zone coupée, au-dessus de l'axe.

2. Tracer les lignes verticales, vues et cachées, qui correspondent aux limites des cylindres et des cônes.

3. Tracer le contour extérieur au-dessous de l'axe, puis les lignes verticales. Certaines lignes vues au-dessus de l'axe deviennent cachées au-dessous de l'axe.

4. Tracer les cercles de la vue de gauche, vus ou cachés.

5. La zone coupée, dont le contour est à représenter en traits renforcés, doit être hachurée.

6. Coter le dessin.

1/2 Coupe verticale

Vue de gauche

1/2 Coupe verticale

Tuyau collecteur

J-P GOUSSET

Éditions EYROLLES

Techniques des dessins
du bâtiment - Tome 1

Éch. : 1/25 (0,25)

5.2 Tête d'ouvrage hydraulique

5.2.1 Énoncé

Il s'agit de représenter, sur le fond de plan de la page de droite, la vue de face, la vue de dessus et une coupe verticale passant par une réservation de la tête d'ouvrage hydraulique, à l'échelle 1/50.

5.2.2 Description

Pour éviter le ravinement des terres, les extrémités des canalisations[1] sont fixées par des têtes d'ouvrage hydraulique.

1 : Béton de propreté

2 : Bêche

3 : Radier

4 : Voile en retour

5 : Voile de front

6 : Réservation pour emboîture, Ø intérieur 700 mm, Ø extérieur 770 mm, profondeur 65 mm

7 : Axe du plan de coupe

8 : Ligne de référence représentée sur le fond de plan

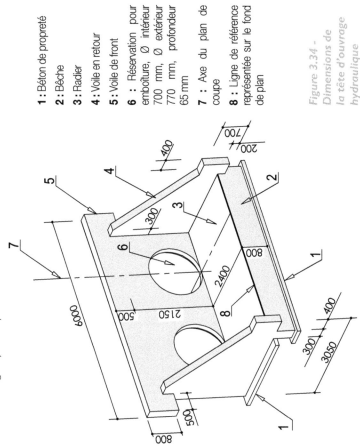

Figure 3.34 – Dimensions de la tête d'ouvrage hydraulique

5.2.3 Procédure

Le béton de propreté d'une épaisseur de 10 cm et d'un débord de 10 cm sera représenté à la fin.

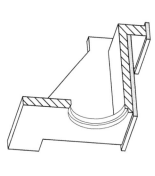

Figure 3.35 – Perspective de la coupe AA

1. Sur la vue de face, en prenant pour référence l'arête supérieure du radier, tracer le contour du voile de front, puis les voiles en retour.

2. Sur la vue de gauche (ou coupe AA), tracer la bêche, le radier et le voile de front.

3. Sur la vue de dessus, tracer le contour vu du radier, puis les voiles (de front, et en retour).

4. Positionner les axes des réservations sur les 3 vues, puis tracer ces réservations en projection.

5. Tracer le béton de propreté et les arêtes cachées.

6. Sur la coupe AA, délimiter la zone coupée[2] par des traits renforcés, puis hachurer ou pocher cette zone.

7. Coter le dessin.

---

1. Un élément de canalisation est étudié dans l'exercice précédent. Les diamètres varient en fonction des quantités d'eau à évacuer.

2. Pour montrer la différence de matériaux, cette zone peut être partagée par un trait fin, avec des hachures différentes comme sur la figure 3.37.

Coupe A-A

+

Vue de face

Vue de dessus

Tête d'ouvrage hydraulique

Techniques des dessins
du bâtiment - Tome 1

Éch. : 1/50 (0,02)

J-P GOUSSET

Éditions EYROLLES

5.3 Porte intérieure à panneaux

5.3.1 Énoncé

Il s'agit de représenter, sur le fond de plan de la page de droite, une porte intérieure à panneaux selon :
▶ une coupe horizontale HH à l'échelle 1/2 ;
▶ une coupe verticale VV à l'échelle 1/4 ;
▶ l'élévation (ou vue de face) à l'échelle 1/20.

5.3.2 Description

Cette porte intérieure, de 800 mm par 2 015 mm en fond de feuillure, est composée de montants, de traverses, et de 3 panneaux pleins.

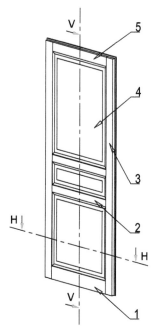

1 : Traverse basse
2 : Traverse intermédiaire
3 : Montant
4 : Panneau
5 : Traverse haute

Figure 3.36 - Perspective de la porte à panneaux

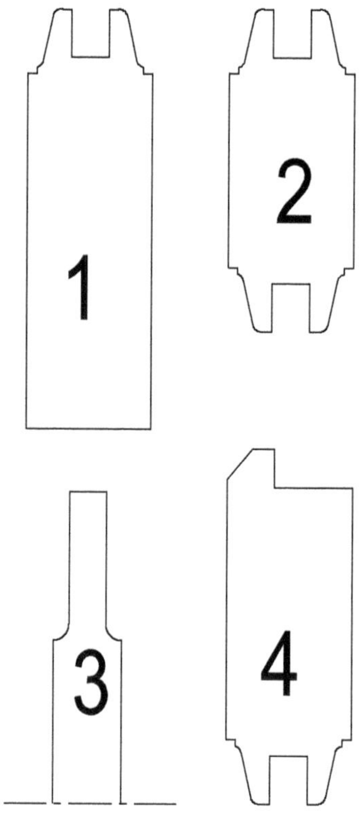

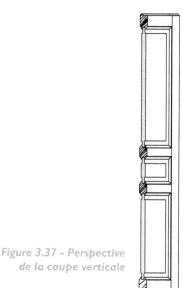

Figure 3.37 - Perspective de la coupe verticale

1 : Traverse basse
2 : Traverse intermédiaire
3 : Panneau
4 : Montant et traverse haute

Figure 3.38 Section des éléments, à l'échelle 0,5

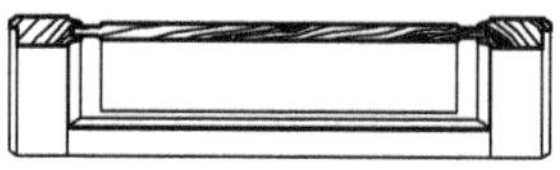

Figure 3.39 - Perspective de la coupe horizontale

5.3.3 Procédure

1. Sur la coupe HH sont représentés le contour du montant gauche et 2 traits mixtes signifiant que le panneau, compte tenu de l'échelle et de sa dimension réelle, ne peut être dessiné en intégralité[1]. Il reste à représenter le montant droit, en symétrie, puis le panneau contours des zones grisées de la perspective.

2. Terminer cette coupe par les traits de la traverse basse, située en arrière du plan de coupe, puis par des hachures matérialisant le bois coupé.

3. Pour la coupe VV, ébauchée avec le contour de la traverse basse, reprendre la procédure de coupe HH avec l'insertion des 2 traverses intermédiaires, puis de la traverse haute, différente de la traverse basse.

4. Terminer cette coupe par les traits situés en arrière du plan de coupe, puis par des hachures.

5. Pour l'élévation, tracer un rectangle correspondant aux dimensions extérieures de la porte.

6. Sur cette base peuvent être représentés[2] la traverse basse, les montants[3] et la traverse haute.

7. Positionner les traverses intermédiaires de telle sorte que leur axe soit à 770 mm et à 1 030 mm du bas de la porte.

8. Terminer par le tracé des panneaux.

---

1. Sa longueur est réduite, d'une valeur quelconque, de telle sorte que la coupe ne dépasse pas la largeur du cadre de la feuille.
2. À cette échelle, toutes les arêtes des moulures ne peuvent pas être représentées.
3. Compte tenu du sens d'observation, les feuillures sont vues.

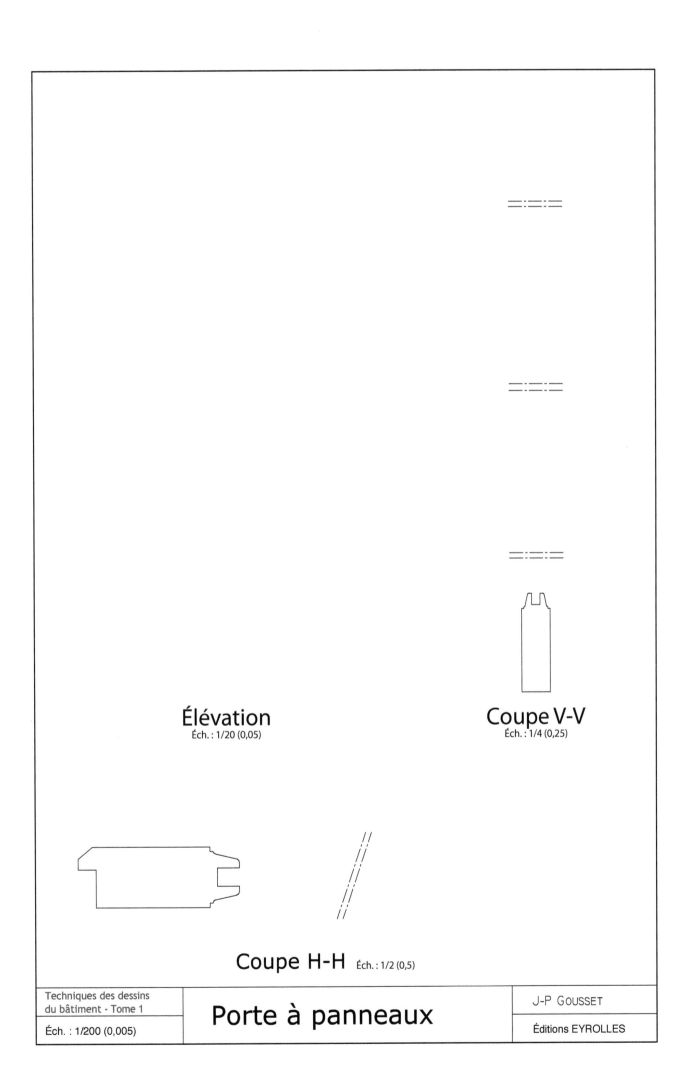

Élévation
Éch. : 1/20 (0,05)

Coupe V-V
Éch. : 1/4 (0,25)

Coupe H-H Éch. : 1/2 (0,5)

Techniques des dessins
du bâtiment - Tome 1

Éch. : 1/200 (0,005)

Porte à panneaux

J-P GOUSSET

Éditions EYROLLES

5.4 Porte intérieure vitrée

5.4.1 Énoncé

Il s'agit de représenter, sur le fond de plan de la page de droite, une porte intérieure vitrée selon :
▶ une coupe verticale VV à l'échelle 1/2 ;
▶ une coupe horizontale brisée HH à l'échelle 1/2 ;
▶ l'élévation (ou vue de face) à l'échelle 1/10.

5.4.2 Description

Cette porte intérieure, de 830 mm par 2 040 mm, est composée de montants, de traverses, de 2 panneaux pleins et d'une partie vitrée.

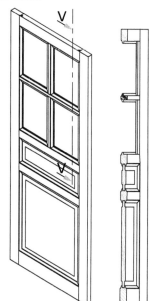

Figure 3.40 - Perspective et coupe verticale

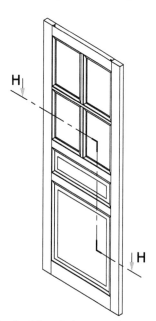

Figure 3.41 - Position de la coupe horizontale brisée

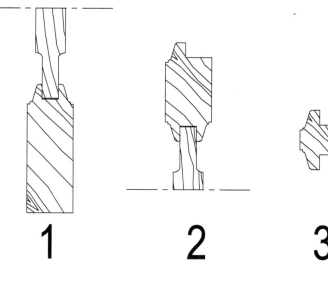

1 : Traverse basse avec assemblage du panneau

2 : Traverse intermédiaire haute avec, en partie inférieure, l'assemblage du panneau et,
en partie supérieure, la feuillure qui recevra le vitrage

3 : Petit bois entre 2 vitrages

Figure 3.42 - Section des éléments, à l'échelle 0,5

5.4.3 Procédure

Elle est similaire au tracé de la porte à panneaux.

1. Sur la coupe VV, le tracé du contour du panneau intermédiaire permet le positionnement de la traverse intermédiaire haute (repère 2 de la figure 3.44).

2. Dans l'alignement, vers le haut de la feuille, se trouve la traverse haute avec une feuillure pour le vitrage mais sans rainure pour le panneau.

3. La section du petit bois est positionnée entre ces 2 sections.

4. Terminer cette coupe par les traits[1] situés en arrière du plan de coupe, puis par des hachures.

5. Sur la coupe brisée HH, est représenté le contour du montant droit. Il faut la compléter par le montant gauche[2], un petit bois, des traits de l'arrière du plan de coupe, des hachures.

6. Pour l'élévation, le rectangle correspond aux dimensions extérieures de la porte, il lui faut ajouter les montants, les traverses[3], les petits bois.

---

1. Interrompus par des traits, comme pour l'exercice précédent, pour signifier que la distance entre les sections est réduite par rapport à l'échelle.
2. Différent du montant droit par la présence de la feuillure pour le vitrage.
3. Sur cette face, l'intersection particulière entre montant et traverse, pour rattraper la différence de profondeur de feuillure, n'est pas vue.

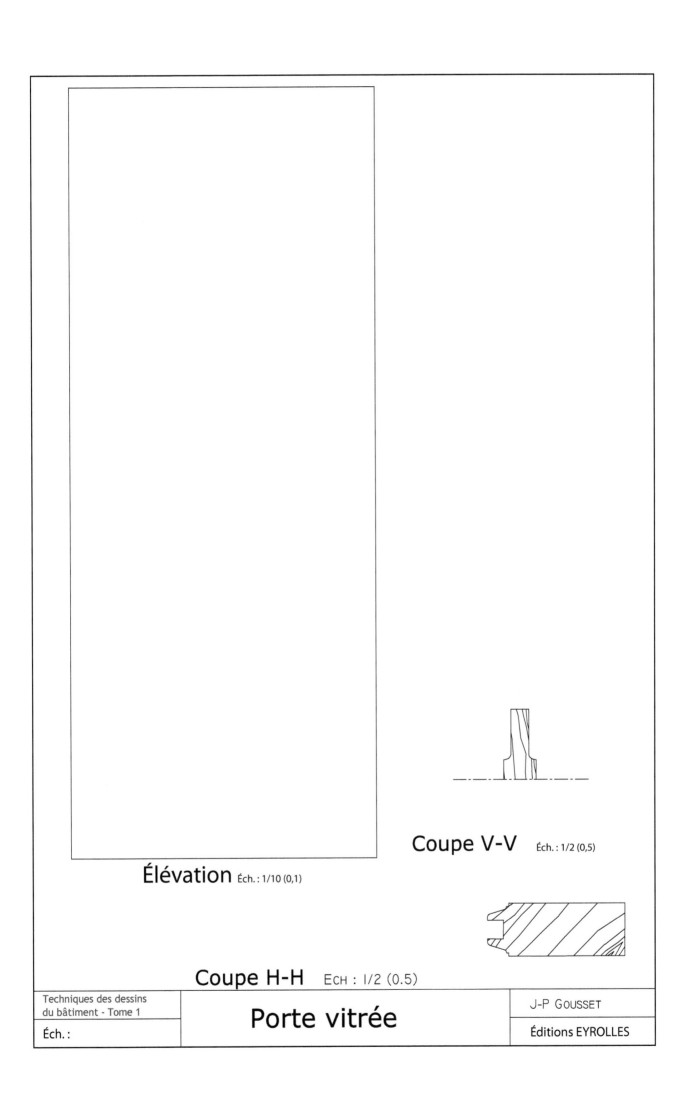

Élévation Éch. : 1/10 (0,1)

Coupe V-V Éch. : 1/2 (0,5)

Coupe H-H ECH : 1/2 (0.5)

Techniques des dessins
du bâtiment - Tome 1

Éch. :

Porte vitrée

J-P GOUSSET

Éditions EYROLLES

6. Vues en plan

6.1 Lecture de plan, projet 1

6.1.1 Énoncé

Il s'agit, en se référant aux paragraphes de la section « 3 Projets » de la partie I, et en observant la vue en plan ci-dessous, de répondre aux questions énoncées sur la page de droite.

6.1.2 Vue en plan du RDC du projet 1

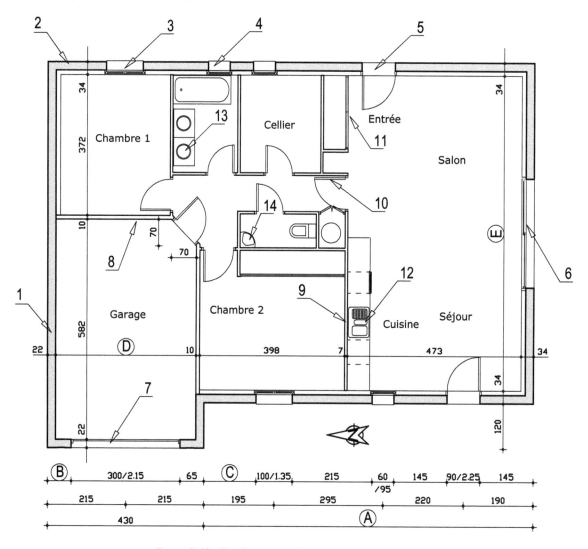

Figure 3.43 - Repérage des éléments liés aux questions

Questionnaire

1 Échelle de la vue en plan (compris détails des calculs)

2 Nomenclature des éléments repérés

1 =

2 =

3 =

4 =

5 =

6 =

7 =

8 =

9 =

10 =

11 =

12 =

13 =

14 =

3 Calcul (y compris détails des calculs et unité du résultat) des cotes repérées

A :

B :

C :

D :

E :

4 Calcul de surfaces (y compris croquis de décomposition et détails des calculs)

Surface du garage	Surface HO (hors œuvre) de la maison

5 Orientation de la porte du garage

6.2 Lecture de plan, projet 2

6.2.1 Énoncé

Il s'agit, en observant la vue en plan ci-dessous, de répondre aux questions énoncées sur la page de droite.

6.2.2 Vue en plan du RDC du projet 2

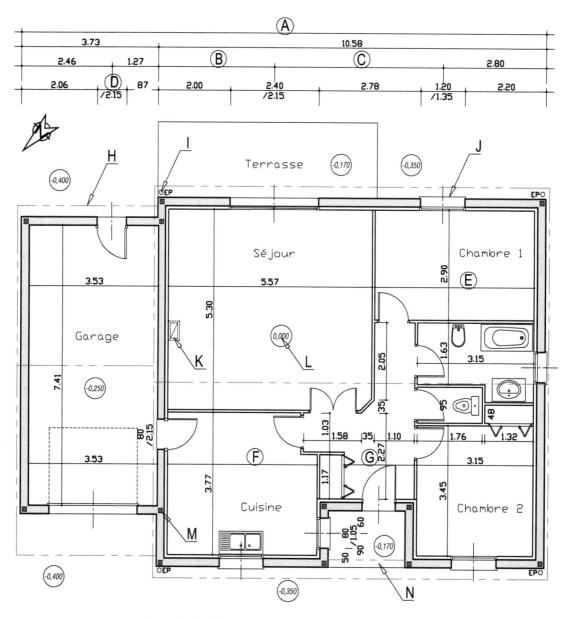

Figure 3.44 – Repérage des éléments liés aux questions

Questionnaire

1 Échelle de la vue en plan (y compris détails des calculs)

2 Calcul (y compris détails des calculs et unité du résultat) des cotes repérées

A =

B =

C =

D =

E =

F =

G =

3 Nomenclature des éléments repérés

H :

I :

J :

K :

L :

M :

N :

4 Calcul de surfaces (y compris croquis de décomposition et détails des calculs)

Surface de la cuisine	Surface du séjour

5 Orientation de la façade, du pignon du garage

6.3   Réalisation d'une vue en plan partielle

6.3.1 Énoncé

Il s'agit de représenter, à l'échelle 1/50 sur le fond de plan de la page de droite, la vue en plan partielle du projet 1.

6.3.2 Description

Cet angle de la vue en plan est représenté à une échelle quelconque. Par conséquent, pour effectuer le dessin, il faut utiliser les cotes du dessin, et les mettre à l'échelle demandée.

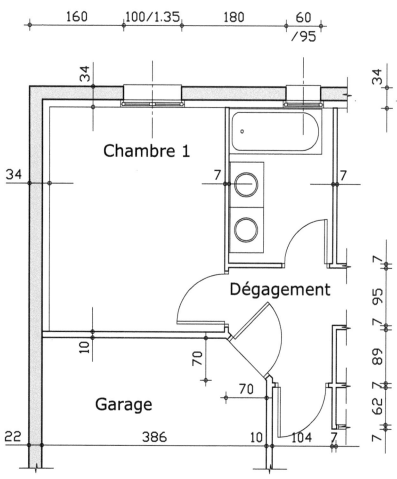

Figure 3.45 - Portion de la vue en plan à représenter

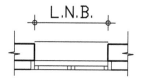

Figure 3.46 - Baie de fenêtre à l'échelle 1/50

Il reste à adapter cette représentation pour une largeur en tableau (LNB) de 100 ou de 60.

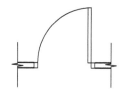

Figure 3.47 - Porte intérieure à l'échelle 1/50

6.3.3 Procédure

Sur le fond de plan sont représentés : l'angle supérieur gauche du plan, les appareils sanitaires de la salle de bains, des lignes de brisure pour limiter le dessin.

1. À partir de l'angle du fond de plan, tracer les épaisseurs des murs.
2. Tracer les cloisons, à partir des murs précédemment représentés, de telle sorte qu'elles correspondent aux dimensions imposées.
3. Insérer les baies de fenêtres.
4. Insérer les portes intérieures.
5. Renforcer les traits des murs et des cloisons.
6. Coter le plan.

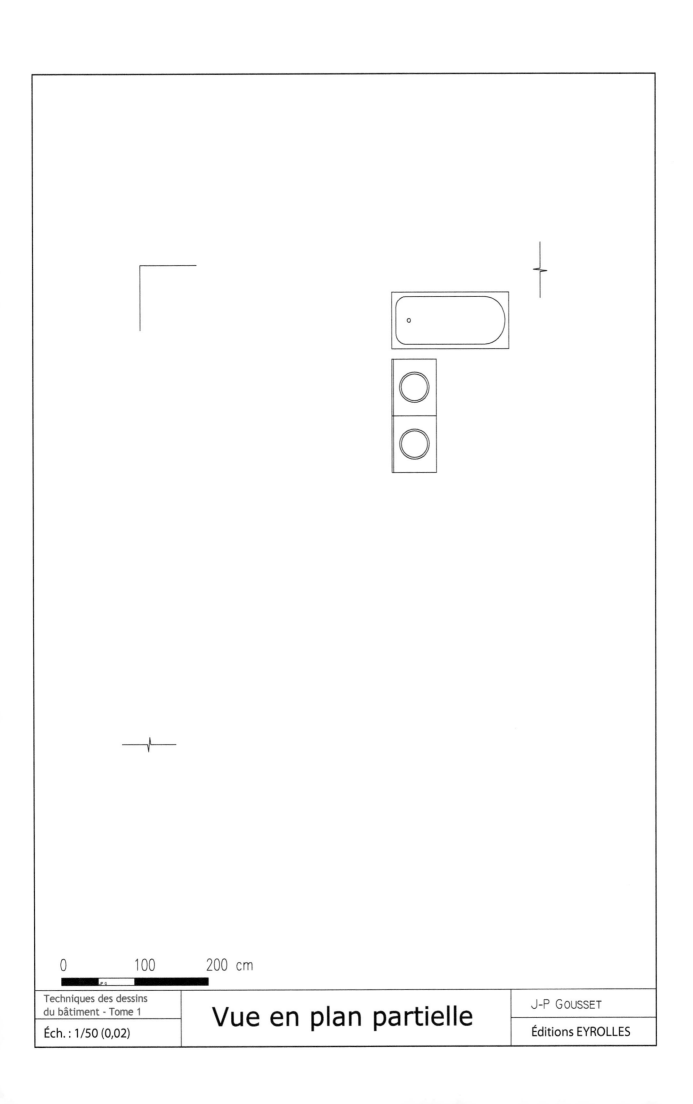

0   100   200 cm

Techniques des dessins du bâtiment - Tome 1	Vue en plan partielle	J-P GOUSSET
Éch. : 1/50 (0,02)		Éditions EYROLLES

6.4 Réalisation de la vue en plan complète

6.4.1 Énoncé

Il s'agit de représenter la vue en plan complète du projet 1, à l'échelle 1/100, sur le fond de plan de la page de droite.

6.4.2 Description

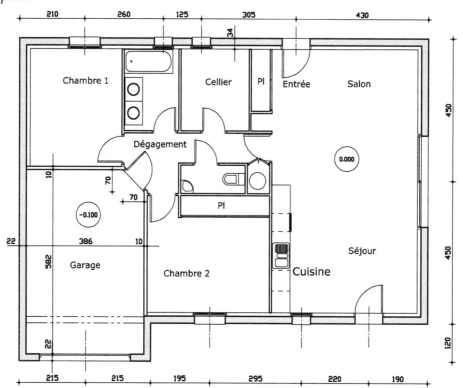

Figure 3.48 - Vue en plan à représenter

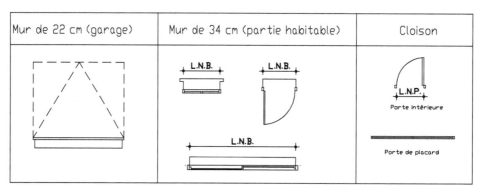

Figure 3.49 – Exemple de représentation des différentes baies et menuiseries du plan, à l'échelle 1/100

DÉSIGNATION	GARAGE	CHAMBRE 1	S. DE BAINS	CELLIER	PLACARDS	CHAMBRE 2	WC
DIMENSIONS INTÉRIEURES	582 × 386	372 × 301	258 × 180	280 × 2 588	60 × 190 62 × 287	398 × 302	207 × 89
OUVERTURES	240/200	100/135	60/95	60/95		100/135	

Ouvertures de l'entrée : 90 × 225, du salon, séjour : 300 × 225 et 90 × 225, de la cuisine : 60/95.

L'espace ouvert entrée, salon, séjour, cuisine est trouvé par déduction.

6.4.3 Procédure

Elle est identique à la vue en plan partielle.

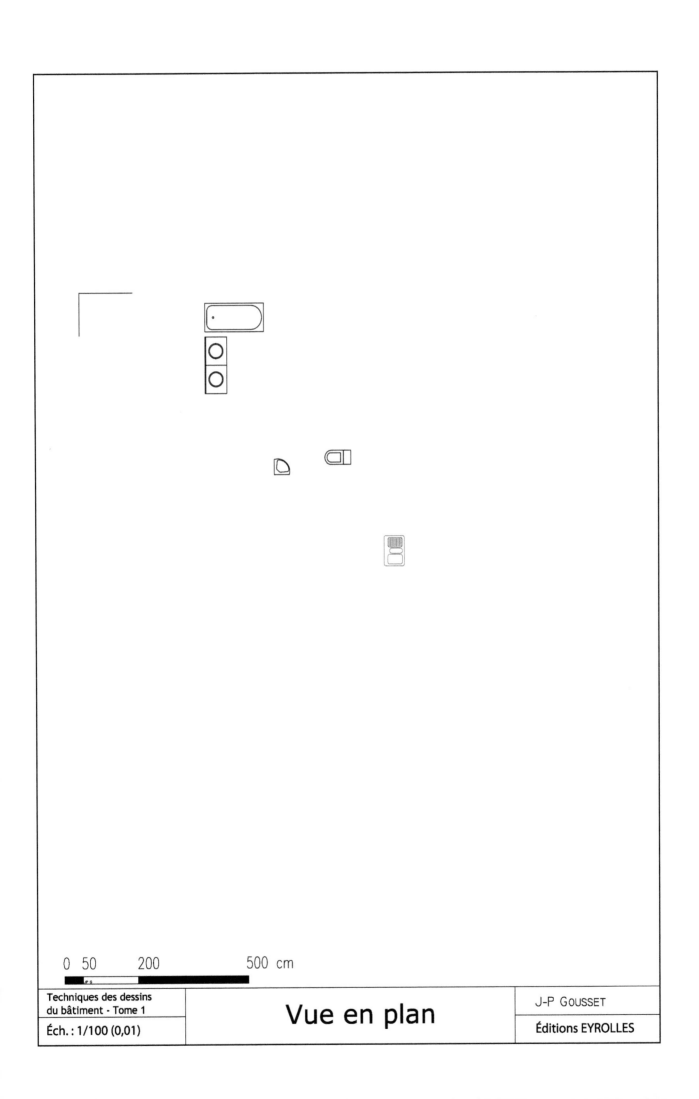

0 50   200   500 cm

Techniques des dessins
du bâtiment - Tome 1

Vue en plan

J-P GOUSSET

Éch. : 1/100 (0,01)

Éditions EYROLLES

6.5   Vue en plan de l'escalier balancé

6.5.1 Énoncé

Il s'agit de représenter, à l'échelle 1/50, sur le fond de plan de la page de droite, la vue en plan de l'escalier balancé.

6.5.2 Description

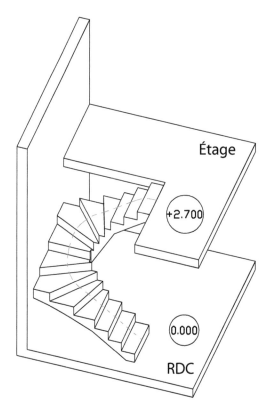

Figure 3.50 - Perspective de l'escalier balancé

6.5.3 Procédure

1. Tracer la ligne de foulée.
2. Calculer la longueur de la ligne de foulée, en déduire la valeur du giron.
3. Reporter ce giron sur la ligne de foulée[1].
4. Tracer la herse qui correspond à la zone comprise entre la 3ᵉ marche et le 1ᵉʳ changement de direction.
5. Tracer la herse qui correspond à la zone comprise entre le 1ᵉʳ changement de direction et le milieu de l'escalier.
6. Reporter ces valeurs sur la vue en plan afin de trouver le balancement des marches.
7. Au lieu de compléter l'escalier par symétrie, utiliser la herse 3 pour balancer les marches 8 à 13 en une seule fois, et observer la différence de résultat.

---

1. Une hauteur de marche doit correspondre au trait du milieu de l'escalier.

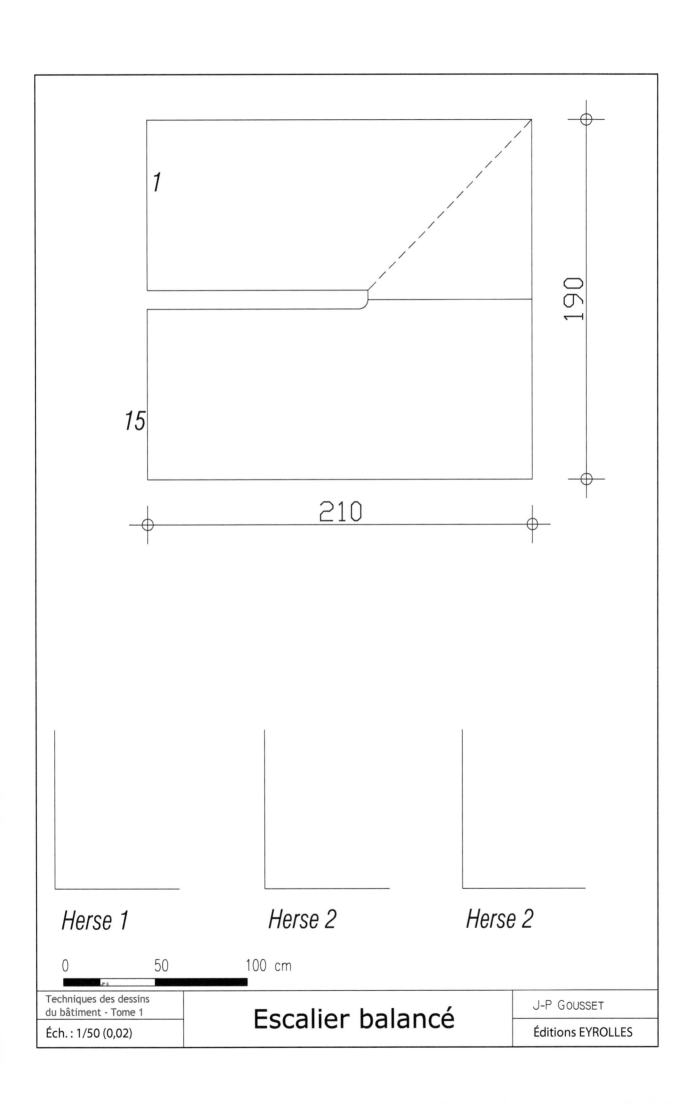

1

15

210

190

Herse 1

Herse 2

Herse 2

0   50   100 cm

Techniques des dessins
du bâtiment - Tome 1

Éch. : 1/50 (0,02)

Escalier balancé

J-P GOUSSET

Éditions EYROLLES

7. COUPES VERTICALES

7.1 Nomenclature

7.1.1 Énoncé

Il s'agit, en se référant aux paragraphes de la section « 3 Projets » de la partie I, et en observant la perspective ci-dessous, de répondre aux questions énoncées sur la page de droite.

7.1.2 Description

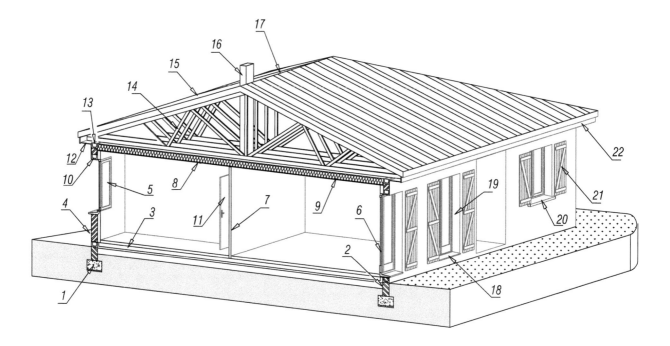

Figure 3.51 - Repérage des éléments de la perspective

Questionnaire

Nomenclature des éléments repérés

1 =

2 =

3 =

4 =

5 =

6 =

7 =

8 =

9 =

10 =

11 =

12 =

13 =

14 =

15 =

16 =

17 =

18 =

19 =

20 =

21 =

22 =

7.2   Coupe verticale, baie de porte

7.2.1 Énoncé

Il s'agit de représenter, à l'échelle 1/25 sur le fond de plan de la page de droite, la coupe verticale partielle, sur une baie de porte.

7.2.2 Description

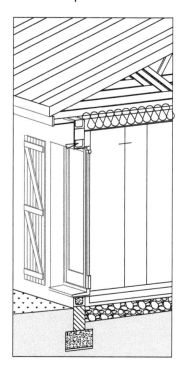

Figure 3.52 - Perspective
de la coupe verticale partielle
à représenter

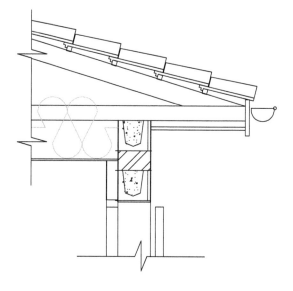

Figure 3.53 - Détail de l'avant-toit, à l'échelle 1/25

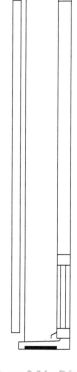

Figure 3.54 - Détail
de la porte-fenêtre,
à l'échelle 1/25

7.2.3 Procédure

Le fond de plan représente le contour de la semelle filante, le départ du mur de soubassement et des lignes de brisure pour limiter la coupe verticale.

1. Prolonger ce mur, au-delà du niveau 0,000, jusqu'à son arase supérieure de + 2,700.

2. Ce niveau, qui correspond aussi à l'arase supérieure du chaînage, permet le positionnement et le tracé du détail de la figure 3.54.

3. Tracer la hauteur sous plafond à 2,50 m (par rapport au niveau 0,000).

4. La hauteur nominale de la baie de porte (2,25 m) donne à la fois la position du linteau et la position de la menuiserie représentée sur la figure 3.56.

5. Tracer le doublage, dans le prolongement de la menuiserie.

6. Tracer le plancher, de type plancher sur terre-plein composé de 4 couches[1] : 6 cm de revêtement, 12 cm pour la dalle en béton armé, 6 cm d'isolant et 25 cm pour le blocage en pierres sèches (ou hérisson).

7. Coter la coupe (uniquement des cotes verticales et des niveaux alignés).

8. Terminer avec des traits renforcés et le hachurage des parties coupées.

---

1.   Le film polyane peut être représenté par un trait interrompu renforcé.

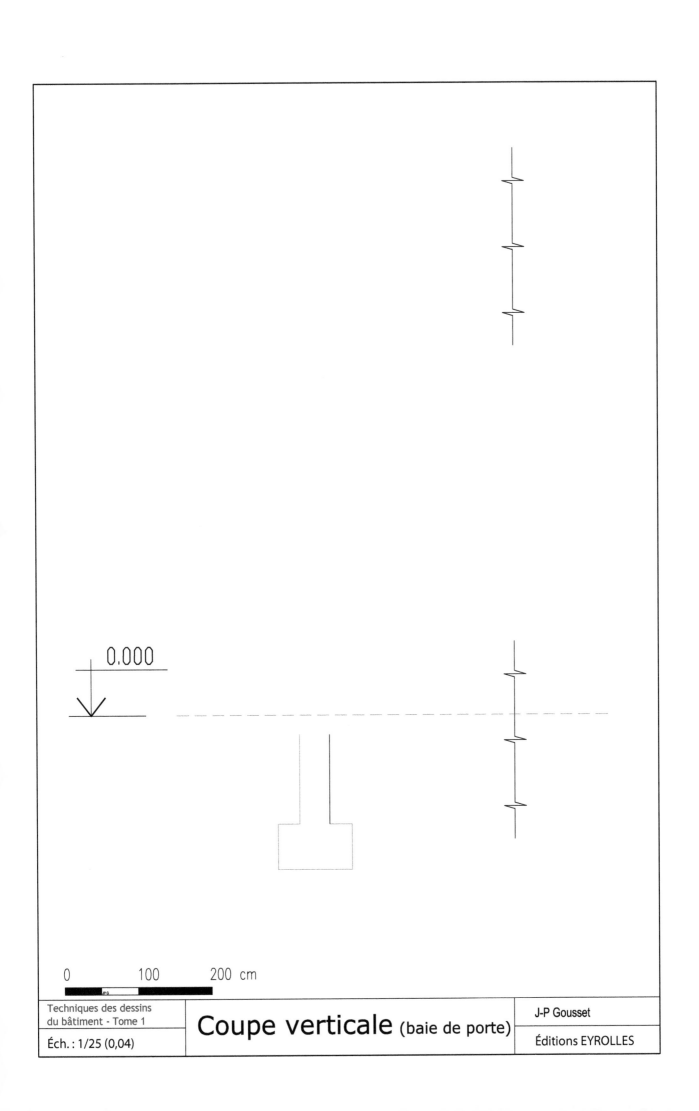

0.000

0   100   200 cm

7.3   Coupe verticale, baie de fenêtre

7.3.1 Énoncé

Il s'agit de représenter, à l'échelle 1/25 sur le fond de plan de la page de droite, la coupe verticale partielle, sur une baie de fenêtre.

7.3.2 Description

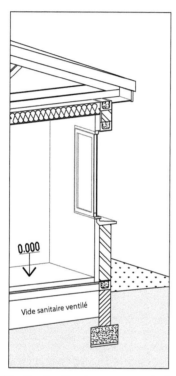

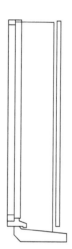

Figure 3.56 - Détail de la baie de fenêtre,
à l'échelle 1/25

Figure 3.55 - Perspective la coupe verticale partielle
à représenter

7.3.3 Procédure

Elle est identique à la coupe verticale sur une baie de porte avec, en plus de la variante de la fenêtre qui remplace la porte, un plancher sur vide sanitaire ventilé à la place d'un plancher sur terre-plein.

1. Compléter le fond de plan par le mur, le plafond, la charpente et l'avant-toit comme pour le dessin précédent.

2. Tracer la hauteur nominale de la baie de porte (2,25 m) qui donne la position du linteau et la position de la menuiserie représentée sur la figure 3.58.

3. Tracer le doublage, dans le prolongement de la menuiserie.

4. Tracer le plancher, de type plancher sur vide sanitaire, composé d'un revêtement de 6 cm et d'une partie porteuse d'une épaisseur de 20 cm (type 16 cm de hourdis et 4 cm de dalle de compression).

5. Tracer la hauteur du vide sanitaire de 50 cm.

6. Coter la coupe (uniquement des cotes verticales et des niveaux alignés).

7. Terminer avec des traits renforcés et le hachurage des parties coupées.

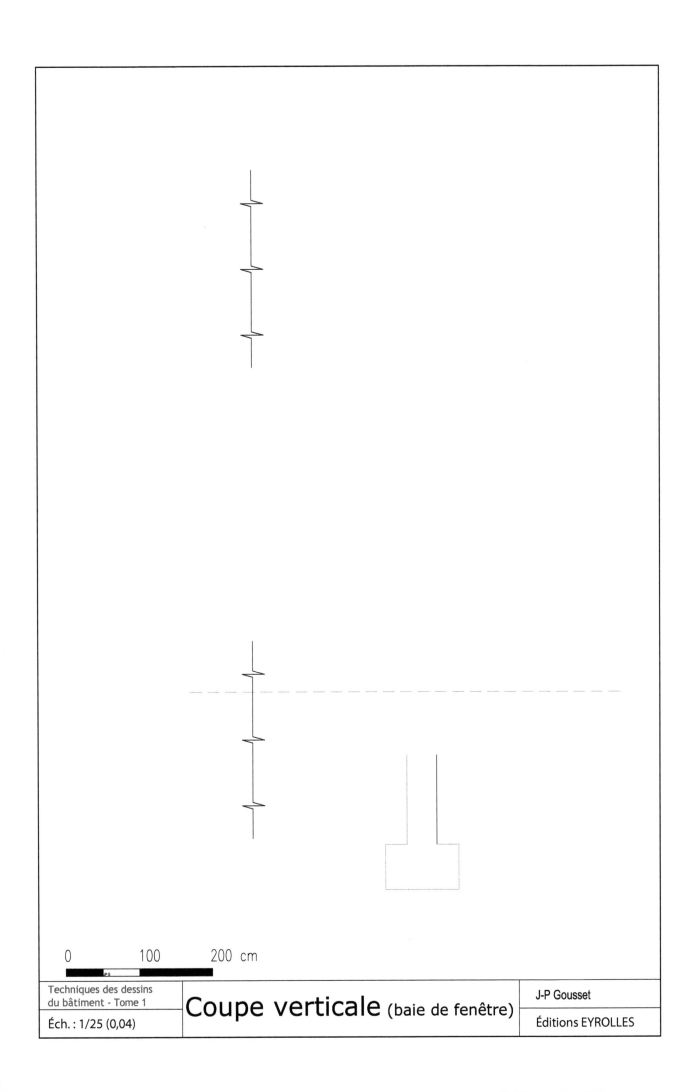

Techniques des dessins du bâtiment - Tome 1	Coupe verticale (baie de fenêtre)	J-P Gousset
Éch. : 1/25 (0,04)		Éditions EYROLLES

7.4   Coupe verticale AA

7.4.1 Énoncé

Il s'agit de représenter, à l'échelle 1/100, sur le fond de plan de la page de droite, la coupe verticale passant par la cuisine et l'entrée du projet 1.

7.4.2 Description

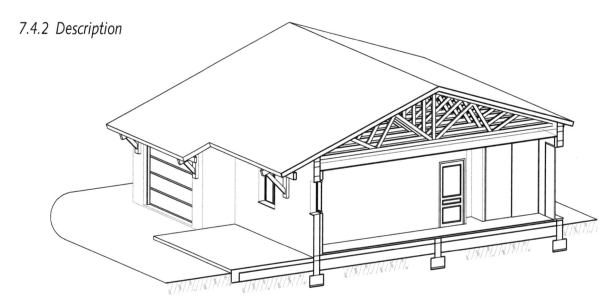

Figure 3.57 - Perspective de la coupe verticale à représenter

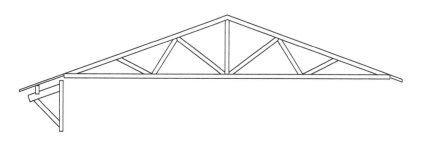

Figure 3.58 - Détail de la charpente pour les combles perdus et l'avancée de toit, à l'échelle 1/100

7.4.3 Procédure

À cette échelle, certaines précisions visibles dans les 2 exercices précédents (ouvertures, détails de l'avant-toit par exemple) ne peuvent plus être représentées.

La coupe AA représentée sur la vue en plan ne coupe que 2 murs, or il y a 3 murs de soubassement sur la coupe AA à dessiner. La fonction de ce mur de soubassement, situé au milieu de la longueur du plancher, est de réduire la portée du plancher.

> REMARQUE : seules les étapes importantes de la procédure sont répertoriées. Les détails manquants sont à reprendre dans les 3 exercices précédents.

1. Sur la coupe verticale AA, représenter le plancher bas de la partie habitable : 6 cm de revêtement et 16 cm pour l'épaisseur totale du plancher (type 12 cm de hourdis et 4 cm de dalle de compression) puis un vide sanitaire d'une hauteur de 40 cm.
2. Raccorder les murs de soubassement à ce plancher, avec des chaînages de liaison.
3. Tracer le plancher de la terrasse : 20 cm de blocage et 12 cm de dalle BA.
4. Prolonger les murs de soubassement extérieurs par des murs en élévation d'arase supérieure de + 2,850.
5. Ce niveau, qui correspond aussi à l'arase supérieure du chaînage, permet le positionnement et le tracé de la charpente (détail sur la figure 3.60).
6. Compléter par la couverture, d'épaisseur 12 cm (une partie seulement de coupée).
7. Tracer la hauteur sous plafond à 2,60 m.
8. Tracer les ouvertures coupées (baie de porte HNB = 2,25 et baie de fenêtre HNB = 0,95).
9. Tracer les portes intérieures (ht 2,04) et les portes de placards sur toute la hauteur du RDC.
10. Compléter par la partie du garage et quelques arêtes situées en arrière du plan de coupe.
11. Coter la coupe.
12. Terminer avec des traits renforcés et le hachurage des parties coupées.

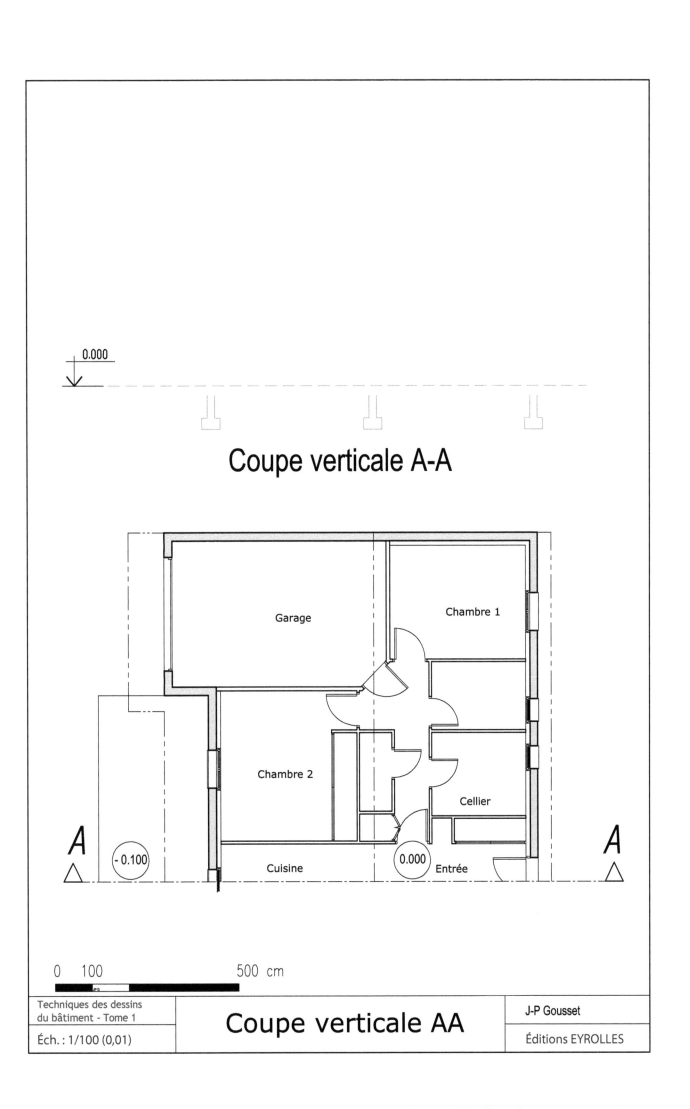

0.000

Coupe verticale A-A

Garage

Chambre 1

Chambre 2

Cellier

A

−0.100

Cuisine

0.000 Entrée

A

0 100 500 cm

Techniques des dessins
du bâtiment - Tome 1

Éch. : 1/100 (0,01)

Coupe verticale AA

J-P Gousset

Éditions EYROLLES

7.5 Ferme à entrait retroussé

7.5.1 Énoncé

Il s'agit de représenter, sur le fond de plan de la page de droite, la ferme à entrait retroussé, en élévation et en vue en plan, à l'échelle 0,02 ou 1/50.

Compte tenu de la dimension de la feuille et de l'échelle choisie, l'ensemble de la ferme ne peut être représentée. La partie droite sera tronquée.

7.5.2 Description

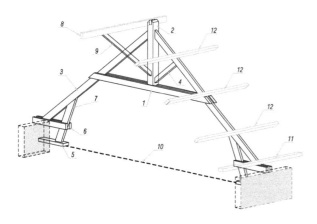

1 : Entrait moisé (2 pièces de bois assemblées par boulonnage) 2 × 7,5 × **18** ; **2** : Poinçon 18 × **18** ; **3** : Arbalétrier 7,5 × **18** ; **4** : Contrefiche 7,5 × **12** (lien entre arbalétrier et poinçon qui participe à la rigidité de la ferme) ; **5** : Semelle 7,5 × **18** ; **6** : Blochet moisé 2 × 7,5 × **18** ; **7** : Jambe de force 7,5 × **18** ; **8** : Panne faîtière 7,5 × **18** ; **9** : Lien de faîtage 7,5 × **12** (entre la panne faîtière et le poinçon), triangulation qui participe au contreventement de la charpente, de chaque côté de la ferme. Ici, un seul est représenté ; **10** : Tirant ou système pour maintenir la distance entre les semelles ; **11** : Panne sablière 7,5 × **12** ; **12** : Pannes intermédiaires 7,5 × **18**

Figure 3.59 - Perspective et nomenclature de la ferme à entrait retroussé

REMARQUE : les dimensions en gras dans les sections des pièces de bois indiquent la face vue sur l'élévation.

7.5.3 Procédure

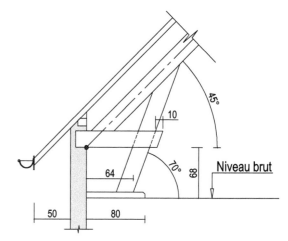

Figure 3.60 - Détail de l'avant-toit et du pied de ferme

1. Sur l'élévation, tracer le pied de ferme, selon le détail, en commençant par la semelle puis la jambe de force, de longueur encore indéterminée, puis le blochet reposant sur le mur esquissé sur le fond de plan.

2. Tracer l'axe de l'arbalétrier, issu du point repéré sur le détail avec un angle de 45° (ou une pente de 100 %) jusqu'à l'axe de la ferme, puis son épaisseur, puis la chambrée[1] de panne de 18 cm.

3. Tracer le dessous de l'entrait de telle sorte que la hauteur libre jusqu'au niveau brut soit de 2,65 m (5 cm de revêtement + 2,50 m de hauteur sous plafond + 10 cm de plénum), puis son épaisseur.

4. Ainsi sont déterminées la hauteur du poinçon et la position de la panne sablière.

5. Tracer la panne faîtière puis les pannes intermédiaires[2], espacées régulièrement.

6. Terminer l'élévation par les contrefiches et le lien de faîtage.

7. Sur la vue en plan, tracer la vue de dessus de la ferme, selon son axe, avec des pièces simples ou doubles (lorsqu'elles sont qualifiées de moisées).

8. Coter le dessin.

REMARQUE : pour compléter cette représentation, dessiner les chevrons 7 × 8 et l'avant-toit.

---

1. Correspond à la hauteur d'une panne, distance entre le dessus de l'arbalétrier et le dessous du chevron.
2. Dans cet exemple, les pannes sont posées à dèvers (perpendiculairement à la pente) et doivent être maintenues par des échantignolles (non représentées sur la perspective).

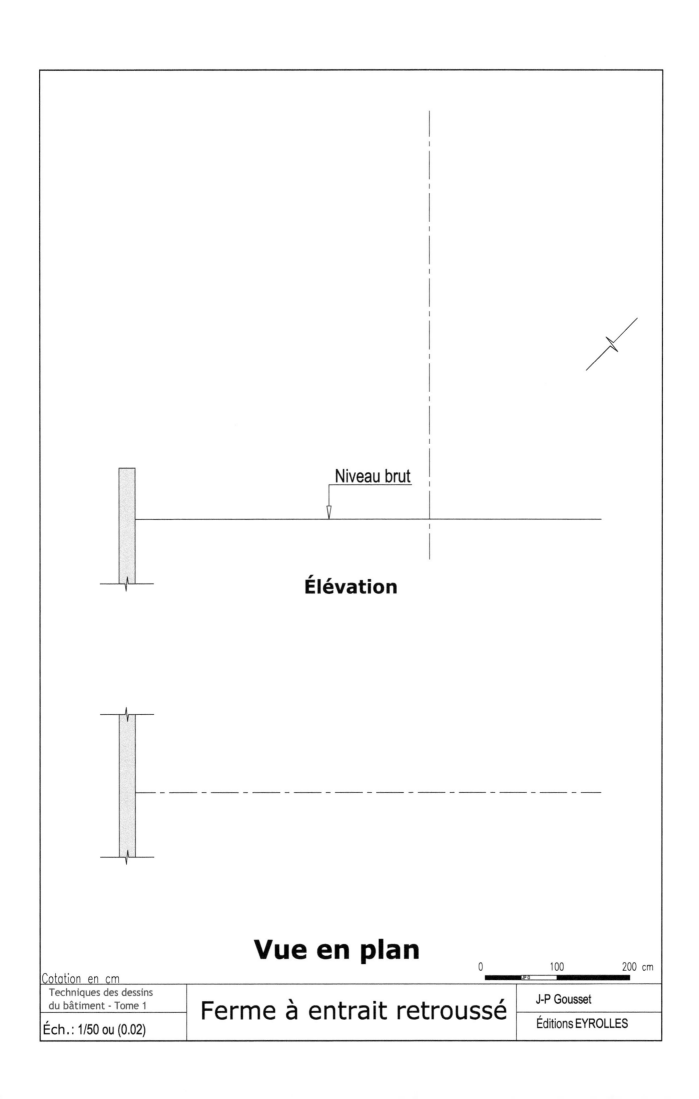

Niveau brut

Élévation

Vue en plan

0   100   200 cm

Cotation en cm

Techniques des dessins
du bâtiment - Tome 1

Éch.: 1/50 ou (0.02)

Ferme à entrait retroussé

J-P Gousset

Éditions EYROLLES

8. FAÇADES

8.1 Façade principale

8.1.1 Énoncé

Il s'agit de représenter, à l'échelle 1/100 sur le fond de plan de la page de droite, la façade principale en correspondance avec un extrait de la vue en plan.

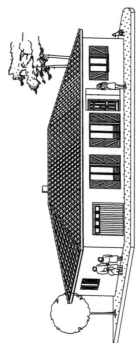

Figure 3.61 – Perspective du pavillon proposé

8.1.2 Description

L'extrait de la vue en plan donne :

▲ la position des angles des murs ;

▲ la position et les dimensions des baies.

Pour habiller la façade, quelques exemples sont donnés ci-contre.

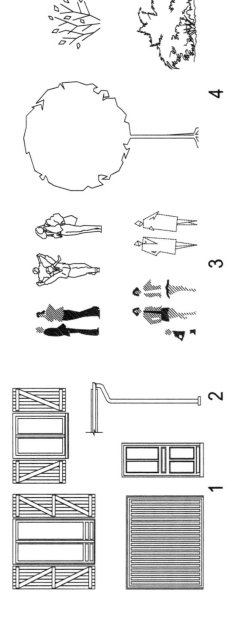

1 : Menuiseries ; 2 : Descente d'eau pluviale (hauteur à adapter au terrain fini) ; 3 : Personnages ; 4 : Végétation

Figure 3.62 – Habillages possibles de la façade, à l'échelle 1/100

8.1.3 Procédure

1. Reporter les angles des murs de la vue en plan sur la façade à réaliser. Leurs hauteurs partent du niveau[1] 0,000 jusqu'au trait interrompu qui représente la ligne inférieure de la planche de rive (voir le repère 2 de la figure 3.62).

2. Tracer le niveau des linteaux des portes et fenêtres. Seuls les niveaux de la porte de garage sont plus bas (départ – 0,100 et HNB 2,00).

3. Reporter les angles des baies. Ainsi les baies sont définies par des rectangles qu'il suffit d'habiller (voir la figure 3.62).

4. Les reports des rives d'égout, à gauche et à droite, de la vue en plan sur la façade coupent la ligne supérieure de la planche de rive (prendre 20 cm [– 2 mm à l'échelle] pour la hauteur de la planche de rive). Ces points donnent l'origine de la pente[2] des croupes (prendre 40 %).

5. Prolonger les pentes et faîtages esquissés, de telle sorte qu'ils se raccordent.

6. Tracer le terrain fini à partir des niveaux indiqués sur la vue en plan.

7. Terminer l'habillage de la façade.

---

1. Si le terrain est en pente, alors il ne peut pas être pris comme référence, d'autant que son tracé est peu précis. Par conséquent, tout est tracé à partir du niveau 0,000. Il est effacé lorsqu'il n'est plus utile.

2. Une pente de 40 % correspond à 40 unités prises verticalement pour 100 unités prises horizontalement. Ce qui revient à tracer 100 mm horizontalement pour 40 mm verticalement ou 5 cm et 2 cm s'il n'y a pas assez de place.

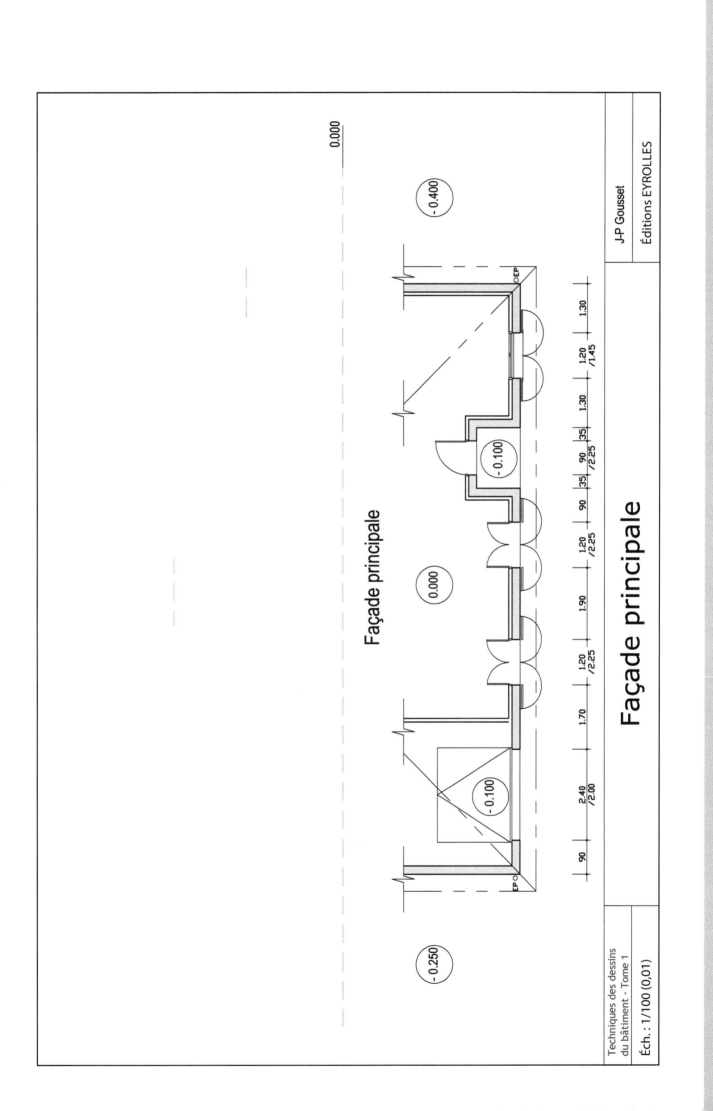

Façade principale

0.000

- 0.400

- 0.100

0.000

- 0.100

- 0.250

EP

EP

| 90 | 2.40 /2.00 | 1.70 | 1.20 /2.25 | 1.90 | 1.20 /2.25 | 90 | 35 | 90 /2.25 | 35 | 1.30 | 1.20 /1.45 | 1.30 |

Façade principale

Techniques des dessins
du bâtiment - Tome 1

Éch. : 1/100 (0,01)

J-P Gousset

Éditions EYROLLES

8.2 Façade arrière

8.2.1 Énoncé

Il s'agit de représenter, à l'échelle 1/100 sur le fond de plan de la page de droite, la façade arrière du projet en correspondance avec un extrait de la vue en plan et de la coupe verticale.

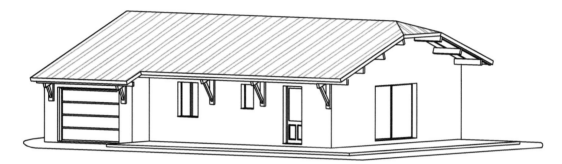

Figure 3.63 - Perspective arrière du projet 1

8.2.2 Description

L'extrait de la vue en plan donne :
▶ la position des angles des murs ;
▶ la position et les dimensions des baies.

L'extrait de la coupe verticale donne :
▶ les niveaux des rives d'égout ;
▶ les niveaux des éléments de charpente extérieure vue sur cette façade.

8.2.3 Procédure

Elle reste semblable à l'exercice précédent dans son principe, mais les hauteurs ne figurent plus sur la façade. Il faut les déduire de la coupe verticale.
1. Sur la façade, sont reportés les rectangles des portes et des fenêtres. Leur habillage intérieur qui ne comporte pas de volets extérieurs (remarque des coffres pour volets roulants sur la coupe) peut être fait ultérieurement.
2. Les angles des murs sont reportés à partir de l'extrait de la vue en plan mais leurs hauteurs sont variables. Elles sont déterminées par l'extrait de la coupe verticale, sur laquelle une planche de rive peut être ajoutée.
3. Les arêtes de la couverture sur la façade sont aussi trouvées par correspondance entre l'extrait de la vue en plan et l'extrait de la coupe verticale.
4. Terminer le dessin par la terrasse et l'habillage extérieur.

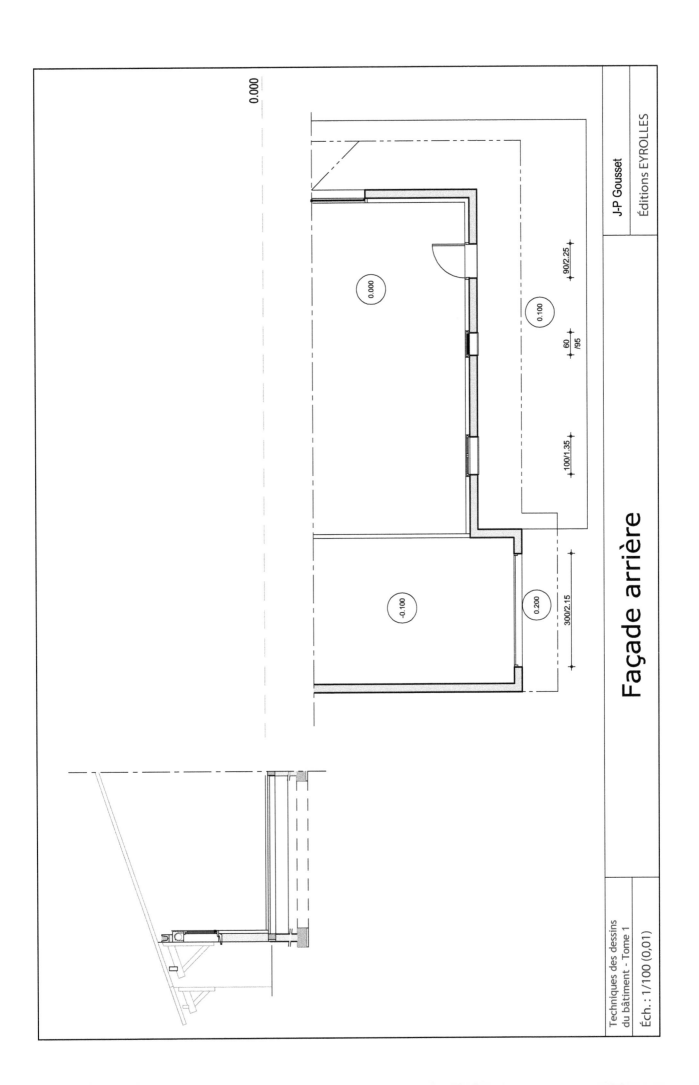

Façade arrière

0.000

0.000

0.100

-0.100

0.200

90/2.25

60
/95

100/1.35

300/2.15

9. PLANS D'EXÉCUTION

9.1. Vue en plan des fondations, principe des semelles filantes

9.1.1 Enoncé

Il s'agit de représenter, sur le fond de plan de la page de droite, la vue en plan des fondations du projet Plazac, selon la technique des semelles filantes, à l'échelle 1/100ᵉ.

9.1.2 Description

La vue en plan des fondations est déduite des la vue en plan du RdC

Les cotes des murs sont brutes (sans enduit extérieur 20 cm pour les murs et 10cm pour le doublage)

Données complémentaires : épaisseur des murs de soubassement : 20 cm, largeur des semelles filantes : 50 cm, largeur de la bêche : 20 cm

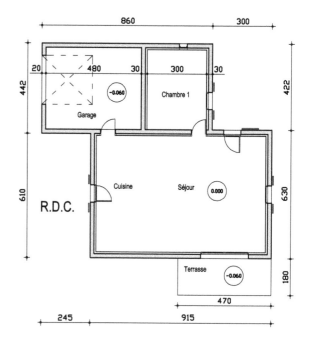

Figure 3.64 - Vue en plan du RdC

9.1.3 Procédure

L'esquisse de la page de droite représente le contour extérieur des murs bruts (sans la terrasse)

1. Compléter la représentation des murs de soubassement
2. Tracer les axes des murs
3. Représenter la bêche pour le contour de la terrasse
4. Tracer les semelles filantes centrées par rapport aux axes
5. Positionner les raidisseurs verticaux
6. Effectuer la cotation dimensionnelle
7. Effectuer la cotation de repérage
8. Hachurer ou griser les murs coupés

REMARQUE : respecter la nature et l'épaisseur des traits

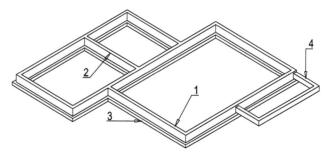

1 : Murs de soubassement, 2 : Mur de refend, 3 : Semelle filante, 4 : Bêche

Figure 3.65 - Éléments à représenter

Techniques des dessins du bâtiment - Tome 1	Vue en plan des fondations	J-P Gousset
Ech : 1/100 (0.01)	Principe des semelles filantes	Editions EYROLLES

9.2 Vue en plan des fondations, principe des plots et longrines

9.2.1 Enoncé

Il s'agit de représenter, sur le fond de plan de la page de droite, la vue en plan des fondations du projet Plazac modifié, selon la technique des plots et longrines, à l'échelle 1/100e.

9.2.2 Description

Comme pour l'activité précédente, la vue en plan des fondations est déduite des la vue en plan du RdC à quelques différences près pour un vide sanitaire sous le séjour, la cuisine, la chambre 1:

► ce contour est constitué de longrines à becquet, les autres sont de section carré : 20x20
► ajout d'une file de longrines au milieu de la zone –séjour, cuisine- afin de réduire la portée du plancher

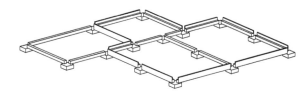

Figure 3.66 - Perspective des plots et des longrines

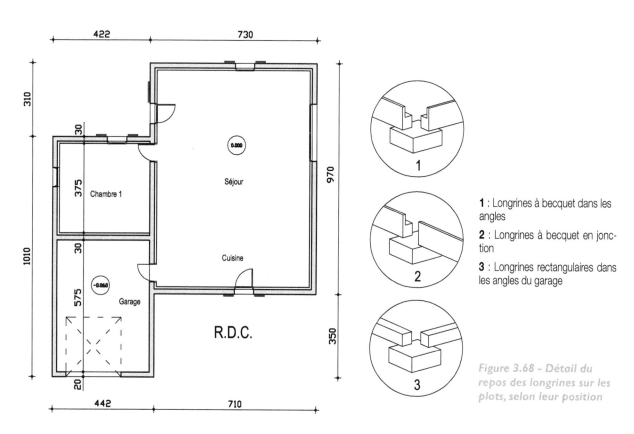

Figure 3.67 - Vue en plan du RdC

1 : Longrines à becquet dans les angles

2 : Longrines à becquet en jonction

3 : Longrines rectangulaires dans les angles du garage

Figure 3.68 - Détail du repos des longrines sur les plots, selon leur position

Données complémentaires : plots : 60x60, repos des longrines sur les plots : 10cm

9.2.3 Procédure

L'esquisse de la page de droite représente le contour extérieur des murs bruts

1. Tracer les axes des longrines
2. Tracer les longrines sans tenir compte de leur longueur définitive (voir fig du détail du repos des longrines)
3. Représenter les plots centrés sur les axes
4. Représenter la longueur définitive des longrines repos de 10 cm sur les plots
5. Représenter le clavetage
6. Effectuer la cotation dimensionnelle
7. Effectuer la cotation de repérage

Techniques des dessins du bâtiment - Tome 1	Vue en plan des fondations	J-P Gousset
Ech : 1/100 (0.01)	Principe des plots et des longrines	Editions EYROLLES

9.3 Armatures des semelles de fondation

9.3.1 Enoncé

Il s'agit de représenter, selon une section verticale, sur le fond de plan de la page de droite, les armatures des 3 types les plus courants des semelles de fondation, à l'échelle 1/20ᵉ.

9.3.2 Description

SF1 semelle filante de 50cm de large par 20 cm de haut, armature courante

Armatures de la semelle : 3 HA 8 filants – HA 6 tous les 25 cm

Armatures du chainage : 2 HA 10 filants

Epingles HA 6 tous les 25 cm

Figure 3.69 - Armatures de la SF 1

SF2 semelle filante de 50cm de large par 20 cm de haut, armature renforcée

Armatures de la semelle : 6 HA 10 filants

Cadres HA 6 tous les 25 cm

Figure 3.70 - Armatures de la SF 2

SI1 plot (ou semelle isolée sur puits) de 60cm au carré par 20 cm de haut

Armatures de la semelle : 4 HA 10 dans les 2 sens

Armatures du puits : 4 HA 10 coudés à 90°

Armatures du clavetage : 2 fois 2 U en HA 12 (longueur de la branche : 50 cm)

Raidisseur vertical : Attente en HA 14, longueur droite de 90 cm

Figure 3.71 - Armatures de la SI1

9.3.3 Procédure :

L'esquisse de la page de droite représente la section des différents systèmes de fondation

1. Tracer les aciers les plus près du coffrage en respectant un enrobage de 3cm (à mettre à l'échelle)

2. Tracer les aciers perpendiculaires vers l'intérieur des aciers précédents

3. Représenter les ancrages par des coudes à 45° ou 90°

4. Repérer et coter les aciers en prenant exemple dans le § des armatures des fondations

5. Hachurer les zones selon la nature des matériaux (sauf celles contenant des armatures)

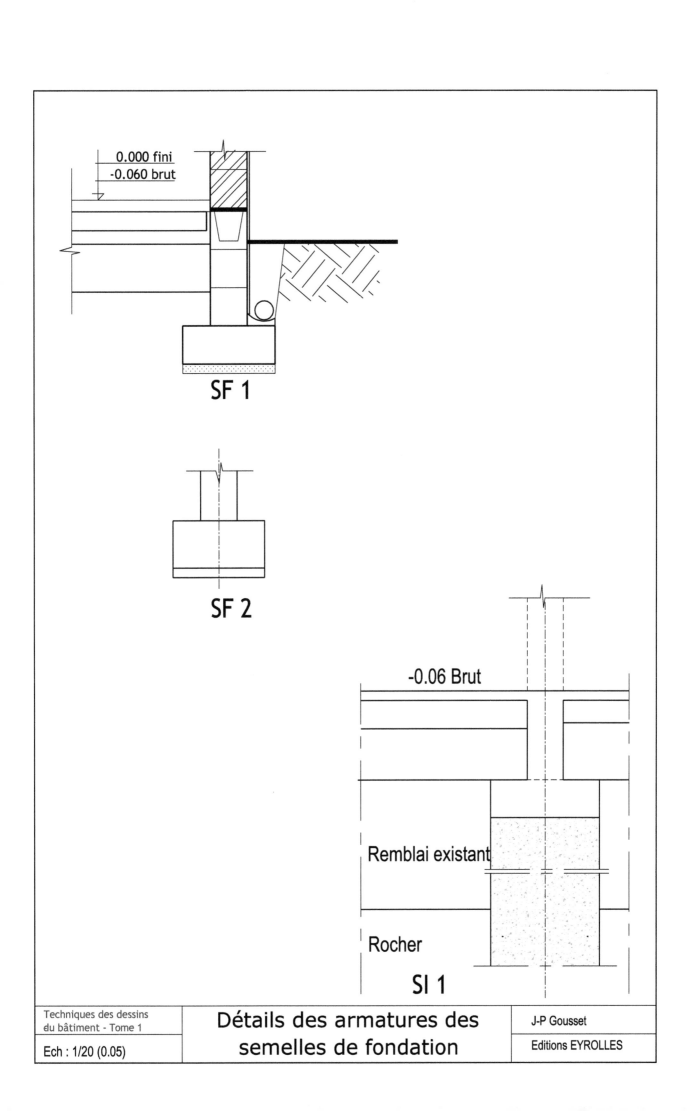

0.000 fini
-0.060 brut

SF 1

SF 2

-0.06 Brut

Remblai existant

Rocher

SI 1

Techniques des dessins du bâtiment - Tome 1	Détails des armatures des semelles de fondation	J-P Gousset
Ech : 1/20 (0.05)		Editions EYROLLES

9.4 Plan de coffrage, coupe verticale

9.4.1 Enoncé

Il s'agit de représenter, sur le fond de plan de la page de droite, la coupe verticale d'un extrait des éléments du gros œuvre de la structure de la maison à isolation thermique répartie, à l'échelle 1/50e cotes en mm).

9.4.2 Description

1 : Semelle filante section 600x250 (arase supérieure -1000), **2** : Semelle isolée1200x800x3500 (arase supérieure -1000), **3** : Libage (épaisseur 200mm), **4** : Plancher bas épaisseur 200mm (arase supérieure brute -0.060), **5** : Mur en brique ou en BBM[1] 200x250x500, **6** : Poteau section 200x300, **7** : Poteau section 200x200, **8** : Poteau section 200x400, **9** : Baie de porte –largeur 930 mm, **10** : Baie de fenêtre –largeur 1230 mm et hauteur 1150 mm, **11** et **12** : Poutres section 200x400 (400 mm de hauteur totale et 200 mm de retombée), **13** : Poutre section 200x450, **14** : Plancher haut épaisseur 200mm (arase supérieure brute du plancher (+2.750), **15** : Trémie d'escalier, **16** : Sens de portée du plancher

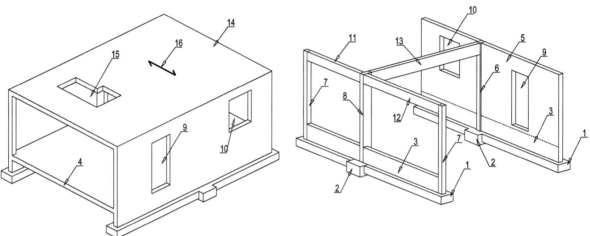

Figure 3.72 - Perspectives de la structure, avec et sans les planchers

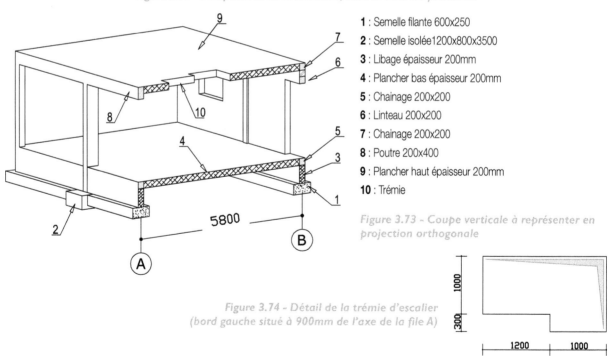

1 : Semelle filante 600x250

2 : Semelle isolée1200x800x3500

3 : Libage épaisseur 200mm

4 : Plancher bas épaisseur 200mm

5 : Chainage 200x200

6 : Linteau 200x200

7 : Chainage 200x200

8 : Poutre 200x400

9 : Plancher haut épaisseur 200mm

10 : Trémie

Figure 3.73 - Coupe verticale à représenter en projection orthogonale

Figure 3.74 - Détail de la trémie d'escalier
(bord gauche situé à 900mm de l'axe de la file A)

9.4.3 Procédure

1. Tracer les niveaux et les épaisseurs des planchers

2. Tracer les semelles filantes (ajout de 50 mm pour le béton de propreté) et les libages

3. Tracer les libages et les murs

4. Tracer les poteaux et les poutres selon les faces vues, en section ou en élévation

5. Coter les hauteurs et les niveaux

6. Hachurer les zones selon la nature des matériaux

---

1. BBM pour bloc de béton manufacturé

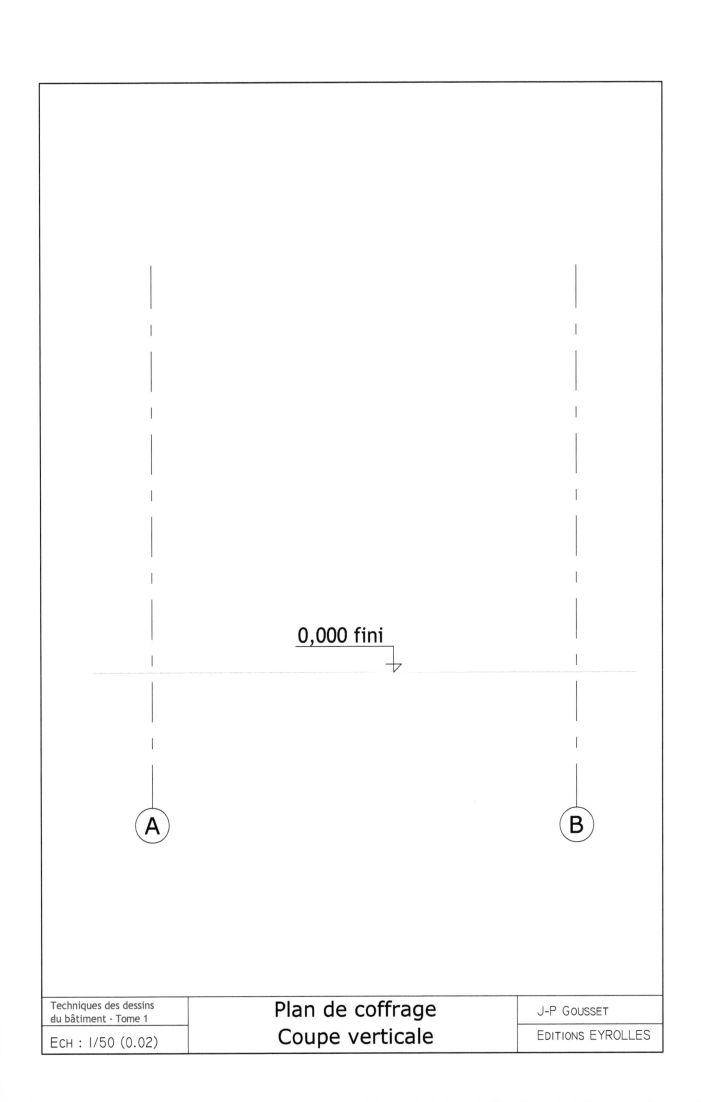

0,000 fini

(A)   (B)

Techniques des dessins du bâtiment - Tome 1	Plan de coffrage	J-P GOUSSET
ECH : 1/50 (0.02)	Coupe verticale	EDITIONS EYROLLES

9.5 Plan de coffrage du plancher haut du RdC

9.5.1 Enoncé

Il s'agit de représenter, sur le fond de plan de la page de droite, le plan de coffrage du plancher haut du RdC, à l'échelle 1/50ᵉ. Les cotes sont en mm

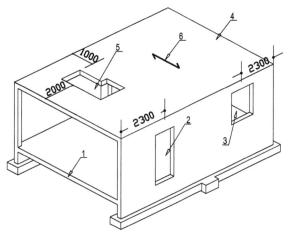

Figure 3.75 - Perspective de la structure

1 : Plancher bas, **2** : Baie de porte –largeur 930 mm, **3** : De fenêtre –largeur 1230 mm, **4** : Arase supérieure brute du plancher (+2.750), **5** : Trémie d'escalier, **6** : Sens de portée du plancher

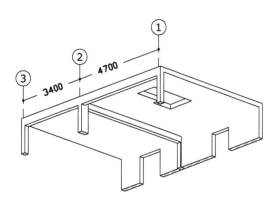

Figure 3.77 - Éléments coupés et vus à représenter sur le plan de coffrage

9.5.3 Procédure

L'esquisse de la page de droite représente, en plan, les axes des perspectives
1. Tracer les éléments coupés (murs et poteaux)
2. Représenter les éléments vus en arrière du plan de coupe (arêtes des poutres, des linteaux, de la trémie)

9.5.2 Description de la structure

Il s'agit d'un extrait de la maison à isolation thermique répartie

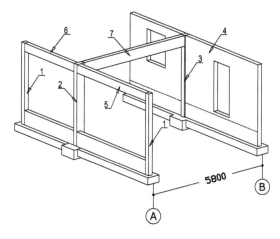

Figure 3.76 - Perspective de la structure sans les planchers

1 : Poteau section 200x200, **2** : Poteau section 200x400, **3** : Poteau section 200x300, **4** : Mur épaisseur 200 mm, **5** et **6** : Poutres section 200x400 (400 mm de hauteur totale et 200 mm de retombée), **7** : Poutre section 200x450

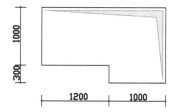

Figure 3.78 - Détail de la trémie d'escalier

3. Effectuer la cotation dimensionnelle
4. Effectuer la cotation de repérage des éléments (poteaux, poutres
5. Hachurer les zones coupées selon la nature des matériaux

Techniques des dessins
du bâtiment - Tome 1

ECH : I/50 (0.02)

Plan de coffrage

Plancher haut du RdC

J-P GOUSSET

EDITIONS EYROLLES

9.6 Plan d'électricité, circuit prise

9.6.1 Enoncé

Il s'agit de représenter sur le fond de plan de la page de droite, les prises indiquées par la norme électrique NF C15-100

9.6.2 Description

La norme, reprise dans le tableau ci-dessous, précise la nature et le nombre minimal de prises à implanter, selon le type de pièces.

Lieux	Prises 16A+T	Prises spécialisées	Communication[1]
Entrée	1 socle		
Cuisine	6 socles (4 sur plan de travail)	1 socle pour le four (32A+T) 1 socle pour le lave-vaisselle (en règle générale, 1 par appareil)	1 socle T
Séjour	1 socle par tranche de 4 m² de surface, avec un minimum de 5 socles		1 socle T 1 socle T 1 socle TV[2]
Chambre (par)	3 socles		1 socle T ou RJ45
S. de bains	2 socles		
WC			
Dégagement	2 socles		
Cellier	2 socles 2 socles dans la GTL	1 socle (20A+T) pour le lave-linge, 1 socle (20A+T) pour le sèche-linge, 1 socle pour le congélateur	
Local BEC		1 socle (20A+T) pour le ballon d'eau chaude	
Extérieur[3]	1 socle[4]		

9.6.3 Procédure

1. Sur le fond de plan de la page de droite, compléter la colonne « désignation » de la nomenclature

2. Implanter les prises (ou socles) sur la vue en plan, selon le tableau ci-dessus

3. Quantifier le nombre d'éléments en complétant la colonne « Nbre » de la nomenclature

1. Une prise de communication par pièce principale et dans la cuisine, 3 prises télévision dans les logements de surface > 100 m²
2. Située à proximité d'un socle de prise de courant
3. Les point lumineux et les prises de courant étanches sont différenciés par des hachures sur la vue en plan
4. Dans ce cas, placer à l'intérieur du logement un dispositif de mise hors tension, couplé à un voyant de présence tension

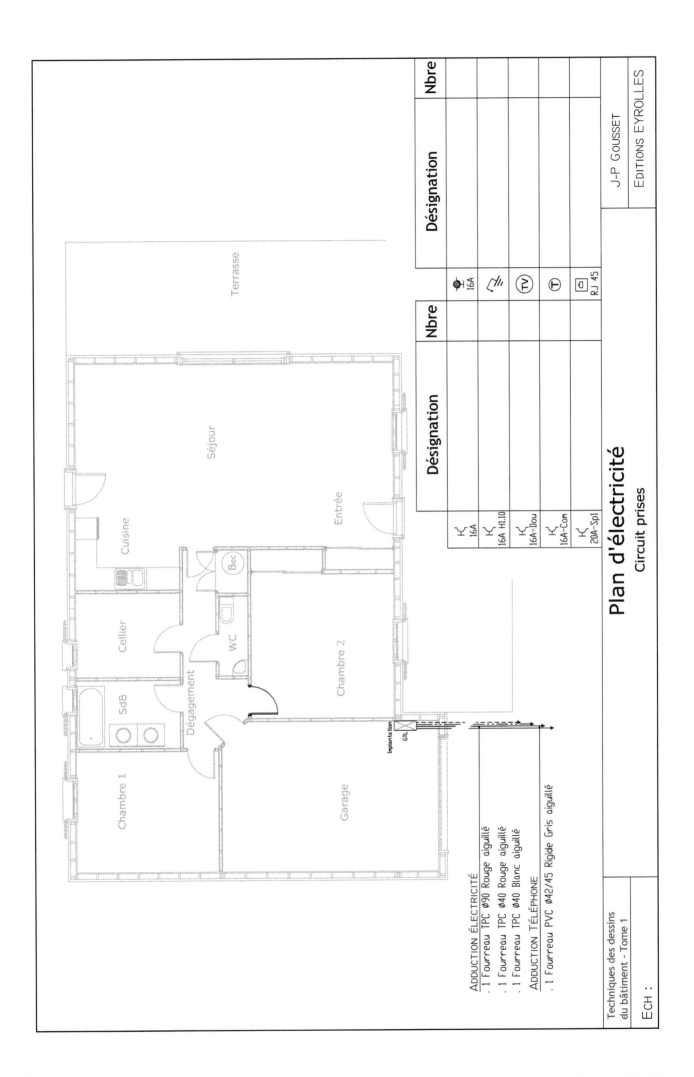

Plan d'électricité
Circuit prises

	Désignation	Nbre
⚡ 16A		
⚡ 16A H1.10		
⚡ 16A-Dou		
⚡ 16A-Com		
⚡ 20A-Sp1		

	Désignation	Nbre
⚿ 16A		
📷		
Ⓣⓥ TV		
Ⓣ		
▣ RJ 45		

ADDUCTION ÉLECTRICITÉ
. 1 Fourreau TPC Ø90 Rouge aiguillé
. 1 Fourreau TPC Ø40 Rouge aiguillé
. 1 Fourreau TPC Ø40 Blanc aiguillé

ADDUCTION TÉLÉPHONE
. 1 Fourreau PVC Ø42/45 Rigide Gris aiguillé

Techniques des dessins
du bâtiment - Tome 1

ECH :

Terrasse

Séjour

Entrée

Cuisine

Bec

Cellier

WC

Dégagement

SdB

Chambre 1

Chambre 2

Garage

Implantation
GTL

J-P GOUSSET

EDITIONS EYROLLES

9.7 Plan d'électricité, circuit éclairage

9.7.1 Énoncé

Il s'agit de représenter le circuit éclairage, sur le fond de plan de la page de droite, à partir des données de la norme électrique NF C15-100.

9.7.2 Description

La norme, reprise dans le tableau ci-dessous, précise la nature et le nombre minimal de points lumineux à implanter, selon le type de pièces.

LIEUX	ÉCLAIRAGE OU POINTS LUMINEUX
Entrée	1 au plafond ou applique
Cuisine	1 au plafond[5] et 1 en applique
Séjour	2 au plafond et (ou) appliques
Chambre (par)	1 au plafond et (ou) appliques
S. de bains	1 au plafond et 1 applique
WC	1 au plafond
Dégagement	2 au plafond et (ou) appliques
Cellier	1 au plafond
Extérieur[6]	1 pour l'entrée principale 1 pour la terrasse

9.7.3 Procédure

1. Sur le fond de plan de la page de droite, compléter la colonne « désignation » de la nomenclature
2. Implanter les points lumineux
3. Implanter les appareils de commande de ces points lumineux
4. Raccorder les appareils de commande et les points lumineux
5. Quantifier le nombre d'éléments en complétant la colonne « Nbre » de la nomenclature

1. Point lumineux équipé d'un DCL : Dispositif de Connexion pour Luminaire, composé d'un socle fixe et d'un boîtier amovible muni de broches (2 pôles + T). La connexion se fait par simple emboîtement de ces 2 éléments, sans aucun outil et sans risque de contact avec le circuit électrique.
2. Les point lumineux et les prises de courant étanches sont différenciés par des hachures sur la vue en plan

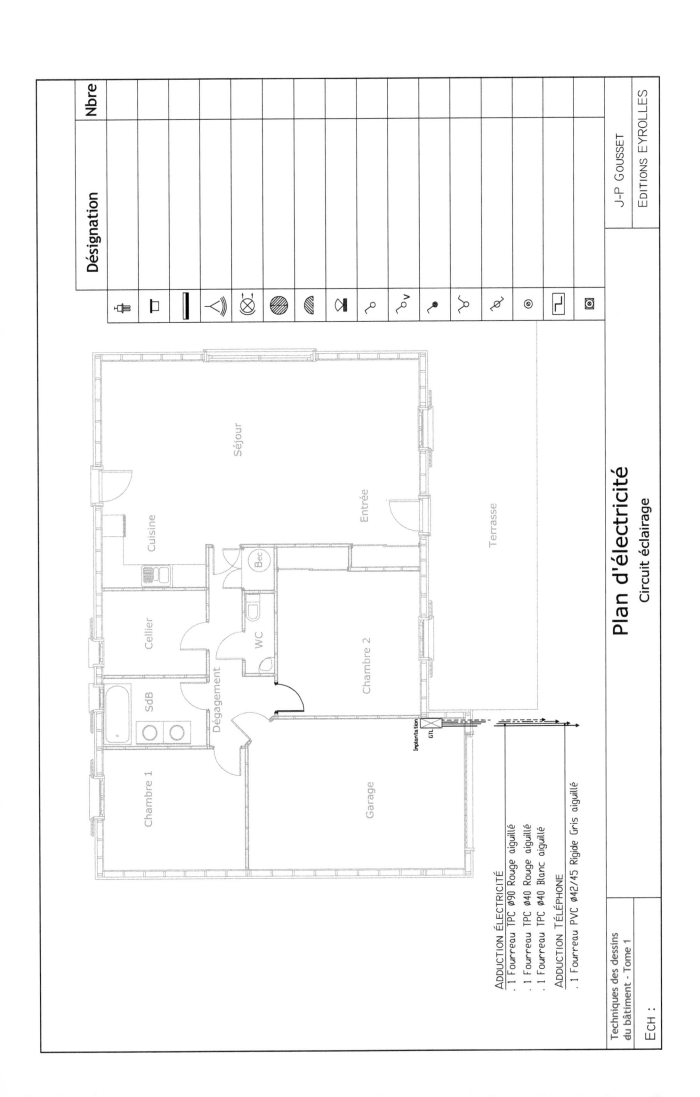

Désignation		Nbre
⊐⊏		
▯		
▮		
◁		
⊗		
◉		
◖		
◁		
⌐		
⌐ᵥ		
●		
⌐		
⌐		
◉		
⊡		
▣		

ADDUCTION ÉLECTRICITÉ
. 1 Fourreau TPC ⌀90 Rouge aiguillé
. 1 Fourreau TPC ⌀40 Rouge aiguillé
. 1 Fourreau TPC ⌀40 Blanc aiguillé

ADDUCTION TÉLÉPHONE
. 1 Fourreau PVC ⌀42/45 Rigide Gris aiguillé

Séjour

Cuisine

Entrée

Terrasse

Cellier

Bec

WC

Chambre 2

SdB

Dégagement

Chambre 1

Garage

Implantation GTL

Plan d'électricité
Circuit éclairage

Techniques des dessins
du bâtiment - Tome 1

ECH :

J-P GOUSSET

EDITIONS EYROLLES

9.8 Plan de plomberie

9.8.1 Enoncé

Il s'agit de représenter, sur le fond de plan de la page de droite, le réseau de plomberie

9.8.2 Description

Le réseau d'AEP[1] arrive dans le local du ballon d'eau chaude (BEC sur le plan)

Le réseau est divisé en 2 parties : réseau d'alimentation et réseau d'évacuation, elles mêmes divisées en 2. Ce qui donne 4 groupes.

Par conséquent il faut 4 types de traits différents :
▲ Réseau d'alimentation :
   Eau froide sanitaire
   Eau chaude sanitaire
▲ Réseau d'évacuation
   Eau vanne (EV pour les WC)
   Eaux usées (évacuation des autres appareils sanitaires, y compris pour la soupape de sécurité du BEC)

9.8.3 Procédure

1. Dans la légende choisir 4 types de traits différents (couleur et désignation)
2. Tracer le réseau d'alimentation
3. Tracer le réseau d'évacuation
4. Préciser la nature, le Ø, et si nécessaire la pente des différentes canalisations

---

1. AEP : adduction d'eau potable

240

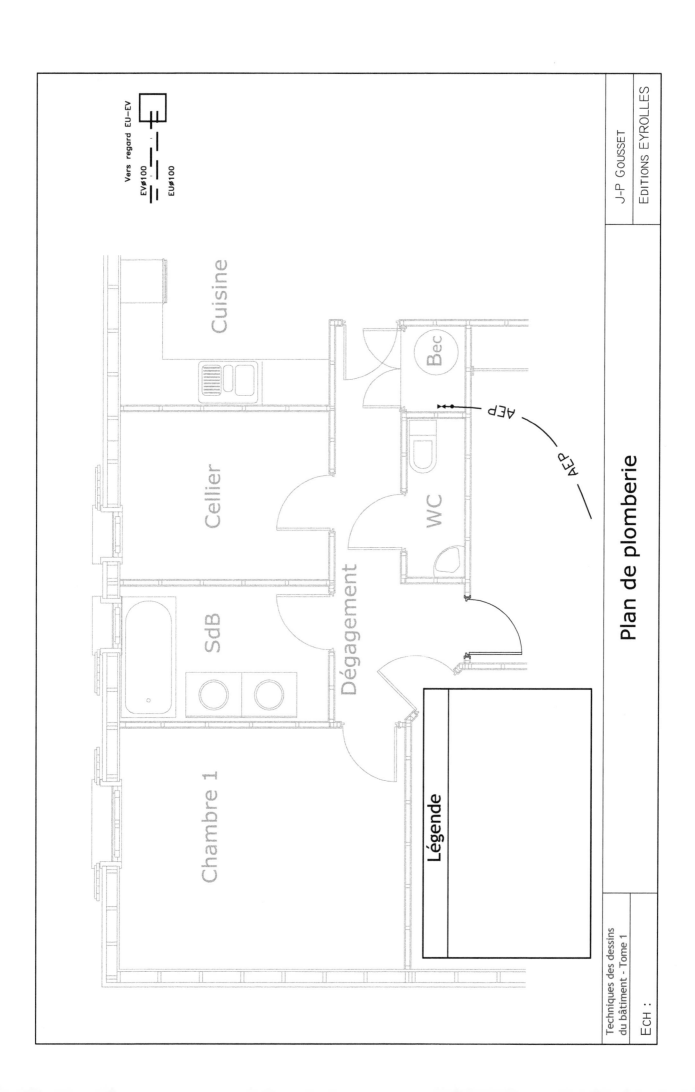

Vers regard EU-EV

EV∅100

EU∅100

Cuisine

Cellier

SdB

Chambre 1

Bec

WC

AEP

AEP

Dégagement

Légende

Plan de plomberie

Techniques des dessins
du bâtiment - Tome 1

ECH :

J-P GOUSSET

EDITIONS EYROLLES

Annexes

1. ARMATURES POUR BÉTON ARMÉ

1.1 Armatures en barres

1.1.1 Tableau des poids et des sections des barres

Ø	POIDS	SECTION POUR N BARRES EN CM²								
mm	kg/m	1	2	3	4	5	6	7	8	9
5	0,154	0,196	0,393	0,589	0,785	0,982	1,18	1,37	1,57	1,77
6	0,222	0,283	0,565	0,848	1,13	1,41	1,70	1,98	2,26	2,54
8	0,395	0,503	1,01	1,51	2,01	2,51	3,02	3,52	4,02	4,52
10	0,617	0,785	1,57	2,36	3,14	3,93	4,71	5,50	6,28	7,07
12	0,888	1,13	2,26	3,39	4,52	5,65	6,79	7,92	9,05	10,18
14	1,208	1,54	3,08	4,62	6,16	7,70	9,24	10,78	12,32	13,85
16	1,578	2,01	4,02	6,03	8,04	10,05	12,06	14,07	16,08	18,10
20	2,466	3,14	6,28	9,42	12,57	15,71	18,85	21,99	25,13	28,27
25	3,853	4,91	9,82	14,73	19,63	24,54	29,45	34,36	39,27	44,18
32	6,313	8,04	16,08	24,13	32,17	40,21	48,25	56,30	64,34	72,38
40	9,865	12,57	25,13	37,70	50,27	62,83	75,40	87,96	100,53	113,10

1.1.2 Tableau des longueurs développées des barres façonnées

SCHÉMA	LONG. DE BASE	LONGUEUR À AJOUTER À LA LONGUEUR DE BASE, EN FONCTION DES Ø									
		6	8	10	12	14	16	20	25	32	40
Cadre	2 (a +b) +	120	160	200	250	290	-	-	-	-	-
Etrier	2 a +	140	190	250	290	340	-	-	-	-	-
Epingle	a +	130	170	220	260	310	-	-	-	-	-
Crochet à 45	a +	100	140	170	200	240	270	340	420	540	680
Crochet à 90	a +	110	140	180	210	250	290	360	450	576	720
Crochet cons	a +	100	130	160	200	230	260	330	410	530	660

Application à la longueur développée d'un cadre d'une poutre rectangulaire de 20x40

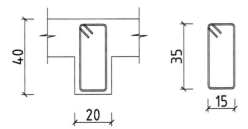

Avec un enrobage de 2,5cm la dimension extérieure du cadre devient :

Pour la largeur : 20cm-2fois 2,5 = 15cm

Pour la hauteur 40cm-2fois 2,5 = 35cm

D'où le périmètre : 2fois (15+35) = 100cm

Il faut ajouter pour un HA6 (lecture du tableau) 120mm soit 12 cm

D'où la longueur développée du cadre : 112 cm

REMARQUE : en réalité la longueur des ancrages dépend de la résistance de calcul à la compression du béton f_{ck} , et de la limite élastique garantie de l'acier notée fe : (Fe E 500). Par conséquent les longueurs sont calculées selon la situation. Ce tableau en donne les valeurs courantes.

1.2   treillis soudés [1]

1.2.1 Désignations de la géométrie des treillis soudés ADETS

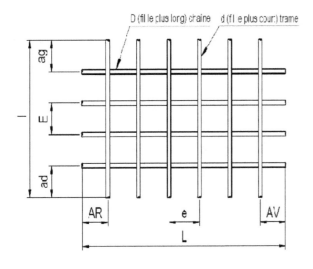

ADETS	NF EN 10080	Légende
L	L	Longueur du panneau
l	B	Largeur du panneau
D	d_L	Diamètre des fils longitudinaux
d	d_C	Diamètre des fils transversaux
E	PL	Espacement des fils longitudinaux
e	P_C	Espacement des fils transversaux
ad	u_4	Longueur d'about droit
ag	u_3	Longueur d'about gauche
AV	u_1	Longueur d'about avant
AR	u_2	Longueur d'about arrière

1.   Extraits de la documentation publié par l'ADETS : Association technique pour le Développement de l'Emploi du Treillis Soudé http://www.adets.org/

1.2.2 Caractéristique nominales

PRODUITS STANDARDISÉS SUR STOCK – Caractéristiques nominales

TREILLIS SOUDÉS DE SURFACE (NF A 35-024)

Désignation ADETS	Section S cm²/m	S s cm²/m	E e mm	D d mm	Abouts AV AR ad ag mm/mm	Nombre de fils N n	Longueur Largeur L l m	Masse nominale Kg/m²	Surface 1 rouleau ou 1 panneau m²	Masse 1 rouleau ou 1 panneau kg	Colisage
RAF R®	0,80	0,80 0,53	200 300	4,5 4,5	100/100 100/100	12 167	50,00* 2,40	1,043	120,00	125,10	1
PAF R®	0,80	0,80 0,53	200 300	4,5 4,5	150/150 100/100	12 12	3,60 2,40	1,042	8,64	9,00	100
RAF C®	0,80	0,80 0,80	200 200	4,5 4,5	100/100 100/100	12 200	40,00* 2,40	1,250	96,00	120,00	1
PAF C®	0,80	0,80 0,80	200 200	4,5 4,5	100/100 100/100	12 18	3,60 2,40	1,250	8,64	10,80	100
PAF V®	0,99	0,80 0,99	200 160	4,5 4,5	135/25 100/100	12 16			7,68	9,60	100

*Rouleaux : diamètre extérieur minimum autorisé = 500 mm.

TREILLIS SOUDÉS DE STRUCTURE (NF A 35-080-2)

Désignation ADETS	Section S cm²/m	S s cm²/m	E e mm	D d mm	Abouts AV AR ad ag mm/mm	Nombre de fils N n	Longueur Largeur L l m	Masse nominale Kg/m²	Surface 1 panneau m²	Masse 1 panneau kg	Colisage
ST 10®	1,19	1,19 1,19	200 200	5,5 5,5	100/100 100/100	12 24	4,80 2,40	1,870	11,52	21,54	50 ou 80
ST 20®	1,89	1,89 1,28	150 300	6 7	150/150 75/75	16 20	6,00 2,40	2,487	14,40	35,81	40
ST 25®	2,57	2,57 1,28	150 300	7 7	150/150 75/75	16 20	6,00 2,40	3,020	14,40	43,49	40
ST 30®	2,83	2,83 1,28	100 300	6 7	150/150 50/50	24 20	6,00 2,40	3,226	14,40	46,46	30
ST 35®	3,85	3,85 1,28	100 300	7 7	150/150 50/50	24 20	6,00 2,40	4,026	14,40	57,98	30
ST 50®	5,03	5,03 1,68	100 300	8 8	150/150 50/50	24 20	6,00 2,40	5,267	14,40	75,84	20
ST 60®	6,36	6,36 2,54	100 250	9 9	125/125 50/50	24 24	6,00 2,40	6,986	14,40	100,60	16
ST 15 C®	1,42	1,42 1,42	200 200	6 6	100/100 100/100	12 20	4,00 2,40	2,220	9,60	21,31	70
ST 25 C®	2,57	2,57 2,57	150 150	7 7	75/75 75/75	16 40	6,00 2,40	4,026	14,40	57,98	30
ST 25 CS®	2,57	2,57 2,57	150 150	7 7	75/75 75/75	16 20	3,00 2,40	4,026	7,20	28,99	40
ST 40 C®	3,85	3,85 3,85	100 100	7 7	50/50 50/50	24 60	6,00 2,40	6,040	14,40	86,98	20
ST 50 C®	5,03	5,03 5,03	100 100	8 8	50/50 50/50	24 60	6,00 2,40	7,900	14,40	113,76	15
ST 65 C®	6,36	6,36 6,36	100 100	9 9	50/50 50/50	24 60	6,00 2,40	9,980	14,40	143,71	10

*L'ancien ST 60 diamètres 9 x 8 mm, mailles 100 x 200 mm peut encore être produit temporairement dans les DOM-TOM.
Note : Il convient que la longueur d'about ne soit pas inférieure à 25 mm (NF A35-080-2).

1.2.3 Exemples de mise en œuvre

UTILISATION	PRODUITS	APPLICATION
Dallages Maisons Individuelles	ST 25 CS® ST 25 C®	
Dallages à usage industriel ou assimilés	ST 15 C®	Dallage non armé d'épaisseur 15 à 23 cm
	Tous treillis de structure (ST®)	Dallage non armé d'épaisseur > 23 cm et dallage armé.
Dallages à usage autre qu'industriel ou assimilés	ST 10® / PAF C®	Dallage non armé
	ST 50 C®	Dallage armé au % minimum
	Tous treillis de structure (ST®)	Dallage armé
Voile / Murs en béton banché	PAF V® ST 10®	Armatures de peau des murs extérieurs
Plancher poutrelles hourdis (tables de compression)	ST 10®	Parasismique[6,8*]
	PAF C® / PAF R® RAF C® / RAF R®	Selon l'entre - axes des poutrelles
Réservoirs en béton	ST 65 C® ST 60® ST 50® ST 50 C®	Selon l'épaisseur des parois D et d ≥ à 8 mm
Autres applications	Tous treillis de structure (ST®)	

2. ESCALIERS

Cet élément doit être dimensionné, non pas au millimètre, mais de l'ordre du centimètre, car il contraint non seulement son encombrement au RDC et à l'étage, mais aussi la circulation : l'accès et le dégagement pour passer d'un niveau à un autre.

2.1   Principe de l'escalier droit

2.1.1 Composition

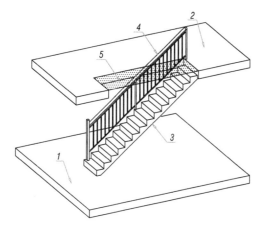

1 : Plancher ou palier de départ

2 : Plancher ou palier d'arrivée

3 : Volée

4 : Garde-corps[1]

5 : Trémie (réservation dans le plancher pour le passage des personnes)

Figure A.1 - Nomenclature de l'escalier

2.1.2 Dimensionnement

La hauteur à franchir, différence de niveau[2] entre le palier de départ et le palier d'arrivée sert de base au calcul. Pour cet exemple, la hauteur est 2,76 m (pour 2,50 m de hauteur sous plafond plus 26 cm d'épaisseur finie du plancher séparant le RDC de l'étage).

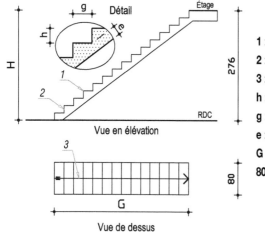

1 : Nez de marche

2 : Contremarche

3 : Ligne de foulée[3]

h : Hauteur d'une marche

g : Giron

e : Épaisseur de la paillasse pour un escalier en béton armé

G : Longueur de la ligne de foulée

80 : Cote la largeur de l'escalier (dans ce cas, c'est l'emmarchement)

Figure A.2 - Nomenclature liée au dimensionnement

Pour débuter le calcul, la hauteur d'une marche est fixée à 18 cm.

---

1. Pour la lisibilité du dessin, les cloisons et garde-corps de l'étage ne sont pas tous représentés.
2. Les niveaux sont considérés comme finis ; s'il y a des revêtements d'épaisseurs variables de plusieurs centimètres, c'est la première ou la dernière marche qui compense ces épaisseurs afin que la hauteur finie des marches soit identique pour tout l'escalier.
3. Ligne fictive empruntée par l'utilisateur, située à la moitié de l'emmarchement ou 0,50 m si l'emmarchement est supérieur à 1 m. Sur cette ligne, tous les girons sont égaux.

D'où le nombre de hauteur de marches : 276 cm/18 cm = 15,33 hauteurs, nombre qui doit être arrondi à un nombre entier[1].

En choisissant 15 hauteurs, la hauteur d'une marche est de : 276 cm/15 = 18,4 cm.

Il convient de ne pas aller au-delà de 19 cm pour un escalier utilisé régulièrement[2] (la tendance actuelle est plutôt de 17 à 17,5 cm).

En choisissant 16 hauteurs, la hauteur d'une marche est de : 276 cm/16 = 17,25 cm.

Avec 15 hauteurs, il n'y a que 14 girons (principe des piquets et des intervalles avec une hauteur aux 2 extrémités de l'escalier).

La longueur d'un giron, de 25 à 30 cm, est associée à la formule de Blondel qui indique que « 2h + g » doit être compris entre 60 et 64 cm ; ce qui correspond environ à la longueur d'un pas.

En prenant 2h + g = 62 cm

Comme h = 18,4 cm, alors g = 62 cm – 2 × 18,4 cm

g = 25,2 cm

Compte tenu de la place disponible, cette valeur est conservée, alors G = 14 × 25,2 cm = 352,8 cm ou arrondie à G = 357 cm pour 14 × 25,5 ou à G = 364 cm pour 14 × 26 cm.

À cette longueur, il faut prévoir un dégagement d'au moins 80 cm (90 cm de préférence) au départ et à l'arrivée de l'escalier pour y accéder. C'est pourquoi il est très souvent préféré un escalier balancé à quartier tournant.

Pour une même hauteur de marche, si g diminue, alors la pente de l'escalier augmente.

Pour permettre le passage d'un niveau à l'autre, il reste à déterminer les dimensions de la réservation à prévoir dans le plancher. Cette réservation appelée « trémie » est représentée, en plan et en coupe verticale, sur la figure 1.138.

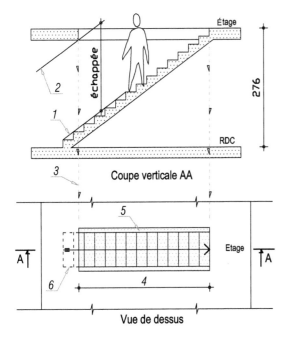

1 : Ligne joignant les nez de marche

2 : Parallèle à cette ligne décalée de 2 m, avec un minimum de 1,90 m selon la situation (plus la possibilité de chanfreiner l'extrémité du plancher pour augmenter l'échappée de tête)

3 : Report sur la vue de dessus, de l'intersection de la ligne 2 avec la sous-face du plancher

4 : Longueur de la trémie en plan. Cette longueur peut être légèrement diminuée avec un about de plancher qui, au lieu d'être vertical, est parallèle à la ligne 2

5 : Matérialisation de la trémie

6 : Les 2 premières hauteurs sont cachées sur la vue de dessus

Figure A.3 - Échappée de tête en coupe et trémie en plan

---

1. Plus il y a de marches et plus la hauteur d'une marche diminue. Cela augmente aussi le nombre de girons et la longueur de l'escalier.
2. La réglementation fixe des valeurs à ne pas dépasser pour les locaux publics.

2.1.3 Représentation

Par convention, une vue en plan est le résultat d'une coupe horizontale située à 1 m au-dessus du plancher fini. Pour le RDC, une partie de l'escalier est vue et une partie est située au-dessus du plan de coupe.

La norme NF P02-001 indique la représentation à adopter et, selon les logiciels utilisés ou les habitudes, des écarts sont possibles. La règle admise est la coupe dans la 7ᵉ contremarche.

Pour le RDC, les 6 premières sont en traits continus. La 7ᵉ est soit représentée en trait renforcé, soit comme sur la figure 1.143, coupée par 2 traits mixtes. Les autres contremarches sont représentées en traits interrompus.

Pour l'étage, l'ensemble de l'escalier est vu sauf 2 marches cachées par le plancher[1] comme le montre la figure 1.138.

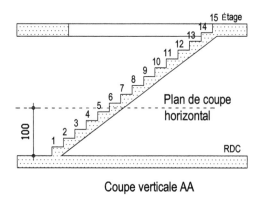

Figure A.4 - Position du plan de coupe horizontal dans l'escalier

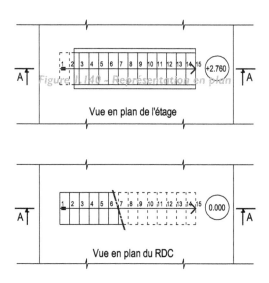

Lorsque la longueur droite disponible est insuffisante, la ligne de foulée change d'orientation :
► une fois pour l'escalier dit un quart tournant ou quartier tournant ou en L ;
► deux fois pour deux quartstournants ou en U ;
► en permanence pour les escaliers circulaires ou hélicoïdaux.

2.1.4 Variante

Au lieu du béton armé, le métal, le bois ou une association de ces 2 matériaux peuvent constituer l'escalier. La paillasse est remplacée par des limons de chaque côté ou un limon et une crémaillère ou une crémaillère centrale.

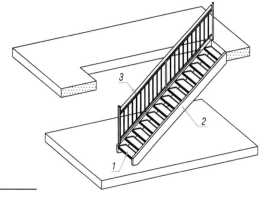

1 : Marche

2 : Limon

3 : Garde-corps avec barreaudage et main courante

Figure A.5 - Escalier à 2 limons sans contremarche

1. Dans d'autres situations, tout l'escalier est vu avec une trémie bien supérieure à l'emprise de l'escalier en plan.

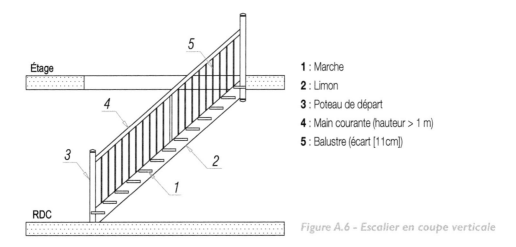

1 : Marche

2 : Limon

3 : Poteau de départ

4 : Main courante (hauteur > 1 m)

5 : Balustre (écart [11cm])

Figure A.6 - Escalier en coupe verticale

2.2 Principe de l'escalier en L

Si dans le changement de direction, il n'y a pas de marche, alors c'est un palier de repos.

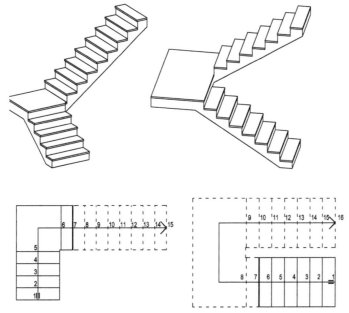

Figure A.7 - Exemples d'escaliers avec palier de repos (en perspective et en plan, au niveau du RDC)

Sans palier de repos, l'escalier est dit « balancé ». Les 2 branches du L sont symétriques (d'égale longueur) ou dissymétriques avec la longueur la plus courte située au départ ou à l'arrivée.

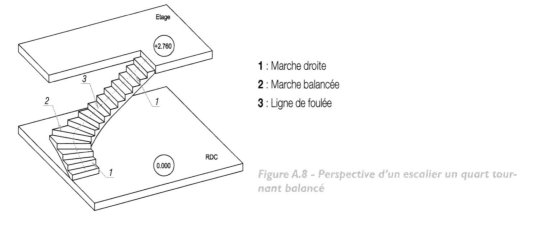

1 : Marche droite

2 : Marche balancée

3 : Ligne de foulée

Figure A.8 - Perspective d'un escalier un quart tournant balancé

2.2.1 Dimensionnement

Pour déterminer le nombre et la hauteur des marches, le calcul est identique à celui de l'escalier droit.

Pour le giron, il faut tenir compte du quart de cercle. Soit la place disponible est imposée (L1 et L2 ou L3 et L4), soit elle est variable mais la figure 1.144 montre qu'il y a des relations géométriques imposées. Le choix d'une valeur conditionne les autres :
- L1 = L3 − 80 (ou L3 = L1 + 80), pour un emmarchement de 80 cm ;
- L2 = L4 − 80.

Avec L3 = AB et L4 = CD

Longueur de la ligne de foulée L = AB + CD + l'arc de cercle BC.

L = L3 + L4 + πR/2 avec R = 40 (la moitié de l'emmarchement lorsqu'il est inférieur à 1 m).

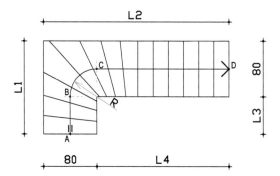

Figure A.9 - Caractéristiques de la ligne de foulée

En choisissant un giron de 26 cm comme une option de l'escalier droit précédent :

$$L = 14 \times 26 = 364 \text{ cm avec BC} = \pi \times 40/2 = 63 \text{ cm.}$$

D'où L3 + L4 = 364 − 63 = 301 cm,

ou L1 + L2 = 364 − 63 + 2 × 80 = 461 cm.

Si L2 maximum est de 3,2 m alors L1 = 461 − 320 = 141 cm.

Si la contrainte est sur les 2 dimensions L1 et L2, il faut recalculer le giron.

Par exemple L1 = 150 et L2 = 300, alors la ligne de foulée L = (150 − 80) + π × 40/2 + (300 − 80) = 352,8 cm[1].

D'où un giron g = 352,8 cm/14 = 25,2 cm.

Très souvent, le calcul se fait par approximations en jouant sur les longueurs L1, L2, g et la formule de Blondel.

2.2.2 Représentation

Sur les vues en plan, les principes de l'escalier droit sont respectés. La représentation en élévation ou en coupe, qui peut apparaître compliquée, n'est que l'application des correspondances entre les vues.

---

1. Les parenthèses ne sont pas indispensables. Elles montrent qu'il faut déduire l'emmarchement à chaque fois.

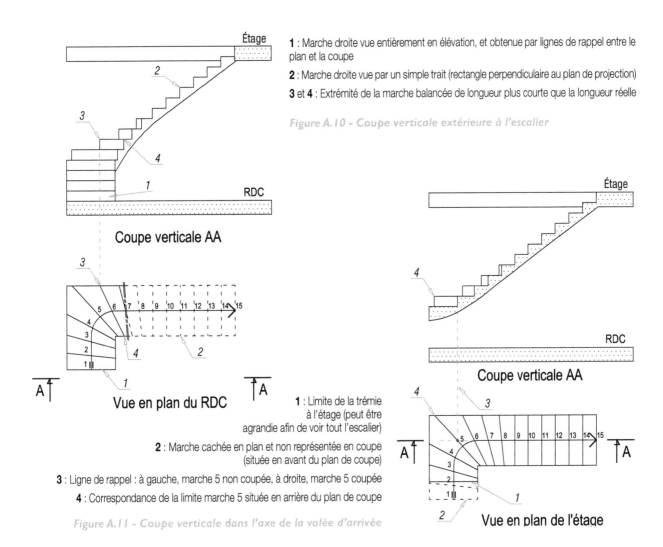

1 : Marche droite vue entièrement en élévation, et obtenue par lignes de rappel entre le plan et la coupe

2 : Marche droite vue par un simple trait (rectangle perpendiculaire au plan de projection)

3 et **4** : Extrémité de la marche balancée de longueur plus courte que la longueur réelle

Figure A.10 - Coupe verticale extérieure à l'escalier

1 : Limite de la trémie à l'étage (peut être agrandie afin de voir tout l'escalier)

2 : Marche cachée en plan et non représentée en coupe (située en avant du plan de coupe)

3 : Ligne de rappel : à gauche, marche 5 non coupée, à droite, marche 5 coupée

4 : Correspondance de la limite marche 5 située en arrière du plan de coupe

Figure A.11 - Coupe verticale dans l'axe de la volée d'arrivée

Remarque : *sur les figures précédentes, une partie du plancher de l'étage peut chevaucher la représentation de l'escalier en plan. De la même manière, un volume est disponible sous la volée d'arrivée de l'escalier pour y placer un placard, un W.-C.[1] ou décaler une porte. Les coupes verticales, ou un calcul, déterminent les hauteurs libres.*

2.3 Principe de l'escalier en U

Dans l'escalier du projet, la marche d'arrivée est parallèle à la marche de départ.

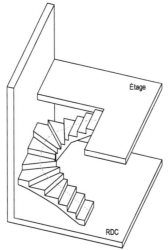

Figure A.12 - Escalier balancé à 2 quartiers tournants

---

1. À trop le reculer, la hauteur disponible devient insuffisante.

2.3.1 Dimensionnement

En conservant 2,76 m de hauteur à franchir avec 15 hauteurs de 18,4 cm, il faut 14 girons dont il reste à calculer la longueur.

L, la longueur de la ligne foulée = AB + BC + CD + DE + EF avec AB = EF et BC + DE = la circonférence d'un demi-cercle.

$$L = 2 \times AB + \pi R + CD.$$

Soit : L = 2 (195 − 80) + π × 40 + (170 −2 × 80) = 365,7 cm.

D'où g = 365,7 cm/14 = 26,12 cm.

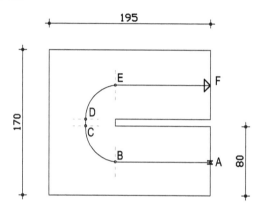

Figure A.13 - Cotes pour la longueur de la ligne de foulée

2.4   Exemple de balancement de l'escalier en U

Tous les girons ont la même longueur sur la ligne de foulée. Pour les parties balancées, les girons sont plus longs vers l'extérieur et plus courts vers l'intérieur.

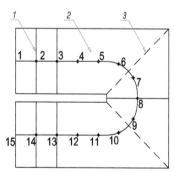

1 : Marche droite

2 : Girons répartis régulièrement sur la ligne de foulée et numérotation des marches

3 : Ligne fictive du changement de direction

Figure A.14 - Ligne de foulée, avec marches droites et répartition des girons

Les marches 1, 2, 3, 13, 14, 15 ne sont pas balancées. Couramment, les 3 marches situées avant et après le changement de direction sont balancées[1]. Dans ce cas particulier d'un escalier symétrique, la marche 8 reste perpendiculaire à la ligne de foulée.

Parmi différentes méthodes, celle de la herse est présentée. Ni calcul ni cotation ne sont nécessaires. Tous les reports de longueur utilisent la géométrie.

La rotation progressive des marches balancées est obtenue en conservant des girons égaux sur la ligne de foulée AB et en répartissant proportionnellement cette longueur sur la ligne de jour CD.

---

1. Elles sont parfois qualifiées de « dansantes ».

Sur un dessin nommé « herse », à l'écart du plan de l'escalier, les longueurs de la vue en plan sont reportées sur deux lignes perpendiculaires selon les repères ci-dessous.

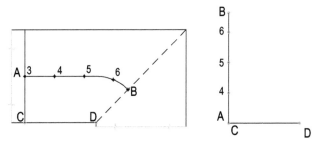

Figure A.15 - Correspondance entre le plan et la herse de balancement

Des lignes issues de 4, 5, 6, B rejoignent le point D. Un arc de centre C et rayon CD coupe BD en d. Ainsi sont définies les distances C4', 4'5', 5'6', 6'd.

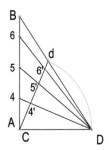

Figure A.16 - Tracé de la herse

Ces distances C4', 4'5', 5'6', 6'd qui donnent les valeurs des girons du côté de la ligne de jour sont reportées sur la vue en plan.

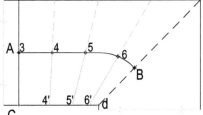

Figure A.17 - Tracé des marches balancées

La 7e marche est tracée avec une herse ou plus simplement à l'œil. Une symétrie par rapport à la marche 8 dessine l'escalier entier.

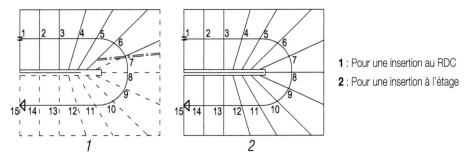

1 : Pour une insertion au RDC

2 : Pour une insertion à l'étage

Figure A.18 - Différence de représentation de l'escalier

2.5 Autre balancement

Au lieu d'effectuer le balancement par quartier, de la marche 3 à 6, il peut se faire globalement de la marche 3 à 8.

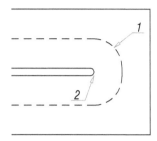
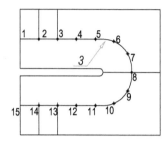

1 : Raccord de la ligne de foulée r = 0,40

2 : Raccords de la ligne de jour r = 0 05

3 : Balancement des marches 3 à 8

Figure A.19 - Lignes de référence

Les girons de la ligne de foulée sont répartis sur CD. La herse est composée de segments A8 et CD, selon le même principe que la précédente.

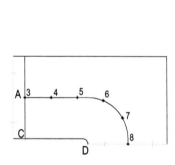
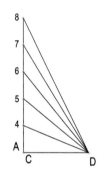

Figure A.20 - Ligne de foulée et herse correspondante

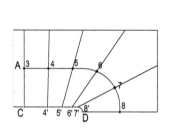
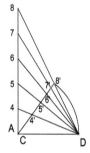

Figure A.21 - Report de la herse et tracé des marches

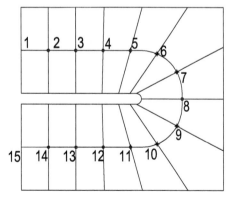

Figure A.22 - Variante de l'escalier balancé

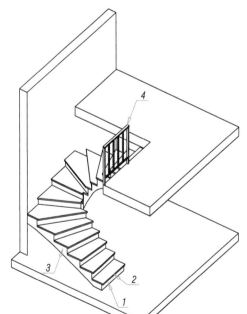

1 : Contremarche

2 : Rez de marche dépasse la contremarche (le giron est mesuré de nez à nez)

3 : Crémaillère

4 : Garde-corps à l'étage

Figure A.23 - Perspective sans main courante ni garde-corps ni cloison pour une meilleure lisibilité

3. TRACÉS GÉOMÉTRIQUES

3.1 Le nombre d'or[1]

Le nombre d'or, désigné par φ (phi), est une proportion, un rapport de 2 nombres a et b tel $\frac{a}{b} = \frac{b}{a-b}$.

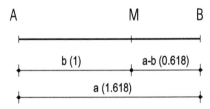

Figure A.24 - Représentation des segments a, b et a-b tels que a/b = b/(a-b)

Le segment AB est partagé suivant la section d'or quand le petit segment (a-b) et le moyen segment b sont dans le même rapport que le moyen segment b et le grand segment a.

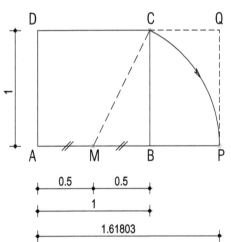

ABCD : Carré d'une unité de côté

M : Milieu de AB

P : Intersection de l'arc de centre M et de rayon MC avec le prolongement de la ligne AB

AP/AB = φ

Figure A.25 - Tracé du rectangle d'or

Exemple de calcul de φ

AP = AM + MP, or MP = MC, donc AP = AM + MC (1), avec AM = ½.

Il faut calculer MC.

Dans le triangle rectangle MBC, $MC = \sqrt{MB^2 + BC^2}$

Or, MB = 1/2 et BC = 1 donc $MC = \sqrt{\left(\frac{1}{2}\right)^2 + 1^2} = \sqrt{\frac{5}{4}} = \frac{\sqrt{5}}{2}$

En remplaçant dans l'équation (1) :

$$AP = \frac{1}{2} + \frac{\sqrt{5}}{2} = \frac{1+\sqrt{5}}{2} =$$

Une autre méthode consiste à faire le produit « en croix » de tel $\frac{a}{b} = \frac{b}{a-b}$

Soit $a(a-b) = b^2$

---

1. Voir le site http://trucsmaths.free.fr/nombre_d_or.htm, y compris pour des développements très intéressants : des exemples d'ouvrages réalisés dans l'Antiquité, du nombre de Fibonacci, de la pige composée de la paume, de la palme, de l'empan, du pied et de la coudée.

Soit $a^2 - ab - b^2 = 0$

Avec $b = 1$, l'équation devient $a^2 - a - 1 = 0$, équation du second degré où $= \sqrt{(-1)^2 - 4(1x-1)} = \sqrt{5}$

D'où la solution positive : $\frac{1+\sqrt{5}}{2} \approx 1{,}618$.

Avec le rectangle d'or, d'autres figures respectent ces proportions, comme les 2 triangles d'or, triangles isocèles dans lesquels les côtés sont dans le rapport du nombre d'or.

3.2   La division d'un segment en n segments égaux

Par exemple, pour un segment L = 157 cm à diviser en 12 segments égaux l, le calcul est la solution la plus immédiate :

$$\ell = 157/12 \approx 13{,}08$$

Mais graphiquement, le report de cette distance approximative, l'une à la suite de l'autre, produit des erreurs non seulement dues à l'imprécision du résultat, mais aussi aux imprécisions de chacun des reports de cette mesure. Le plus précis serait un report en cumulé, ce qui implique un recalcul de chacun des points.

Les méthodes graphiques ci-dessous éliminent ces imprécisions.

Pour diviser le segment AB en 12 segments égaux :

Selon une direction quelconque, tracer une ligne AM sur laquelle on reporte 12 fois un segment de valeur entière (par exemple 15 cm), en cumulé[1].

Ainsi est obtenu le point B' qui, relié à B, donne une direction. Le report de tous les points de AB' sur AB, parallèlement à B'B, donne les points cherchés.

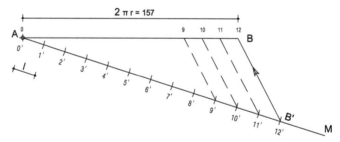

Figure A.26 - Division géométrique d'un segment selon une direction quelconque

Si pour le tracé l'on souhaite une direction perpendiculaire au segment origine AB, le point B' est à la fois sur une perpendiculaire issue de B et a une distance de A multiple d'un nombre entier et du nombre de divisions souhaité.

Par exemple, pour une distance AB de 167 cm à diviser en 8, une perpendiculaire issue de B et un arc de cercle de centre A et de rayon 200 cm (8 × 25 cm) se coupent en B', le point cherché.

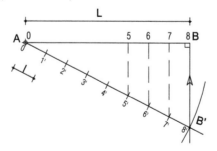

Figure A.27 - Division géométrique d'un segment selon une direction perpendiculaire

---

1. Segments issus de l'origine d'une longueur multiple de 15 cm (15, 30, 45, 60, 75…).

3.3 Segments perpendiculaires

3.3.1 Méthode dite du 3, 4, 5

AB = 4 et AC = 3 sont perpendiculaires lorsque BC = 5

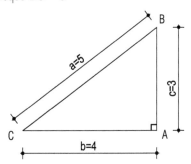

Figure A.28 - Triangle rectangle de proportion 3, 4, 5

Cette relation entre les 3 côtés du triangle correspond au théorème de Pythagore qui définit un triangle rectangle lorsque la somme des carrés des 2 petits côtés est égale au carré du 3e côté, synthétisé par la formule $a^2 = b^2 + c^2$.

Or, cette égalité est vérifiée par les 3 nombres 3, 4 et 5 puisque $3^2 + 4^2 = 5^2$.

Son universalité vient du fait que ces côtés sont les petits nombres entiers qui vérifient cette égalité. Et il faut voir cette série 3, 4, 5 comme une série 3u, 4u, 5u où u est considérée comme l'unité qui peut être aussi bien le mètre, que le demi-mètre, la coudée, ou une valeur quelconque.

3.3.2 Méthode de la corde à nœuds

C'est une application pratique de la méthode « 3, 4, 5 » qui, à l'origine, servait à redéfinir les champs après la crue du Nil. Sur une corde de longueur quelconque[1], 12 intervalles égaux sont matérialisés par des nœuds. Pour 12 intervalles, il y a donc 13 nœuds si la corde est ouverte, et 12 si la corde est fermée.

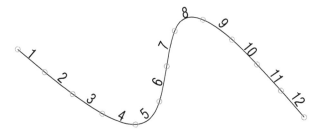

Figure A.29 - Corde ouverte à 13 nœuds et 12 intervalles

Lorsque cette corde est tendue selon la figure ci-dessous, alors le triangle est rectangle.

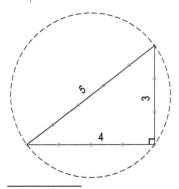

Figure A.30 - Corde tendue à 12 nœuds répartis selon 3 segments de 3, 4 et 5 divisions

1. À l'origine, la coudée représentait l'intervalle entre les nœuds. Mais la valeur de cette coudée romaine 44,46 cm ou la « coudée égyptienne royale ancienne » attestée depuis la IVe dynastie mesurait environ 52,4 cm ; la « coudée royale nouvelle » (ou souvent « coudée royale » tout court) attestée depuis la XIIe dynastie mesurait environ 52,9 cm.

Et plus généralement, tout triangle inscrit dans un demi-cercle est un triangle rectangle.

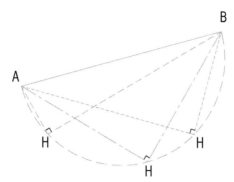

Figure A.31 - Exemples de triangles rectangles inscrits dans un demi-cercle

Cette corde permet aussi de tracer un triangle équilatéral ou un triangle isocèle.

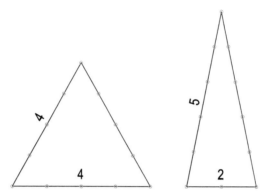

Figure A.32 - Triangles (équilatéral ou isocèle) tracés avec la corde à nœuds

Avec cette corde à nœuds, on retrouve aussi la longueur du nombre d'or en traçant un petit triangle rectangle de côté AB d'une unité et AC de 2 unités. En ajoutant une unité à l'hypoténuse obtenue,

$$CM = 1 + \sqrt{5} = 2$$

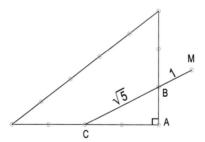

Figure A.33 - Nombre d'or (à diviser par 2) obtenu à partir du triangle 3, 4, 5

Le principe selon lequel tout triangle inscrit dans un demi-cercle est rectangle permet le tracé d'une perpendiculaire à un segment passant par un point fixé.

Pour trouver la perpendiculaire à AB passant par H, il suffit de tracer un cercle de rayon et de centre quelconques passant par H. Le diamètre issu de N (intersection du cercle et de AB) coupe le cercle en M. MH est perpendiculaire à AB.

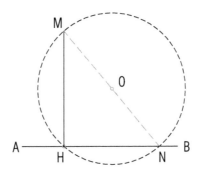

Figure A.34 - Tracé de la perpendiculaire à AB passant par H

3.3.3 Cas particulier de la médiatrice

La médiatrice est une perpendiculaire qui passe par le milieu du segment. Elle passe par 2 points situés à l'intersection de 2 arcs de cercle de même rayon, l'un de centre A, l'autre de centre B.

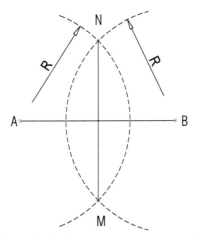

Figure A.35 - Médiatrice du segment AB

3.4 Bissectrice

La bissectrice divise un angle en 2 angles égaux.

Un 1er arc de cercle de centre S et de rayon quelconque définit les points M et N. M et N deviennent les centres des arcs de cercle qui se coupent en A.

SA est la bissectrice de l'angle aigu. La bissectrice de l'angle obtus lui est perpendiculaire.

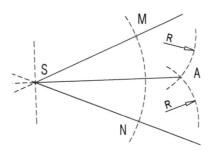

Figure A.36 - Bissectrices de l'angle S

Si S n'est pas accessible, il suffit de tracer, vers l'intérieur, des parallèles aux côtés de l'angle, de telle sorte que le sommet soit visible.

3.5 Les raccordements

3.5.1 De 2 droites par un arc de cercle de rayon R

Les parallèles, situées à une distance R des droites à raccorder, se coupent en O, centre de l'arc de cercle du raccordement.

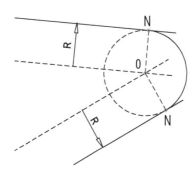

Figure A.37 - Raccordement de 2 droites par un arc de cercle

3.5.2 De droites tangentes à un cercle

Si la droite issue de S est tangente au cercle en un point T1, alors les 3 points S, T1 et O appartiennent au demi-cercle de diamètre SO, de centre M, milieu de SO.

T2 est le symétrique de T1 par rapport à SO.

La médiatrice (voir la figure 2.83) du segment SO défini le point M.

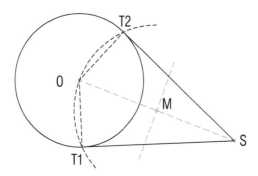

Figure A.38 - Droites issues de S et tangentes au cercle

3.5.3 De 2 cercles par une droite

Il s'agit de raccorder le cercle C1 (centre O1 et rayon R1) et le cercle C2 (centre O2 et rayon R2) par des droites tangentes à ces 2 cercles. La méthode est une adaptation de la figure 2.86. Il existe une droite extérieure et une droite intérieure aux cercles.

De O1, tracer un demi-cercle de rayon (R1-R2) et un demi-cercle de rayon (R1+R2).

Un cercle de centre M, milieu de O1O2, et de rayon MO1 coupe les 2 cercles auxiliaires en J1 et K1.

Les droites cherchées sont parallèles à O2J1 et O2K1, décalées de la valeur de R2.

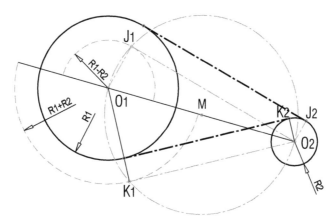

Figure A.39 - Tangente intérieure et tangente extérieure aux 2 cercles

3.5.4 De 2 cercles par un cercle

Il s'agit de raccorder le cercle C1 (centre O1 et rayon R1) et le cercle C2 (centre O2 et rayon R2) par un cercle C3 (centre O3 et rayon R3).

De O1, tracer un arc cercle de rayon (R1 + R3).

De O2, tracer un arc cercle de rayon (R2 + R3).

Ces 2 arcs se coupent en O3, centre du cercle cherché, de rayon R3.

Les points de tangence des cercles sont situés à l'intersection du cercle C1 et du segment O1O3, et à l'intersection du cercle C2 et du segment O2O3.

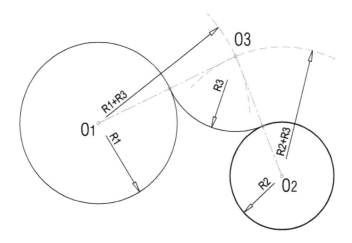

Figure A.40 - Arc raccordant 2 cercles

3.6 Les arcs

3.6.1 Plein cintre

L'arc correspond à un demi-cercle.

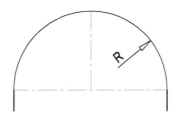

Figure A.41 - Arc ou voûte en plein cintre

La décomposition de l'ouverture de l'arc en un nombre impair de segments définis sur l'intrados permet de tracer les voussoirs composants la voûte.

L'ouverture de la voûte est décomposée en 7 parties égales selon le principe de la figure 2.74.

Le tracé d'un arc de rayon 2R, qui correspond à l'ouverture de la voûte, coupe l'axe en O.

Les lignes issues de O passant par la partition de l'ouverture de la voûte (points 1, 2, 3...) coupent l'intrados en des points qui déterminent la découpe de la voûte.

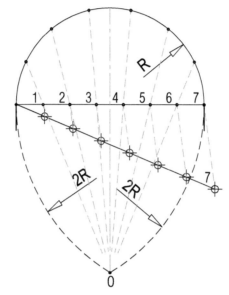

Figure A.42- Décomposition de l'arc en 7 parties égales

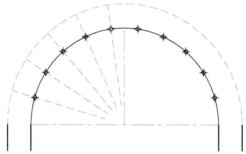

Figure A.43 - Ébauche de tracé des voussoirs

La voûte débute et finit par le sommier, avec une clé en son milieu

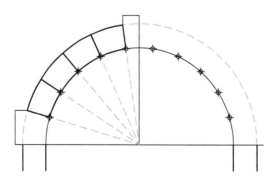

Figure A.44 – Demi-voûte composée d'un sommier, de voussoirs et d'une demi-clé

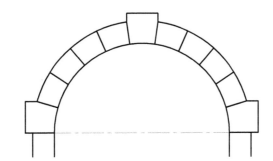

Figure A.45 – Voûte en plein cintre avec tracé des voussoirs

3.6.2 Anse de panier à 3 centres

L'arc est composé de 3 arcs de cercle : 1 central et 2 autres, symétriques par rapport à l'axe de la voûte.

La base correspond au plein cintre de diamètre AB. Du sommet de la voûte est choisi un cercle C2 de rayon r tangent à l'arc de plein cintre C1.

Ainsi est défini le point S, sommet du triangle isocèle ABS. Le cercle C2 coupe AS en M et BS en N. Les médiatrices de AM et BN se coupent en O, centre du cercle central. Elles coupent aussi AB en O1 et O2, centres des cercles qui raccordent le cercle central aux points A et B.

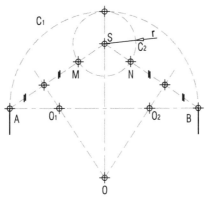

Figure A.46 – Les points de définition de l'anse de panier

De O1 et O2 sont tracés des arcs de rayon R1, de l'origine de la voûte jusqu'à l'intersection avec OO1 et OO2.

Le cercle de centre O et de rayon R2 raccorde ces 2 arcs et termine l'anse de panier.

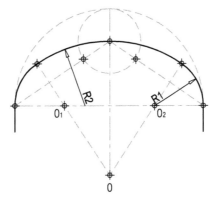

Figure A.47 – Tracé final de l'arc

De la même manière que pour l'arc en plein cintre, l'intrados est divisé en un nombre impair de parties égales.

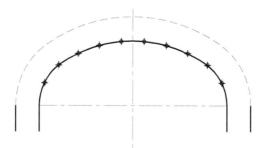

Figure 2.96 - Division de l'intrados

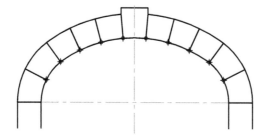

Figure A.48 - Dessin des voussoirs et de la clé

3.6.3 Ellipse

C'est une courbe[1] qui peut être définie par des équations (cartésiennes, paramétriques…) ou plus simplement, dans ce paragraphe, par quelques propriétés géométriques qui permettent de la tracer.

Le tracé de l'ellipse s'effectue soit à partir des ses axes, soit à partir de ses foyers.

3.6.3.1 Tracé à partir de ses axes

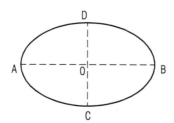

Figure A.49 - Grand axe AB et petit axe CD de l'ellipse

Par convention, AB = 2a et CD = 2b.

Ces 2 axes permettent le tracé de cercles de centre O, l'un de diamètre AB, l'autre de diamètre CD. Alors un rayon issu de O coupe ces 2 cercles en 1 et 2. La parallèle au grand axe issu de 1 et la parallèle au petit axe issu de 2 se coupent en M, point appartenant à l'ellipse.

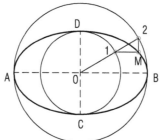

Figure A.50 - Point de l'ellipse à partir de son grand axe et de son petit axe

---

1. Qui appartient à la famille des coniques (voir dans la section « 2 Intersections et développements » les paragraphes consacrés à l'intersection du cône et du plan).

L'ellipse est aussi une déformation du cercle, ou bien, un cercle est une ellipse particulière dans laquelle « grand axe » et « petit axe » sont égaux.

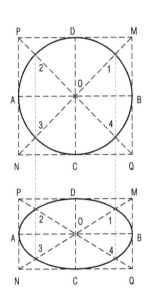

Figure A.51 - Transformation d'un cercle en ellipse

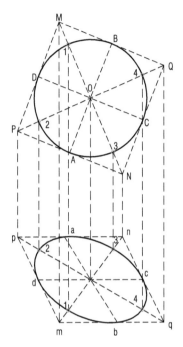

Figure A.52 - Correspondances et tracé de la projection du cercle pour obtenir l'ellipse

3.6.3.2 Tracé à partir des ses foyers

En considérant les foyers F1 et F2 de l'ellipse, alors tout point M de l'ellipse est tel que $MF1 + MF2 =$ constante[1].

Ainsi, à l'aide d'une corde de longueur 2a (grand axe de l'ellipse) fixée en F1 et F2, un crayon qui tend la corde trace l'ellipse.

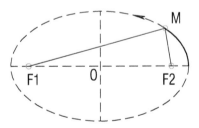

Figure A.53 - Point M traçant l'ellipse

REMARQUE : *pour une même longueur du grand axe, en faisant varier la distance F1F2, l'ellipse est plus ou moins aplatie. Si les points F1 et F2 sont confondus, alors l'ellipse est un cercle et 2a = 2b. Si F1F2 = 2a, alors l'ellipse est un segment et 2b = 0.*

À partir des axes de l'ellipse, les foyers sont déterminés à l'aide d'un cercle de rayon a.

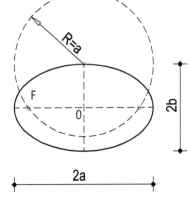

Figure A.54 - Trouver les foyers connaissant les axes

---

1. Cette valeur correspond à la longueur du grand axe : 2a.

Table des matières graphique

Raccourcis visuels pour entrer dans l'ouvrage en passant directement par quelques schémas

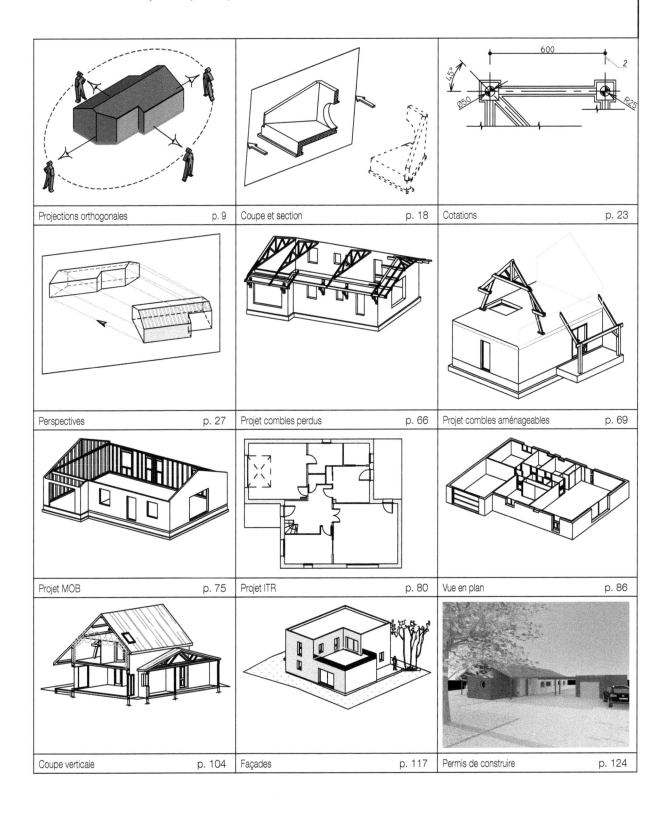

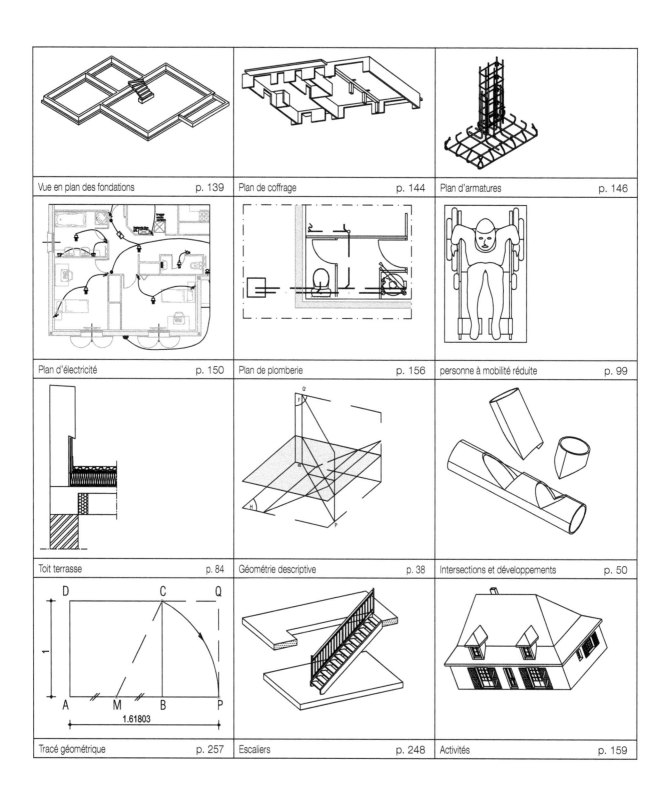

Références Internet

Gros œuvre, maçonnerie, assainissement, VRD

Bloc béton – *www.blocalians.fr*

Bonna Sabla – *www.bonnasabla.com*

Imerys – *www.imerys-structure.com*

KP1 – *www.kp1.fr*

La Nive – *www.lanive.fr*

Poujoulat – *www.poujoulat.fr*

Rector – *www.rector.fr*

SEAC GF – *www.seac-gf.fr*

Sotralentz – *www.sotralentz.com*

Standarm armatures mancelles – *www.standarm.com*

Terreal – *www.terreal.com*

Thermopierre, Ytong-Siporex, Hebel, Fermacell
www.xella.fr

Wienerberger – *www.wienerberger.fr*

Drainage des sols, étanchéité

Afitex – *www.afitex.com*

Doerken – *www.doerken.fr*

Siplast – *www.siplast.fr*

Soprema – *www.soprema.fr*

Menuiserie

Grégoire – *www.menuiseries-gregoire.fr*

Kawneer – *www.kawneer-france.com*

K Line – *www.k-line.fr*

Schüco – *www.schueco.com*

SNFA – *www.snfa.fr*

Technal – *www.technal.fr*

Veka – *www.veka.fr*

Velux – *www.velux.fr*

Couverture, zinguerie, eaux pluviales

Bonna Sabla – *www.bonnasabla.com*

Entre 2 eaux – *www.entre2-eaux.com*

Imerys toiture – *www.imerys-toiture.com*

Monier – *www.monier.fr*

Nicoll – *www.nicoll.fr*

Roth – *www.roth-france.fr*

Terreal – *www.terreal.com*

VM Zinc – *www.vmzinc.fr*

Isolation, cloisonnements, plâtrerie

Bloc Easy-Chanvre – *www.easychanvre.fr*

BPB Placo – *www.bpbplaco.com*

Domus matériaux – *www.domus-materiaux.fr/isolation.htm*

Isolation par l'extérieur mur manteau
www.groupement-mur-manteau.com

Isolation thermique des façades par l'extérieur – *www.sto.fr*

Knauf – *www.knaufinsulation.fr*

Lafarge plâtre – *www.lafarge-platres.fr*

Rockwool – *www.rockwool.fr*

Saint Gobain-Isover – *www.isover.fr*

STYROFOAM™ de Dow – *building.dow.com/eu/fre/fr/*

Ursa – *www.ursa.fr*

Fluides (chauffage, ventilation, électricité)

Acome – *www.acome.fr/fr/Batiment2*

Aldes – *www.aldes.fr*

Atlantic – *www.atlantic.fr*

Buderus – *www.buderus.fr*

Chappée – *www.chappee.com*

Daikin – *www.daikin.fr*

De Dietrich – *www.dedietrich-thermique.fr*

FNAS – *www.fnas.fr*

Geminox – *www.geminox.fr*

Hager – *www.hagergroup.fr*

Hegler – *www.hegler.de*

Helios – *www.helios-energies.fr*

Legrand – *www.legrand.fr*

Ökofen – *www.okofen.fr*

Roth – *www.roth-france.fr*

Viessmann – *www.viessmann.fr*

Organismes

ADEME • Agence de l'environnement et de la maîtrise de l'énergie – *www2.ademe.fr*

AFNOR • Association française de normalisation *www.afnor.org*

ANAH • Agence nationale de l'habitat – *www.anah.fr*

Association HQE – *www.assohqe.org*

Cadastre – *www.cadastre.gouv.fr*

CERIB • Centre d'études et de recherches de l'industrie du béton – *www.cerib.com*

COSTIC • Centre d'études et de formation pour le génie climatique et l'équipement technique du bâtiment *www.costic.com*

CSTB • Centre scientifique et technique du bâtiment *www.cstb.fr*

FIB • Fédération de l'industrie du béton – *www.fib.org*

Guichet des formulaires – *www2.equipement.gouv.fr/ formulaires/formdomaines.htm*

IGN • Institut géographique national – *www.ign.fr*

Ordre des géomètres-experts – *www.geometre-expert.fr*

Promotelec – *www.promotelec.com*

Habitat et énergies

Agence locale de l'énergie de l'agglomération lyonnaise *www.ale-lyon.org/rubrique/doc/tech/index.html*

Architecture climatique *archi.climatic.free.fr*

Cabinet Sidler – *www.enertech.fr*

CETE Lyon – *www.cete-lyon.equipement.gouv.fr*

Création développement éco-entreprises – *www.cd2e.com*

Effinergie – *www.effinergie.org*

Envirobat Méditerranée – *www.envirobat-med.net*

Futura maison *www.futura-sciences.com/fr/maison/dossiers/*

GEOassistance – *www.geoassistance.fr*

Habitat solaire HSC Photovoltaïque *www.hsc-photovoltaique.fr*

ID maison – *www.ideesmaison.com*

Logiciels de calculs thermiques – *www.bbs-slama.com*

Logiciels pour le génie climatique – *www.climandsoft.com*

Minergie – *www.minergie.fr*

Passiv Haus Institut – *www.passiv.de*

Pouget Consultants – *www.pouget-consultants.eu*

Scop Fiabitat Concept – *www.fiabitat.com*

Simulateur DPE *bilan-thermique.com*

CalSol *ines.solaire.free.fr/index.php*

Cardonnel Ingénierie *www.c-u-b-e.fr/cardonnel.fr/index.html*

Institut négaWatt – *www.institut-negawatt.com*

Izuba Énergies – *www.izuba.fr*

Projet Audience *audience.cerma.archi.fr/index.html*

Tribu Énergie – *www.tribu-energie.fr*

Index

Chez le même éditeur (extrait du catalogue)

Généralités

Xavier Bezançon & Daniel Devillebichot, *Histoire de la construction*
– *de la Gaule romaine à la Révolution française*, 392 p. en couleurs, 2013
– *moderne et contemporaine en France*, 480 p. en couleurs, 2014
Jean-Paul Roy & Jean-Luc Blin-Lacroix, *Le dictionnaire professionnel du BTP*, 3ᵉ éd., 828 p., 2011
Collectif ConstruirAcier sous la direction de Jean-Pierre Muzeau, *Lexique de construction métallique et de résistance des matériaux*, 368 p., 2013

Formation initiale

Yves Widloecher & David Cusant, *Manuel d'analyse d'un dossier de bâtiment. Initiation, décodage, contexte, études de cas*, 228 p., 2013
– *Manuel de l'étude de prix, Entreprises du BTP. Contexte, cours, études de cas, exercices résolus*, 2ᵉ éd., 224 p., 2013
Jean-Paul Léon & Véronique Favart-Bellanger, *Missions et fonctions du tuteur dans les métiers de la construction. Guide pratique; études de cas*, 176 p., 2014
Léonard Hamburger, *Maître d'œuvre bâtiment. Guide pratique, technique et juridique*, 2ᵉ éd., 400 p., 2013
Michel Brabant, Béatrice Patizel, Armelle Piègle & Hélène Müller, *Topographie opérationnelle. Mesures, calculs, dessins, implantations*, 396 p., 2011
Jean-Claude Doubrère, *Résistance des matériaux. Cours & exercices corrigés*, 12ᵉ éd., 176 p., 2013

Construction

Olivier Celnik & Eric Lebègue avec le concours de Guersendre Nagy et la contribution de 150 professionnels, *BIM & maquette numérique pour l'architecture, le bâtiment et la construction*, 2ᵉ éd., 640 p. en couleurs, 2015, coédition CSTB
Patrick Dupin, *Le LEAN appliqué à la construction. Comment optimiser la gestion de projet et réduire coûts et délais dans le bâtiment*, 2ᵉ éd. 160 p., 2015
Christian Lemaitre, *Les propriétés physico-chimiques des matériaux de construction*, 132 p., 2012
– *Mise en œuvre et emploi des matériaux de construction. Sols. Pierres. Terres cuites. Liants hydrauliques. Bétons. Métaux & alliages métalliques. Bois. Verre & vitrages. Dégradations, protection, maintenance. Préoccupations sociétales*, 268 p., 2012
Serge Milles & Jean Lagofun, *Topographie et topométrie modernes*
1. Techniques de mesure et de représentation, 528 pages, 1999
2. Calculs, 344 p. (CD inclus), 1999
Philippe Carillo, *Conception d'un projet routier. Guide technique*, 112 p., 2015

Droit

Patricia Grelier Wyckoff, *Pratique du droit de la construction, Marchés publics et privés*, 7ᵉ éd., 576 p., 2015
– *Le mémento des marchés publics de travaux*, 5ᵉ éd., 320 p., 2012
– *Le mémento des marchés privés de travaux*, 3ᵉ éd., 304 p., 2011
– *Le mémento des contrats complexes de la commande publique*, 208 p., 2012
Bertrand Couette, *Guide pratique de la loi MOP*, 3ᵉ éd., 600 p., 2014
Patrick Gérard, *Pratique du droit de l'urbanisme. Urbanisme réglementaire, individuel et opérationnel*, 6ᵉ éd., 336 p., 2013
Bernard de Polignac, Jean-Pierre Monceau & Xavier De Cussac, *Expertise immobilière. Guide pratique*, 6ᵉ éd., 496 p., 2013

... et des dizaines d'autres livres de BTP, de génie civil, de construction et d'architecture sur
www.editions-eyrolles.com